# Ejercicios gramaticales
## Nivel medio y superior

L. BUSQUETS - L. BONZI

# Ejercicios Gramaticales

## Nivel medio y superior

SOCIEDAD GENERAL ESPAÑOLA DE LIBRERIA, S. A.

Primera edición, 1983
Segunda edición, 1985
Tercera edición, 1986
Cuarta edición, 1987
Quinta edición, 1988
Sexta edición, 1989
Séptima edición, 1990
Octava edición, 1991
Novena edición 1992
Décima edición, 1993
Undécima edición, 1994


PRODUCE: SGEL-Educación
Marqués de Valdeiglesias, 5 - MADRID-4

Cubierta: I. Belmonte

ISBN: 84-7143-276-5
Depósito legal: M. 13.818-1994
Printed in Spain - Impreso en España


Compone: TIPOFOT, S. A.
Imprime: Rogar, S. A.
Encuaderna: Movimar, S. L.

# NOTA PRELIMINAR

Con la presente selección de ejercicios pretendemos ofrecer a estudiantes extranjeros que ya poseen un conocimiento del español básico un material lingüístico que les permita consolidar algunos aspectos del idioma ya estudiados –a los que por su dificultad misma es preciso volver con frecuencia– y profundizar en el estudio de la sintaxis y del léxico, propio de un estadio superior en el aprendizaje del idioma.

Dado que las dificultades y vacilaciones surgen esporádica y desordenadamente, ora en la conservación o en la lectura, ora en la redacción o en la traducción, hemos juzgado oportuno agrupar dicho material por temas. Con ello facilitamos una consulta que va directamente al asunto tratado y permitimos el estudio o repaso contemporáneo de una o más cuestiones de distinta naturaleza, pudiendo cada profesor seleccionar aquellos ejercicios que mejor respondan a las exigencias del momento.

En la casi totalidad de los casos, salvo cuando se trata de materias que se suponen ampliamente estudiadas en cursos elementales, precede a cada serie de ejercicios un esquema gramatical que ilustra sucintamente la cuestión que es objeto de estudio.

Para mayor claridad, dichos esquemas no ofrecen la totalidad de soluciones de que dispone el idioma en cada caso, sino sólo aquellas alternativas más en uso que el alumno debería hacer suyas antes de enfrentarse con ulteriores sutilezas de la lengua.

Al final del presente volumen figuran las soluciones de todos los ejercicios.

LAS AUTORAS

# ACENTUACIÓN

*(handwritten: sharp -always at end)*

1. *Agudas*      pasó / jardín / ciprés ⟷ farol / feliz
   *Llanas*      inútil / azúcar ⟷ canto / cantan / tesis
   *Esdrújulas*  cántaro / ejército / lámpara

   *(handwritten notes: vowels, 3 vowels)*

2. *Palabras con diptongos o triptongos* ( = grupo de 2 ó 3 vocales con la *i* / *u*, o ambas)

   *Agudas*      partió / también / cantáis / averigüéis ⟷ sexual
   *Llanas*      huésped / Cuéllar ⟷ puerto / cuentan / suelos
   *Esdrújulas*  terapéutico / cuídate

   ---

   **Observe** que el acento gráfico recae *siempre* sobre la vocal que no es ni *i* ni *u*; cuando el diptongo es *iu* o *ui* recae sobre la segunda; cuando es un triptongo, sobre la vocal central: terapéutico, cuídate, averigüéis.

   ---

3. *Palabras monosílabas*

   No se acentúan *nunca,* a menos que sea preciso distinguirlas de otras palabras de igual forma y distinto significado:

   — yo no sé nada

   ⟷ se ha marchado

   — sé un poco más atrevido

## 4. Cuando debe deshacerse el diptongo

Se coloca el acento sobre la vocal *i* o *u* aun cuando *no* le correspondería llevarlo según la regla general:

reúma ——————— María ——————— reír ——————— río — ——————— maíz

La presencia de una *h* intercalada no sustituye el acento que requiere la destrucción del diptongo:

rehúyo ——————— búho ——————— vehículo ——————— bahía

## 5. Palabras compuestas

punta**pié** ——————— decimo**séptimo** ——————— cefalo**tórax** ——————→ 2.º
**tio**vivo ——————— **asi**mismo ——————— **decimo**séptimo ——————→ 1.º
*cortés*mente / *ágil*mente ←———→ *clara*mente / *tonta*mente
físico-químico / guía-catálogo

**Recuerde:**

| | |
|---|---|
| CONTRIBUCION ←——————————→ | contribución |
| Mediterráneo ——————————→ | ( = Mediterrá–ne–o) |
| decídselo / llevémonoslo ——————————→ | ( = decid–se–lo / llevemos–nos–lo) |
| miróse ——————————→ | ( = se miró) |
| examen ←——————————→ | exámenes |
| imán ←——————————→ | imanes |
| carácter ←——————————→ | caracteres |
| calle o plaza o bulevar ←——————————→ | 5 ó 6 personas |
| ruido / jesuita / huida | |
| carné / repórter / réquiem | |
| ¿cómo es? ⟍ ←——————————→ | ¿lo hizo como le dije? |
| no sé cómo es ⟋ | |

**1. Coloque el acento en las palabras de las frases siguientes que lo precisen:**

1. En el Museo de Milan hemos visto unos oleos estupendos y un tapiz precioso de tenues colores.
2. ¡No os riais tan fuerte, que os van a oir!
3. Muchos guerreros, verdaderos heroes, murieron en el sitio de Numancia.
4. No sigais estudiando demasiado: mañana no podreis ir a clase porque los tranvias no funcionaran.
5. ¿Cuantas peras en almibar quereis tomar?
6. Aquel señor no cree en nada: me ha dicho el mismo que es ateo.
7. A mi no me gustan los hombres demasiado herculeos y tampoco los que beben alcohol.
8. Mi amigo Estanislao Esteban fue siempre un huesped correctisimo.
9. La novela social española tiene caracter liricorrealista.
10. Es inutil seguir hablando por telefono: han cortado la linea.
11. Solo la parte final del sermon era algo superflua.
12. El lunes pasado le regale una corbata a mi tio.
13. Estaba tocando el violin cuando me llego tu telegrama.
14. ¡Imaginense ustedes cual ha sido mi estupor!
15. Tu hipotesis no esta mal: ese dibujo podria representar un cipres.
16. El batallon hizo una marcha de muchos kilometros.
17. Aquella pared esta demasiado vacia: hay que colgar algun cuadro mas.
18. La electronica es uno de los inventos mas utiles de estos ultimos años.
19. Seguid asi y mejorareis rapidamente.
20. Dijo esto y se marcho.
21. ¿Solo vas a comer dos o tres croquetas?
22. Piensa solo en si mismo.
23. ¡Que frio hace y cuanta lluvia!
24. «Se prudente», me recomienda mi esposa cuando conduzco.
25. Si fuerais todos de excursion, ¿cuantos seriais en total?
26. Los siglos XVI y XVII corresponden al periodo aureo de la literatura castellana.
27. Airee usted la habitacion antes de hacer las camas.

## 2. Como el ejercicio anterior:

1. Si no te encuentras bien, tiendete un rato en la cama.
2. Peinate mejor porque asi no me gustas nada.
3. Anoche vi un buho en el jardin de mi casa.
4. Cuando el profesor reune todos sus papeles significa que la clase ha terminado.
5. Ayer frei unas patatas y la casa continua oliendo a aceite.
6. «Le vi, le salude y fuime», dijo el conde con mucha pompa.
7. Para mas detallada informacion, consultenos en Recepcion.
8. Guardate los dulces para mas tarde, Elias, y ahora esfuerzate en comer un poco de sopa.
9. El proximo miercoles ire a ver como se hace una sauna.
10. El pobre buhonero se quedo mohino despues de las amenazas de la policia.
11. Si consigo aprobar este ultimo examen, ya podre pensar en mi tesis.
12. La cafeina les sienta muy mal a los que padecen de estomago y de higado.
13. En la Biblia se habla asimismo de Cain.
14. Jugais a baloncesto mejor que a tenis.
15. Los toros mihura son los mejores para la lidia.
16. Cleopatra se dejo morder por un aspid.
17. Mirola a los ojos y quedose extasiado.
18. El camarero se movia agilmente entre las mesas.
19. Cubrieron el ataud con la bandera nacional.
20. El automovil llego haciendo un ruido increible.
21. Guarda para si la mayor parte de su sueldo.
22. Es increible que de tanta limosna a los pobres.
23. No se a quien estan buscando, si a ti o a mi.
24. Me pregunto como puedo aislar este hilo electrico.
25. Acabo la conferencia y fueronse todos a almorzar.
26. Si estuvieramos casados, te guisaria platos riquisimos.

| DONDE | A DONDE | ADONDE | DÓNDE | ADÓNDE |
|-------|---------|--------|-------|--------|

1. — *estoy* donde quiero ————————————→ ¿dónde *estás*?

2. — *voy* a donde quiero (1)
   — *voy* al cine adonde fuimos ayer ————→ ¿adónde *vas*?

3. — ~~*estoy* adonde quiero~~
   — ~~*estoy* en casa, adonde hace frío~~ ————→ ~~¿adónde *estás*?~~

(1) La relación de destino se expresa a menudo, coloquialmente, sin preposición. Ej.: voy *donde* me da la gana.

| PORQUÉ | PORQUE | POR QUÉ | POR QUE |
|--------|--------|---------|---------|

1. ┌─ no confesó *el porqué* de su decisión
   ├─ dimitió de su cargo sin *un* aparente *porqué*
   ├─ no quiso confesar *los porqués* de su conducta
   └──────────→ = el motivo / la causa

2. ┌─ no lo compré *porque* era demasiado caro
   ├─ ¿*porque* no te invitó te has enfadado?
   ├─ no saldré *porque* estoy cansada
   └──────────→ = ya que, puesto que

3. ┌─ ¿*por qué* no te llevas el paraguas, que va a llover?
   ├─ ¿*por qué* se ofendieron tus amigos?
   ├─ no sé *por qué* no has ido a la conferencia
   └──────────→ = ¿por qué razón?

4. ┌─ fueron muchos los delitos *por que* fue condenado
   ├─ esa es la puerta *por que* entraron los ladrones
   ├─ se desconoce la enfermedad *por que* ha muerto mi tío
   └──────────→ = por el cual, la cual, los cuales, las cuales (2)

(2) Cfr. ORACIONES DE RELATIVO, pág. 180.

## EJERCICIOS

**3.** **Coloque el acento en las palabras de las frases siguientes que lo precisen:**

1. No se cuando saldre; todavia no se siquiera adonde ir.
2. ¿Quien no quisiera ser mas feliz?
3. ¿Como y cuando se va usted a Cadiz?
4. ¡Cuanto lo siento! ¡Quien sabe cuanto lo sientes tu!
5. No se por que todavia no ha llegado el recadero.
6. Quiso explicarme todos los porques de su conducta.
7. Le dio un empujon, le vio caer al suelo y encima se rio.
8. ¿Tienes con aquella harina suficiente para la tarta?
9. ¿Has visto el sillon donde esta sentado el presidente?
10. Aquel es el pueblo adonde vamos a pasar las vacaciones.
11. Considera por que motivos se ha molestado contigo y veras como tu has tenido la culpa de todo.
12. Hemos vuelto a ir al cine donde vimos aquella pelicula estupenda.
13. Aquella es la casa por que han pagado cinco millones de pesetas.
14. A mi no me gusta el te, ¿y a ti?
15. ¿Contestaste a su propuesta como yo te indique?
16. ¿Porque has perdido un punto te retiraste de la competicion?
17. Aquella es la finca donde han vivido los Perez durante la Guerra Civil.
18. ¿No le escribiste porque no sabias su direccion o porque te olvidaste?
19. Dale al peque esos juguetes porque si no, se aburre.
20. ¡Que mas querria yo que irme por fin de vacaciones!
21. No me explico por que no has querido ir conmigo al cine.
22. Fuimos a donde nos indicaron y no encontramos a nadie.
23. ¿Por que no cantais un aria de Puccini?
24. ¿Adonde se dirigia la procesion?
25. No hablo porque tu me escuches, sino porque me gusta hablar.
26. Si me telefoneais a las cinco, seguramente no me encontrareis en casa.
27. Todavia no se donde tengo que encontrarme con Enrique.
28. Hablale claramente y dile que mejor que os caseis cuanto antes.
29. Me gustaria saber adonde tenemos que ir.
30. Mientras charlaba animadamente en la cafeteria, lio un cigarrillo.

**4.** Como el ejercicio anterior:

1. ¿Podeis huir por aquella escalera?
2. Aun no sabia si freir las albondigas con aceite o mantequilla.
3. El niño echo a reir cuando le hicieron cosquillas.
4. ¿Estais seguros de que este arbol es un abedul?
5. La zanahoria es una raiz suculenta.
6. Cuando averigüeis donde se halla escondido el revolver, ya sabreis quien es el asesino.
7. Han traido agua del rio para regar el huerto.
8. ¿Conoceis esa cancion? Pues cantadmela.
9. —¿Quereis mas queso? —No, prefeririamos probar aquellos platanos.
10. ¿Recibis muchas noticias de vuestros amigos marroquies?
11. ¿Cuando haciais el servicio militar, saliais todos los domingos?
12. No telefoneeis despues de medianoche.
13. Pon las mantas en el baul y llevalo a la buhardilla.
14. No lo dejes todo revuelto, se mas ordenado.
15. Nos hemos reido de lo lindo oyendole contar chistes verdes.
16. Mientras pasaba por un tunel, se me averio el coche y tuvo que venirme a recoger la grua.
17. Sientate en el suelo y no en el banco, que esta recien pintado.
18. En America Latina se cultiva mucho el maiz y la papa.

**5.** Como el ejercicio anterior:

1. Reune tus libros y vamonos a casa.
2. Vete a la farmacia y comprame unas grageas.
3. Se fue a la tintoreria y dejo alli toda la ropa sucia.
4. Angel Gutierrez es un reportero que trabaja en Checoslovaquia.
5. Mi novio tiene un caracter muy dificil.
6. Este lapiz es muy facil de borrar.
7. El albañil cayose del andamio y se rompio el femur.
8. Nunca he oido un seudonimo tan pintoresco.
9. Tiene un color de piel olivaceo.
10. El caracol tiene los cuernos retractiles.
11. En el desierto se hallan oasis con arboles muy antiguos.
12. Elijase en cada una de las frases la forma correcta.
13. Yo no se jugar al ajedrez, pero gano a todos en el juego de dama.
14. ¿No habiais reunido a todos los especialistas del ramo?
15. La linea recta es siempre la trayectoria mas rapida.

16. Tuvieron encerrado al rehen mas de un mes.
17. Este libro es el tuyo: el mio es aquel.
18. ¿Conseguireis averiguar cual es su direccion?

**6.** **Coloque el acento en las palabras de los siguientes párrafos que lo precisen:**

## A

CUANDO aquella noche volvi a casa, fue lo primero que dije. Concha me miraba con admiracion y decia que yo olia a farmacia y que aquel olor le parecia importante. «Entonces –le dije yo en broma– no debes decir que huelo, sino que trasciendo.»

Por la noche lei otra vez mis libros de quimica. Al dia siguiente, volvi a la farmacia y hacia media mañana estaba diciendole al jefe Linares la formula del agua oxigenada y el nombre cientifico del benzonaftol, que era un producto de la clase de los metabenzamidosemicarbacidos (lo habia aprendido de memoria), cuando el buen Linares me dijo, señalando un fregadero lleno de morteros y espatulas sucias, que habia que limpiar todo aquello. Yo no sabia que responder cuando Letux, con los brazos remangados, se puso a la tarea sonriendome con su ancha boca, que podia ser burlona, pero conmigo era bondadosa y noble.

–En un momento lo limpio yo todo, ya veras.

Estaba Letux contento de si mismo, mas aun de tenerme a mi a su lado. A mi, que era mas alto y que sin embargo necesitaba ser instruido en mil cosas importantes que el sabia aunque era mas pequeño. Yo le dije la formula del agua oxigenada, pero el volvio a sonreir y dijo con aire protector:

–Eso aqui no vale. Eso es bueno para las consultas de los medicos importantes, cuando un obispo o cosa asi se muere.

RAMÓN J. SENDER, *CRÓNICA DEL ALBA,* Vol. II, Madrid, Alianza Editorial, 1971, pp. 67-68.

## B

LAS cinco eran cuando nos sentabamos a la mesa.

–Señores –dijo el anfitrion al vernos titubear en nuestras respectivas colocaciones–, exijo la mayor franqueza: en mi casa no se usan cumplimientos. ¡Ah, Figaro, quiero que estes con toda comodidad; eres poeta; y ademas, estos señores, que saben nuestras intimas relaciones, no se ofenderan si te prefiero; quitate el frac, no sea que lo manches!

–¿Que tengo que manchar? –le respondi, mordiendome los labios.

–No importa, te dare una chaqueta mia; siento que no haya para todos.

—No hay necesidad.

—¡Oh, si, si, mi chaqueta! Toma, mirala; un poco ancha te vendra.

—Pero, Braulio...

—No hay remedio; no te andes con etiquetas.

Y con esto me quita el mismo el frac y quedo sepultado en una cumplida chaqueta rayada, por la cual solo asomaban los pies y la cabeza, y cuyas mangas no me permitirian comer probablemente. Dile las gracias: ¡al fin, el hombre creia hacerme un obsequio!

Los dias en que mi amigo no tiene convidados se contenta con una mesa baja, poco mas que banqueta de zapatero, porque el y su mujer, como dice, ¿para que quieren mas? Desde la tal mesita, y como se sube el agua del pozo, hace subir la comida hasta la boca, adonde llega goteando despues de una larga travesia; porque pensar que estas gentes han de tener una mesa regular, y estar comodos todos los dias del año es pensar en lo excusado. Ya se concibe, pues, que la instalacion de una gran mesa de convite era un acontecimiento en aquella casa; asi que se habia creido capaz de contener catorce personas que eramos una mesa donde apenas podrian comer ocho comodamente. Hubimos de sentarnos de medio lado como quien va a arrimar el hombro a la comida, y entablaron los codos de los convidados intimas relaciones entre si con la mas fraternal inteligencia del mundo.

MARIANO JOSÉ DE LARRA, *ARTÍCULOS DE COSTUMBRES*, Madrid, Espasa-Calpe, «Austral», 1978, pp. 28-99.

## 7. Como el ejercicio anterior:

SE puso en pie, se encasqueto el sombrero y señalo con el baston a todos los presentes.

—¿A que no son capaces de prometer lo que usted pide?

—Ellos diran.

Paquito se quito de nuevo el sombrero, lo apreto contra el pecho y recorrio el circulo expectante.

—¿Que vais a hacer sin mi? ¿A quien vais a pegar cuando teneis ganas de pegar? Y a usted, Cayetano, ¿quien le va a llevar los recados a sus queridas? ¿Y quien va a componeros los relojes por dos cuartos? ¿Y quien os dira los discursos de Azaña de memoria? ¡Los niños no tendran a quien apedrear cuando estoy borracho! ¡Y cuando alguien rompa un vidrio, no habra a quien echar la culpa! ¡Por favor, caballero, soy un loco necesario! ¡Que no me curen!

Lloraba con un llanto agudo que parecia risa.

—¡Don Carlos, usted es un hombre de corazon!... ¡Diga que no puede curarme!

Se replego a la pared. Cerro los ojos.

—Si quieren curarme, tomare el arsenico.

Quedo quieto, envarado, inmovil. De pronto abrio los brazos y los ojos. Adelanto un paso hacia Carlos.

—Escuche el ultimo discurso del diputado Azaña en las Cortes de la Republica:

«Señores diputados...»

Recito de carrerilla, con voz metalica, sin cambiar de postura. Solo movia el brazo derecho, cogido el baston por su mitad —contra el aire, contra el pecho, marcando el ritmo del discurso—. El muchacho del bar rio desde su rincon, y los otros tambien rieron. Volo un cojin, seguido de otros: golpeaban el rostro de Paquito y caian a sus pies. El los apartaba y seguia recitando.

GONZALO TORRENTE BALLESTER, *EL SEÑOR LLEGA,* Madrid, Alianza Editorial, 1971, p. 210.

## EL / UN + A TÓNICA

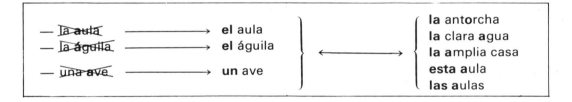

— ~~la aula~~ ⟶ **el** aula
— ~~la águila~~ ⟶ **el** águila
— ~~una ave~~ ⟶ **un** ave

⟷

**la** antorcha
**la** clara agua
**la** amplia casa
**esta a**ula
**las a**ulas

## EJERCICIOS

**8.** **Elija en cada caso la forma correcta:**

1. (los/ las) aves se despiertan al rayar (el/ la) alba.
2. Alrededor de mi casa hay (un/ una) alameda muy frondosa.
3. (el/ la) agua de este río está contaminada.
4. ¿Cuántos alumnos caben en (ese/ esa) aula?
5. El puñal es (un/ una) arma blanca.
6. (todo/ toda) (el/ la) agua de esta ciudad proviene del acueducto de Tarragona.
7. (el/ la) ama de llaves de este castillo desapareció misteriosamente.
8. En (el/ la) amplia habitación cabían más de veinte personas.

9. (el/ la) estupendo/a águila habita en las altas cumbres.
10. (el/ la) hada madrina de Pinocho era (el/ la) hada Turquina.
11. (ese/ esa) oxidado/ a ancla tiene más de cincuenta años.
12. (aquel/ aquella) antorcha iluminaba toda la plaza.
13. (el/ la) antena de la televisión no funciona.
14. El año pasado recorrió en jeep todo/a (el/ la) África del Norte.
15. En (el/ la) América del Sur no se habla sólo castellano.


## 9. Como el ejercicio anterior:

1. Los leñadores cortaban la leña con (un/ una) hacha.
2. Se despertó muy de madrugada para contemplar (aquel/ aquella) alba estupendo/a.
3. Para hacerse reconocer, llamaba a la puerta con (el/ la) aldaba.
4. (el/ la) alga marina es muy buena para combatir la celulitis.
5. (este/ esta) ansia acabará volviéndome loco.
6. El campo de mi padre tiene (un/ una) área de más de cien hectáreas.
7. El señor Pérez es (un/ una) alma de cántaro.
8. Me duele en (el/ la) alma que ella sea tan despiadada con su padre.
9. A Pepito Ruiz le han dado (el/ la) alta en la fábrica de tejidos de su pueblo.
10. En las aldeas de montaña tienen (un/ una) habla particular.
11. De pronto me entró (ese/ esa) hambre terrible que me viene cada dos por tres.
12. (el/ la) continuo/a alza de precios amenaza con provocar la insurrección general.
13. (el/ la) anca es la parte posterior del cuerpo de las caballerías.
14. (este/ esta) ánfora se remonta a la época griega.
15. El profesor dará clase en (ese/ esa) aula.


## SINO / SI NO

— esta vez me enfado *si no* me avisas antes
— habla con él y *si no,* con su hermano
— no habló con él, *sino* con su hermano
— no hablaré *sino* con el responsable

**10.** Sustituya los puntos suspensivos de las frases siguientes por SINO o SI NO:

1. No queremos comer cocido ...... más bien una rica paella valenciana.
2. No pretendo que trabajes demasiado, ...... que ayudes tú también un poco en casa.
3. ...... vienes pronto, yo me marcho.
4. ...... sales conmigo esta noche, te dejo.
5. El médico no se fue directamente a su casa, ...... al hospital por si le necesitaban.
6. Ya me acuerdo: no dejé las llaves en tu casa, ...... en el coche.
7. Dime si vienes a cenar porque ......, invitaré a otro amigo.
8. No puedo comer ...... verduras.
9. ¿Quién ...... él puede haber consentido este crimen atroz?
10. En la conferencia de ayer no se habló de los árabes en España, ...... de la invasión de los godos.
11. El barco que se hundió con rumbo a América no era el Majestuoso, ...... el Titánic.
12. No deseo ...... verle antes de morir.
13. Tienes razón: esos libros no son los míos, ...... los tuyos.
14. Se me olvidó decirte que los señores de Gómez ya no viven en Milán, ...... en Londres.
15. Trata de llegar antes de las siete y ......, llámame para avisarme.
16. Friega los platos con el detergente y ......, hazlo con las escamas.
17. No quiero escuchar la radio, ...... leer un periódico.
18. Coge el tren de las cinco porque ......, no llegarás a tiempo a la fábrica.
19. ¿Es verdad que no quieres ir al cine, ...... al teatro?
20. Esta noche no quiero trabajar, ...... descansar un poco.

## B / V

**11.** Sustituya por B o V los puntos que hay en las palabras de las frases siguientes:

1. El automó...il arrancó cuesta arri...a con mucho esfuerzo.
2. No ...e...as ...e...idas alcohólicas.
3. El pue...lo ...asco tiene una procedencia protoi...érica.

4. Las sa...anas ocupan grandes extensiones de América.
5. El juez no quiso a...sol...er al reo porque tenía demasiadas prue...as en contra de él.
6. En algunos países se ...itorea sil...ando.
7. La ...í...ora es un reptil peligroso.
8. Es una idea desca...ellada la de ir andando a ...alencia.
9. Cuando niño, yo sa...ía ir a ca...allo.
10. «La ca...aña del Tío Tom» es un li...ro so...re la escla...itud.
11. El go...ierno ha e...aluado los resultados de las encuestas.
12. Me han regalado una ...andeja de alta orfe...rería.
13. He lle...ado esas fotos a re...elar.
14. Me han ...edado entrar.
15. Las ...asuras de la ciudad se echan diariamente al ...ertedero situado en las afueras.
16. El a...ogado defensor a...andonó la audiencia por protesta.
17. El Ministerio de Trabajo se ocupa de cuestiones la...orales.
18. Julián es una mezcla de ...alor y de co...ardía.

## 12. Como el ejercicio anterior:

1. Pon todas las maletas en la ...aca del coche.
2. Los pro...eedores se re...elaron ante las demoras que se ...erifica...an en los pagos.
3. La ju...ilación a los 60 años de edad no podrá lle...arse a ca...o.
4. Se sentaron en una ...ereda junto a la ri...era de un río.
5. Lle...a...a una ...lusa ri...eteada de rojo.
6. Con la esponja no podíamos a...sorber todo el ...ino que se ha...ía ...ertido.
7. Las ...irutas se apro...echan para la fa...ricación de maderas ligeras.
8. El ...orracho i...a zigzagueando por a...enidas y ...ule...ares.
9. La mayor presión fiscal gra...a especialmente los estamentos inferiores.
10. No sé si me picó una a...eja o una a...ispa.
11. No quiso re...elar quién ha...ía roto el ...aso.
12. Es un li...ro lujosamente editado, con numerosos gra...abos.
13. Frank Sinatra ha gra...ado millones de discos.
14. El enfermo se ha agra...ado mucho en los últimos días.
15. ¿Has pro...ado esta nueva receta?
16. En la con...ocatoria de ...erano apro...ó todos los exámenes.
17. Al ...er aquel ratón, la señorita permaneció inmó...il.
18. Aquellos ...ultos resulta...an demasiado pesados para ser transportados a mano.

19. ¿Podría usted en...ol...erme este paquete un poco mejor?
20. La ...iruela es una enfermedad que casi ha desaparecido en todo el mundo.

**13.** **Coloque la H en las palabras en cursiva de las frases siguientes que la precisen:**

1. Se *an aderido* a la *iniciativa* todos los pueblos democráticos de España.
2. Este mediodía he tomado sólo una *amburguesa* con *ensalada* verde.
3. La *Inquisición* condenaba a los *eterodoxos* a la *oguera*.
4. *Abía* una *muchedumbre* de gente en el *zoo* mirando al *ipopótamo*.
5. Los *uevos* podridos desprenden un *edor* insoportable.
6. Dame una *ebra* de *ilo,* que tengo que coser el dobladillo.
7. El barco se *undió* a causa de una *avería*.
8. El instinto de supervivencia es *inerente* a todo ser viviente.
9. Los campesinos secan la *ierba* para que se transforme en *eno*.
10. Los espantapájaros sirven para *auyentar* las aves.
11. Las *ardillas acen* el nido en la *oquedad* de los troncos.
12. Los norteamericanos han lanzado otro *coete* a la luna.
13. Los *úngaros* fueron duramente perseguidos.
14. Pusieron el *baúl* en la *buardilla.*
15. La torre del castillo es de forma *exagonal*.
16. El recorrido de la tierra en torno al sol es *elíptico*.
17. *Umberto* es un *ombre uraño* y *olgazán*.
18. El bosque de *ayas* estaba lleno de *ongos* y *elechos*.
19. El último Concilio *ecuménico* se celebró en Roma.
20. El mundo siente grandes *anelos* de paz.
21. La capital de *Olanda* es *La Aya*.
22. Ha ido al *erbolario* a comprar un poco de *albaaca* y *ierbas* para *inalaciones*.
23. A pesar de la crecida del río, parece que no hay peligro de *inundación*.

**14.** **Como el ejercicio anterior:**

1. Me gustan con locura las *abas* al *ajillo*.
2. Estoy *arto* de tu *ambición* desmesurada.

3. En épocas muy remotas no había seres *umanos* sobre el *az* de la tierra.
4. He *ojeado* el libro, pero no me interesa.
5. Se oía el ruido de las *élices* del *elicóptero*.
6. Se me ha roto la *ebilla* del cinturón.
7. Las grandes *eladas* perjudicaron mucho la cosecha de aquel año.
8. El mundo del *ampa* resulta siempre impenetrable.
9. Tengo un par de gafas con los cristales *aumados*.
10. La instalación *idráulica* costó un dineral.
11. Las *anémonas* carecen de *olor* mientras que las *azucenas uelen* intensamente.
12. Después de la operación al *ígado*, me ha vuelto el *ambre abitual*.
13. Han tendido la ropa en un *alambre* lleno de *errumbre*.
14. No puedo bañarme porque soy *idrófobo*.
15. Lo que estás diciendo es *aleatorio*.
16. Los varios miembros *aunaron* todos sus esfuerzos y trabajaron con *aínco*.
17. Lleva un clavel en el *ojal*.
18. Compraron en un *anticuario* unos *imnos agiográficos*.
19. Esta noche he visto un *búo*.
20. Con el *vao* que salía de la *olla* se me han *empañado* las gafas.
21. A juzgar por las *ojeras* que tiene, ha dormido muy poco.
22. Es un jabón especial para pieles *ipersensibles*.
23. Es más *igiénico* dormir sin *almoada*.
24. Les *desauciaron* porque no pagaban el *alquiler* con regularidad.

## C / CC

**15. Sustituya por c o cc los puntos que hay en las palabras de las frases siguientes:**

1. La le...ión de historia hablaba de la restaura...ión de la monarquía en España.
2. Esta cole...ión de cuadros se pudo realizar gracias a la coopera...ión y contribu...ión de varios museos.
3. La ambi...ión de mi tío es la de ganar las ele...iones de septiembre.
4. La solu...ión del problema no presenta ninguna complica...ión.
5. Los a...ionistas son hombres que saben muy bien qué hacer con su dinero.
6. La calefa...ión está apagada porque no hace mucho frío.
7. Hubo un a...idente grave, que causó un gran atasco en la ciudad.
8. Todo el mundo a...edió a mi peti...ión.

9. La obje...ión que hiciste no fue a...eptada por el conferenciante.
10. La Ilustra...ión fue un movimiento filosófico y literario del siglo XVIII.
11. Concep...ión tiene una perfecta di...ión de inglés.
12. El fenómeno de la su...ión se manifiesta en los re...ién nacidos.
13. Los partidos de izquierda empezaron su política de obstru...ión el lunes pasado.
14. La contra...ión de A más EL da AL.
15. El congreso de médicos tuvo lugar con dos días de antela...ión.
16. Tengo la convi...ión de que hoy vas a llegar tarde al colegio.
17. He conseguido sanarme de esa enfermedad gracias a una prolongada cura...ión.
18. Santa Teresa de Ávila era de noble extra...ión.
19. La tasa de infla...ión ha aumentado sensiblemente.
20. Sólo tienen a...eso los ini...iados.


## 16. Como el ejercicio anterior:

1. En las extra...iones de ayer salieron los números que había comprado.
2. Tu defe...ión del partido ha sido notada por todos.
3. Los nuevos tipos de cotiza...ión redu...ida benefi...iará sólo a las empresas.
4. La continua...ión del homenaje se hizo en el aula magna de la Facultad.
5. En el symposium hubo una gran participa...ión de expertos de todo el mundo: he aquí una rela...ión de los presentes.
6. Han hecho una edi...ión de lujo de pocos ejemplares.
7. ¿Sabes cuál es la dire...ión de Paco?
8. El o...idente es el punto del horizonte donde se pone el sol.
9. El verbo a...eder tiene pocas a...ep...iones.
10. La co...ión de este potaje necesita muchas horas.
11. En aquel penitenciario existe también la se...ión corre...ional destinada a los menores.
12. La introdu...ión de nuevas palabras en el castellano se intensificó durante el siglo XVIII.
13. La policía inspe...ionó cuidadosamente el cuarto donde se cumplió el asesinato.
14. Al desarrollar una composi...ión, hay que cuidar mucho la constru...ión de la frase.
15. Juan mere...ió la califica...ión de sobresaliente.
16. No tiene ninguna afi...ión a los deportes.
17. La corre...ión de las pruebas de imprenta le llevó muchas horas.
18. Noto en su estilo poca concre...ión.

19. María tiene un espíritu maternal muy a...entuado.
20. Las tradi...iones de algunos pueblos se remontan a épocas inmemorables.

## S / X / SC / XC

**17.** **Sustituya por S, X, SC o XC los puntos que hay en las palabras de las frases siguientes:**

1. Se ha e...itado e...esivamente durante el partido de fútbol.
2. Se rompió una pierna y tuvieron que ponerle e...cayola.
3. Ya está empezando la educación se...ual incluso en las escuelas primarias.
4. Durante la discusión te has e...edido.
5. Miguel es un chico muy e...pontáneo y siempre dice lo que piensa.
6. Las manzanas que comí eran de calidad e...elente.
7. A mi amigo Luis le gusta presumir de e...éntrico y e...travagante.
8. El é...odo de los israelitas de Egipto es narrado en el segundo libro del Pentateuco.
9. El helicóptero aterrizó en una e...tensa e...planada.
10. Has e...cogido un plato muy e...traño: a ver lo que te trae el camarero.
11. El niño se e...condió detrás del e...cusado.
12. Un desaprensivo es un hombre sin e...crúpulos.
13. Los gastos de e...pedición de la mercancía corren a cargo del destinatario.
14. La pensión en la que me metieron era muy e...cuálida.
15. Está terminantemente prohibido e...cupir en el suelo.
16. Antes de tender la colada hay que e...currirla bien.
17. Cuando habla en público, hace una infle...ión de voz muy curiosa.
18. Tiene un a...endiente e...agerado sobre su esposa.
19. Di e...clusivamente lo que tengas que decir sin alargarte demasiado.
20. Poseían enormes e...tensiones de terreno.
21. El a...ensor no funciona.
22. La criada e...piaba detrás de la puerta.
23. El e...traperlo se hacía muchísimo en época de guerra.
24. ¡Au...ilio, au...ilio!, e...clamó el náufrago.
25. El director teatral pre...indió de la primera e...ena.
26. No me venga usted con e...cusas e...túpidas.
27. En los ambientes a...épticos no hay peligro de infección.
28. Los adole...entes de hoy son más maduros que los de antes.

**18.** Como el ejercicio anterior:

1. E...puso su tesis con e...trema claridad.
2. Nunca he recibido la carta que me enviaste: por lo visto se ha e...traviado.
3. José es un muchacho muy e...pansivo y e...pectacular.
4. Sus e...pectativas quedaron frustradas.
5. Su dimisión causó la e...isión del partido.
6. Te e...imo de cualquier obligación para conmigo.
7. El poeta se e...presaba con palabras rebuscadas y e...pléndidas.
8. Tu enfermedad va e...acerbándose día tras día.
9. Hay que reconocer que aquel niño se ha e...pabilado mucho últimamente.
10. Con la cafetera e...prés sale un café e...elso.
11. Algunas especies animales están en vías de e...tinción.
12. Si quieres hacer un zumo, puedes e...primir aquellas naranjas
13. Era una e...posición de objetos e...óticos.
14. Para la obtención del pasaporte, hay que e...hibir un certificado de buena conducta.
15. El juez e...hortó al testigo a hablar en voz alta y sin rodeos.
16. Será mejor que cubras la herida con un e...paradrapo.
17. El Ministerio le ha concedido dos meses de e...edencia por maternidad.
18. Sus e...periencias me parecen e...epcionales e ine...plicables.
19. El de...enso del Everest fue más peligroso que.el a...enso.
20. La vida a...ética e...ige mucho sacrificio y di...iplina.
21. Todos fueron convocados a aquella reunión, e...eptuados los que ya habían asistido el día antes.
22. En la reciente e...cavación de Pompeya se han hallado algunos cadáveres cerca de la antigua supuesta costa.
23. En los tiempos de los faraones, los e...clavos construyeron las pirámides.
24. Refle...iona bien antes de e...presar tu opinión.
25. Durante la e...cursión conocí a muchos e...tranjeros.
26. La condena del reo constituyó un verdadero caso de con...iencia.
27. Muchos intelectuales son de humilde e...tracción social.
28. Esta tarde vamos a la pi...ina.
29. Los sueños revelan algunos impulsos del subcon...iente.

## J / G

**19.** Sustituya por **J** o **G** los puntos que hay en las palabras de las frases siguientes:

1. No te tra...e nada de los Estados Unidos porque me quedé sin un duro.
2. ¿Qué licor prefiere?: Eli...a usted mismo.
3. Le su...erí que se fuera a dar un paseo mientras yo corre...ía los deberes.
4. ¿Qué le di...eron a Paco?
5. Rogaron al chófer que condu...ese más despacio.
6. ¿Me tra...iste los libros que te pedí?
7. Corri...an ustedes mismos los errores del dictado.
8. Redu...imos los gastos porque los precios habían subido demasiado.
9. En la época imperial se usaban carrua...es muy lu...osos.
10. Entre España y sus islas existen navegaciones de gran cabota...e.
11. Han transmitido por radio el mensa...e del ...efe del estado.
12. El año pasado via...é por toda Europa e hice un reporta...e.
13. Han ele...ido a Pepe presidente de la Asociación.
14. De lo que ha dicho se coli...e fácilmente que no tiene ninguna intención de meterse en este ...aleo.
15. Los carabineros han decomisado algunos ali...os de hachís.
16. Les aconse...é no salieran por la noche.
17. El roda...e de la película tuvo lugar en tierras de ...erusalén.
18. No quiero que toques los ob...etos a...enos.
19. Los ...enerales ocupan el más alto grado de la ...erarquía militar.
20. Yo no pongo nunca mi coche en el gara...e: lo de...o aparcado en el pasa...e.
21. Sólo ba...o chanta...e reveló lo ocurrido.
22. Si no quieres engordar tendrás que hacer ré...imen.

**20.** Como el ejercicio anterior:

1. No te preocupes: esta maleta es muy li...era y puedes llevarla tranquilamente.
2. Reco...e tus bártulos y vámonos a comer.
3. No me gustan los alimentos con...elados.
4. Los me...icanos son hombres muy divertidos y siempre llevan tra...es muy alegres.
5. Ya tengo listo el equipa...e para el via...e que hacemos con ...or...e.
6. Con esta tar...eta el ca...ero te can...eará los bonos.
7. Penélope te...ía su tela esperando la vuelta de Ulises.

28

8. La catedral de Pamplona es de estilo o...ival.
9. Me su...irió me presentara al ...erente de la empresa para que...arme de lo ocurrido.
10. Án...el es un chico muy ...uerguista e inteli...ente.
11. La vie...a escalera de madera cru...ía a cada paso.
12. Había una in...ente cantidad de papeles sobre la mesa.
13. Desconozco el ori...en de su familia, pero seguramente no es de noble lina...e.
14. Por favor, si hablando español me equivoco, corrí...eme.
15. Su...etaron al perro para que no se echara sobre la ...ente.
16. En las autopistas se retira el ticket en las cabinas de pea...e.
17. No creo que la vie...a ley de prensa sea todavía vi...ente.
18. Antes de marcharse del hotel, de... la llave de la habitación al conser...e.
19. El u...ier se ale...ó rápidamente de la Sala de Audiencia.
20. Los gastos de embala...e corren por cuenta del cliente.

# Capítulo segundo

# MODOS, TIEMPOS Y FORMAS VERBALES

# FORMAS IMPERSONALES DEL VERBO

## GERUNDIO

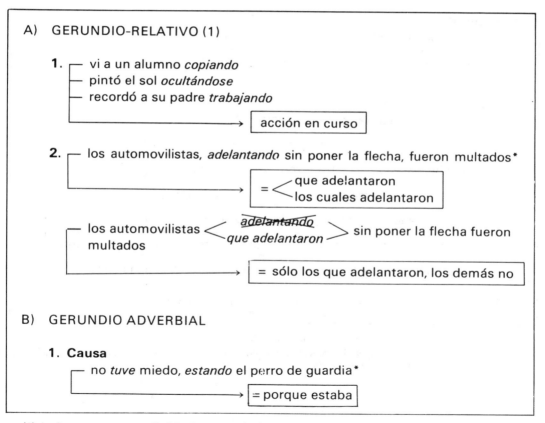

A) GERUNDIO-RELATIVO (1)

**1.** ⌐ vi a un alumno *copiando*
  ├ pintó el sol *ocultándose*
  └ recordó a su padre *trabajando*

→ acción en curso

**2.** ⌐ los automovilistas, *adelantando* sin poner la flecha, fueron multados*

= ⟨ que adelantaron
    los cuales adelantaron

⌐ los automovilistas ⟨ ~~adelantando~~ *que adelantaron* ⟩ sin poner la flecha fueron
  multados

= sólo los que adelantaron, los demás no

B) GERUNDIO ADVERBIAL

**1. Causa**
  ⌐ no *tuve* miedo, *estando* el perro de guardia*

= porque estaba

(*) La forma compuesta *(habiendo cantado)* acentúa la perfección de un acto anterior a la oración principal.
(1) Cfr. ORACIONES DE RELATIVO, págs. 177-178.

## 2. Modo-Medio

— habló *riendo*
— empezó *diciendo* estas palabras
— lo verás *asomándote* al balcón
— lo hizo *dándose cuenta* de todo**

→ = ¿cómo?

## 3. Condición

— *aceptándolo* el jefe, no hay inconveniente alguno*

→ = si lo acepta

## 4. Contradicción

— *aun siendo* tan difícil la traducción, la hizo en una hora*

→ = a pesar de ser

## 5. Tiempo

— *saliendo* de casa, saludaba a la portera***

→ = cuando salía / al salir

— el coche, *saliéndose* de la carretera, chocó contra un árbol*

→ acción anterior

— el coche salió de la carretera, *chocando* contra un árbol

→ acción inmediatamente posterior

— el autobús salió de la cochera a las seis, ~~regresando~~ a las once

→ acción posterior

** Para la forma negativa, cfr. INFINITIVO, B, 2, pág. 39.

*** Con verbos durativos, el gerundio equivale a *mientras:* permaneció allí *observando* a los transeúntes ( = mientras contemporáneamente observaba).

**21.** Conjugue en GERUNDIO los verbos que se hallan entre paréntesis:

1. Les estoy ...... (advertir) que en el examen no se copia.
2. De todos los experimentos hechos hasta ahora se está ...... (concluir) que el hombre está ...... (destruir) su medio ambiente.
3. La población de algunas ciudades está ...... (disminuir).
4. El electorado español está ...... (elegir) a sus representantes en el parlamento.
5. Si usted no contesta a las acusaciones que se le están ...... (hacer), quiere decir que está usted ...... (asentir).
6. El acusado está a todas luces ...... (mentir).
7. Con tus palabras crueles me estás ...... (herir).
8. –¿Qué está ...... (hacer) tu esposa? –Está ...... (freír) los huevos para la cena.
9. Estas hermosas playas están ...... (atraer) un excesivo turismo.
10. Esas viejas construcciones están ...... (decaer) a ojos vistas.
11. Él sigue con sus ideas, ...... (desoír) los consejos de todo el mundo.
12. ...... (saber) que eres tan goloso te ha traído una caja de bombones.
13. La torre de Pisa parece como si se estuviera ...... (caer).
14. Desde que el enfermo ha salido del quirófano está ...... (gemir).
15. Le ruego sea usted más concreto, ...... (ceñirse) a lo que se está ...... (discutir).
16. ...... (decir) al pan pan y al vino vino te estás ...... (enemistar) con medio mundo.
17. No sé si se da cuenta, pero usted se está ...... (contradecir) todo el tiempo.
18. ...... (ir) a la estación me topé con el célebre escritor.
19. Estás ...... (comer) demasiado y acabarás ...... (engordar) como un cerdo.
20. Tú sigue ...... (poner) la mesa mientras yo acabo con la comida.
21. Según parece, el abuelo se pasa el tiempo ...... (leer) viejos periódicos.
22. Estoy ...... (oler) esos claveles que acaban de traerme y son perfumadísimos.
23. Seguía ...... (meter) sus trajes en la maleta sin hacer caso a nadie.
24. No ...... (poder) dormir por la noche y estuvo ...... (dormir) toda la mañana.
25. Iba ...... (pedir) dinero a todos los transeúntes.
26. ...... (sentir, eso) mucho, debo decirte que estás ...... (conducir) fatal.

**22.** Sustituya, cuando sea posible, las palabras en cursiva de las frases siguientes por un GERUNDIO:

1. *Cuando fregaba* el suelo le dolían las rodillas.
2. El tren, *al salir* del túnel, chocó con un mercancías.
3. *Cuando se miró* al espejo se dio cuenta de que había adelgazado mucho.
4. Supo que su madre estaba enferma y *corrió* a visitarla.
5. *Al abandonar* la droga sufrió el síndrome de abstinencia.
6. Entró en la sala, *se sentó* en una butaca y *se puso* a leer el periódico.
7. *Cuando era* niña jugaba a muñecas.
8. El coche derribó al niño y el niño *quedó* herido.
9. *Al entrar* en la tienda vimos a los turistas que vivían en nuestro mismo hotel.
10. *Cuando conocí* a mi novio yo llevaba el pelo corto.
11. *Cuando me presentaron* al embajador me puse muy nervioso.
12. El acusado se defendió valerosamente y *se retiró* a su puesto.
13. *Al llegar* a casa se dio cuenta de que el pescado olía mal.
14. El toro entró en el ruedo y *dio* una cornada al torero.
15. *Cuando veía* una película sentimental se echaba a llorar.
16. *Comía* de prisa y se le atragantó lo que estaba comiendo.
17. *Cuando se levantaba* se afeitaba inmediatamente.
18. *Cuando yo leo* no quiero ser molestado por nadie.
19. Llegué a la casa de comidas y me *sirvieron* una riquísima sopa de cebollas.
20. *Cuando* el alcalde *pasó* por el pueblo le vitorearon.
21. *Al llegar* a tierras de Aragón el paisaje se hace árido y desierto.
22. *Cuando comía* escuchaba música o leía una revista.
23. Se emperró en que le aumentaran el sueldo y al final se *salió* con la suya.
24. Arregló su maleta y *se marchó* para siempre.

**23.** Resuelva las frases siguientes con un GERUNDIO de MODO o MEDIO, según los casos:

1. Encaló el exterior de la casa y le dio el aspecto de nueva.
2. El niño le hablaba y lloraba.
3. Escuchó los discos y aprendió el español.
4. Fui a una fiesta y conocí a mi novio.
5. El público aplaudía y gritaba a los actores en el proscenio.
6. Se irán de viaje y verán el mundo entero.
7. Compré la revista de fotografía y me enteré de todas las marcas de filmadoras existentes.

8. Le analicé punto por punto el problema y le convencí.
9. Si guardas el dinero podrás comprarte un coche.
10. Fui a la escuela de corte y confección y aprendí a coser perfectamente.
11. Si te asomas a la azotea verás pasar el desfile.
12. Anda y cojea de una pierna.


**24.** **Sustituya las oraciones condicionales, causales y «concesivas en contradicción» por una frase con GERUNDIO:**

1. Si el médico lo permite, mañana te dejaré levantar.
2. A pesar de que es un excelente conductor, ha chocado contra un árbol.
3. Ya que me haces compañía, te invito a comer.
4. Aunque la casa es muy grande, no cabemos todos.
5. Si gano más dinero, me iré de vacaciones a Las Canarias.
6. A pesar de que normalmente actúa con diplomacia, ayer dijo lo primero que le pasó por la cabeza.
7. Ya que el tráfico es tan intenso, prefiero ir a la estación en metro.
8. Puesto que tú estás aquí, podemos trabajar juntos.
9. Si las maletas no caben en el maletero, átalas a la baca.
10. A pesar de que tiene facilidad de palabra, tartamudeó por la emoción.
11. Ya que tú te cuidas del niño, yo aprovecho para ir de compras.
12. Ya que hace buen día, subo al terrado a tomar el sol.
13. Aunque estudia tanto, no consigue aprobar los exámenes.
14. Si no tienes inconveniente en abandonar esta casa, podrías vivir conmigo.
15. A pesar de que es un chico inteligente, a veces parece tonto.
16. A pesar de que es muy viejo, posee una lucidez mental extraordinaria.
17. No hay peligro ninguno de incendio porque tenemos los extintores.
18. Aunque goza de una excelente vista, no puede leer muchas horas seguidas.


**25.** **Sustituya, cuando sea posible, las oraciones de relativo con un GERUNDIO:**

1. Encontré a los excursionistas *que iban* a la cafetería del refugio.
2. Hemos conocido a aquellas señoritas *que trabajan* en la oficina de turismo.
3. Ha venido el señor *que busca* la colección completa de «Triunfo».
4. Oyeron el reloj de la iglesia *que daba* las cuatro.
5. Ha salido un Decreto Ley *que prevé* la reforma universitaria.
6. Nadie conocía al profesor *que hablaba* de la nueva teoría atómica.

7. Veo a la criada *que busca* las llaves por todas partes.
8. Los señores, *que vivían* en las afueras, tuvieron dificultad en llegar a causa de la huelga de coches de línea.
9. Los estudiantes *que no aprobaron* el examen protestaron.
10. El autor describe a Don Quijote *que lucha* con los cabreros.
11. Oía la voz del orador *que se hacía* cada vez más clara.
12. Aquel hombre era un honrado campesino *que hablaba* con dificultad.
13. Observamos espeluznados al tigre *que devoraba* a su presa.
14. Hallaron a los bomberos *que apagaban* el incendio.
15. Me regaló una cajita *que contenía* unas piedras preciosas encontradas en Méjico.
16. En el departamento del tren, había un extraño sujeto *que me miraba* fijamente.
17. El cuadro de Picasso *que cuelga* de la pared de enfrente es el Guernica.
18. En París vi el famoso cuadro de Cézanne de los hombres *que juegan* a cartas.
19. Desde fuera se oía perfectamente a los mineros *que picaban* la piedra.
20. He comprado un libro *que habla* de física.

## 26. Como el ejercicio anterior:

1. Búscase señorita *que escriba* a máquina.
2. Vimos claramente el sol *que se ocultaba* detrás de la sierra.
3. Todas las mañanas se oye a la secretaria *que escribe* a máquina.
4. Toda la tarde escuchó los pájaros *que cantaban* entre el ramaje.
5. Las señoras notaron unos bichos *que corrían* por el suelo.
6. La orden *que prohíbe* la venta de drogas blandas ha sido confirmada.
7. Los niños *que iban* al parvulario cogieron el sarampión.
8. A lo lejos se divisaba al labrador *que araba* sus campos de maíz.
9. En la playa había un pulular de gente *que tomaba* el sol, *bebía* refrescos y *nadaba.*
10. Los prófugos, *que abandonaron* el país en lanchas, fueron descubiertos y sentenciados a muerte.
11. Vi a mi vecina *que tendía* la ropa.
12. El reportero *que llegó* con retraso no pudo entrar en la sala.
13. Contemplamos a los miembros del equipo de fútbol *que se entrenaban* en el estadio.
14. El pintor representó con mucho realismo un barco *que se hundía.*
15. Mi padre, *que trabaja* mucho en el extranjero, habla varios idiomas.
16. Los ciclistas *que corrían* ayer por la ciudad eran campeones mundiales.

17. Oíamos a la banda *que tocaba* en el parque.
18. Habla con las mujeres *que están lavando* la ropa en el lavadero público.
19. El aire fresco *que venía* de afuera refrescó la habitación.
20. Se oyen a los soldados *que cantan* canciones de guerra.

## INFINITIVO

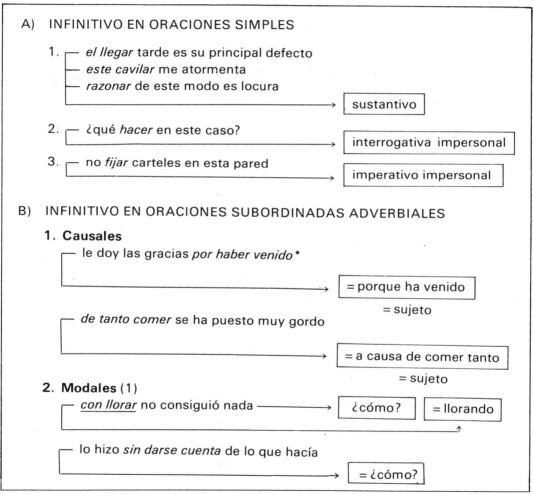

A) INFINITIVO EN ORACIONES SIMPLES

1. ── *el llegar* tarde es su principal defecto
   ── *este cavilar* me atormenta
   ── *razonar* de este modo es locura
   → sustantivo

2. ── ¿qué *hacer* en este caso?
   → interrogativa impersonal

3. ── no *fijar* carteles en esta pared
   → imperativo impersonal

B) INFINITIVO EN ORACIONES SUBORDINADAS ADVERBIALES

**1. Causales**
── le doy las gracias *por haber venido* *
   → = porque ha venido
   = sujeto

── *de tanto comer* se ha puesto muy gordo
   → = a causa de comer tanto
   = sujeto

**2. Modales** (1)
── *con llorar* no consiguió nada → ¿cómo? = llorando

── lo hizo *sin darse cuenta* de lo que hacía
   → = ¿cómo?

* La forma compuesta del infinitivo (*haber cantado*) se usa en las oraciones subordinadas del pasado, anteriores a la oración principal: le doy las gracias por *haber venido* ⟷ le doy las gracias por estar conmigo en este momento de dolor; de no llevar retraso, el tren llegará a las seis ⟷ de no *haber llevado* retraso, el tren habría llegado a las seis; él declara ser el responsable ⟷ él declara *haber sido* el responsable; es necesario decir la verdad ⟷ hubiera sido necesario *haber dicho* la verdad.

1. Observe que en ambos casos el sujeto es el mismo. Cfr. USO DEL INDICATIVO Y DEL SUBJUNTIVO, 2, pág. 94, y también GERUNDIO, B, 2, pág. 34.

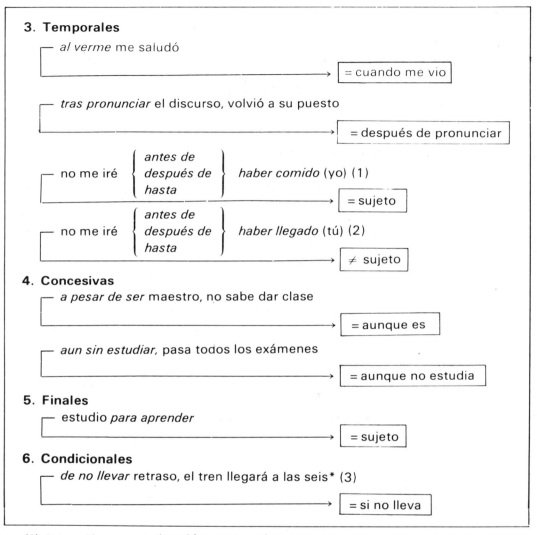

## 3. Temporales

— *al verme* me saludó  → = cuando me vio

— *tras pronunciar* el discurso, volvió a su puesto → = después de pronunciar

— no me iré { *antes de* / *después de* / *hasta* } *haber comido* (yo) (1) → = sujeto

— no me iré { *antes de* / *después de* / *hasta* } *haber llegado* (tú) (2) → ≠ sujeto

## 4. Concesivas

— *a pesar de ser* maestro, no sabe dar clase → = aunque es

— *aun sin estudiar*, pasa todos los exámenes → = aunque no estudia

## 5. Finales

— estudio *para aprender* → = sujeto

## 6. Condicionales

— *de no llevar* retraso, el tren llegará a las seis* (3) → = si no lleva

(1) Si la acción es eventual en el futuro, se puede usar, aunque es menos normal, la construcción con QUE + subjuntivo. Cfr. USO DEL INDICATIVO Y DEL SUBJUNTIVO, 3, pág. 95.

(2) Si la acción es eventual en el futuro, es más normal la construcción con QUE + subjuntivo. Cfr. *ibidem*.

(3) Existe la forma A + infinitivo con valor condicional, limitada a expresiones como: *a juzgar* por lo que dice, es del todo inocente; *a decir verdad,* tiene perfectamente razón; *a no ser* por tu ayuda, hubiera fracasado; ven cuanto antes, *a poder ser* a las tres.

* La forma compuesta del infinitivo (*haber cantado*) se usa en las oraciones subordinadas del pasado, anteriores a la oración principal: le doy las gracias por *haber venido* ⟷ le doy las gracias por estar conmigo en este momento de dolor; de no llevar retraso, el tren llegará a las seis ⟷ de no *haber llevado* retraso, el tren habría llegado a las seis; él declara ser el responsable ⟷ él declara *haber sido* el responsable; es necesario decir la verdad ⟷ hubiera sido necesario *haber dicho* la verdad.

## C) INFINITIVO EN ORACIONES SUBORDINADAS SUSTANTIVAS

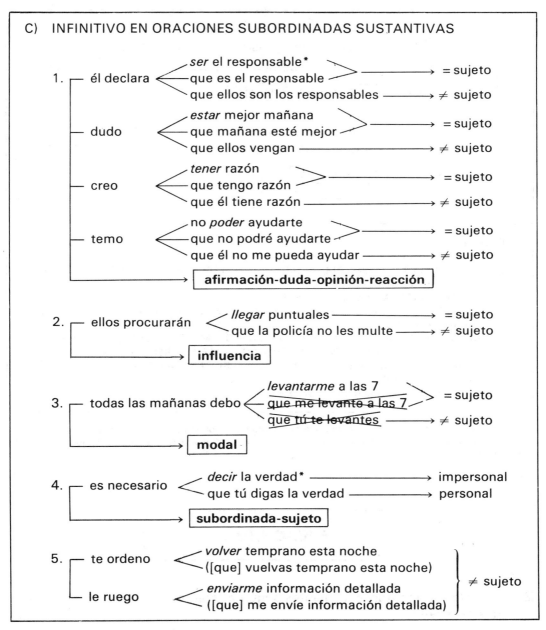

1. — él declara
   - *ser* el responsable* → = sujeto
   - que es el responsable → = sujeto
   - que ellos son los responsables → ≠ sujeto

   — dudo
   - *estar* mejor mañana → = sujeto
   - que mañana esté mejor → = sujeto
   - que ellos vengan → ≠ sujeto

   — creo
   - *tener* razón → = sujeto
   - que tengo razón → = sujeto
   - que él tiene razón → ≠ sujeto

   — temo
   - no *poder* ayudarte → = sujeto
   - que no podré ayudarte → = sujeto
   - que él no me pueda ayudar → ≠ sujeto

   → **afirmación-duda-opinión-reacción**

2. — ellos procurarán
   - *llegar* puntuales → = sujeto
   - que la policía no les multe → ≠ sujeto

   → **influencia**

3. — todas las mañanas debo
   - *levantarme* a las 7 → = sujeto
   - ~~que me levante a las 7~~ → = sujeto
   - ~~que tú te levantes~~ → ≠ sujeto

   → **modal**

4. — es necesario
   - *decir* la verdad* → impersonal
   - que tú digas la verdad → personal

   → **subordinada-sujeto**

5. — te ordeno
   - *volver* temprano esta noche
   - ([que] vuelvas temprano esta noche)

   — le ruego
   - *enviarme* información detallada
   - ([que] me envíe información detallada)

   } ≠ sujeto

* La forma compuesta del infinitivo (*haber cantado*) se usa en las oraciones subordinadas del pasado, anteriores a la oración principal: le doy las gracias por *haber venido* ⟷ le doy las gracias por estar conmigo en este momento de dolor; de no llevar retraso, el tren llegará a las seis ⟷ de no *haber llevado* retraso, el tren habría llegado a las seis; él declara ser el responsable ⟷ él declara *haber sido* el responsable; es necesario decir la verdad ⟷ hubiera sido necesario *haber dicho* la verdad.

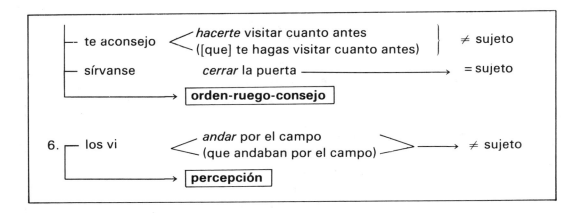

```
  ├── te aconsejo   < hacerte visitar cuanto antes        }  ≠ sujeto
  │                   ([que] te hagas visitar cuanto antes)
  ├── sírvanse       cerrar la puerta ──────────────────→  = sujeto
  │
  └──────────────→ ┌─────────────────────────┐
                   │  orden-ruego-consejo    │
                   └─────────────────────────┘

6. ┌── los vi      < andar por el campo      >──────────→  ≠ sujeto
   │                 (que andaban por el campo)
   │
   └──────────────→ ┌──────────────┐
                    │  percepción  │
                    └──────────────┘
```

**Observe:**

Verbos que se comportan del mismo modo que los casos:

C.1. DECIR, DECLARAR, DECIDIR, ACORDAR...; DUDAR...; CREER, PENSAR, CONFIAR...; LAMENTAR, SENTIR, TEMER...

C.2. DESEAR, INTENTAR, OSAR, CONVENIR...

C.3. PENSAR ( = tener la intención de), DEBER, PODER, SABER ( = ser capaz de, poseer el conocimiento de), SOLER...

C.4. CONVIENE, IMPORTA, ES NECESARIO / BUENO / MALO / MEJOR / PREFERIBLE / ÚTIL / INÚTIL / CONVENIENTE / OPORTUNO...; VALE / MERECE LA PENA...

C.5. MANDAR, IMPEDIR, PROHIBIR (1)...; PEDIR, ROGAR, IMPLORAR...; ACONSEJAR, INDICAR, SUGERIR...

C.6. ESCUCHAR, OBSERVAR, OÍR, CONTEMPLAR...

(1) *Hacer* (= obligar, mandar) se construye con el infinitivo, pues con QUE + subjuntivo adquiere otro significado: el profesor nos *hace trabajar* como negros ⟷ el profesor *hace que* todo el mundo *hable* en clase (= hace posible).

## EJERCICIOS

**27. Transforme las frases siguientes según el ejemplo, haciendo las alteraciones necesarias:**

*Estando* siempre
*Como ha estado* siempre   > sin hacer nada, se *ha vuelto* perezoso ──┐

*El estar* siempre sin hacer nada *le ha vuelto* perezoso ◄───────────────┘

1. Como ha vivido con mucho dinero, se ha acostumbrado a despilfarrar.
2. Habiendo llovido mucho, los campos están inundados.
3. Como ha sido siempre un campeón, no admite el menor fracaso.
4. Habiendo tenido siempre un montón de amigos, no puede vivir solo.
5. Estando de vacaciones, me he acostumbrado a hacer deporte.
6. Teniendo una buena cocinera, mi mamá no sabe guisar nada.
7. No pudiendo decir nunca la verdad, se ha acostumbrado a disimular siempre.
8. Como siempre se ha levantado temprano, no puede dormir hasta tarde por la mañana.
9. Como siempre ha vivido en el campo, posee un perfecto estado de salud.
10. Habiendo regresado a su pueblo, se ha vuelto más alegre.

## 28. Sustituya las palabras en cursiva por una de las siguientes formas: AL, POR, DE, CON, SIN + INFINITIVO:

1. La desgracia ocurrió *cuando estábamos* toda la familia en Italia.
2. Tiene los ojos muy colorados; será *porque ha llorado* mucho.
3. *Si hubiera sabido* que llegabas tan pronto, te habría invitado a comer.
4. Eso te ha ocurrido *porque eres* tan testarudo.
5. Entraron *no saludando* * a ninguno de los presentes.
6. Está con un agotamiento nervioso: debe de ser *a causa de que ha trabajado* demasiado durante todo el año.
7. Me caí *cuando subía* las escaleras.
8. *Si nos hubiera hecho caso,* no habría hecho aquel viaje.
9. Hoy les doy pescado *porque es* viernes de Cuaresma.
10. Toca el piano *no mirando* * las teclas.
11. *Refunfuñando* todo el tiempo no arreglarás nada.
12. *Cuando llegues,* llámame, que bajo a abrirte el portal.
13. *Si no encuentras* tu libro, te presto el mío.
14. *Cuando pasó* a mi lado no me saludó.
15. *Saliendo* de casa encontró un vagabundo tendido en la acera.
16. Se puso las medias *no notando* * que tenían una carrera.
17. La casa se está derrumbando: probablemente *porque* nunca la *han cuidado.*
18. *Si me hubiera molestado* lo que ha dicho, se lo habría echado en cara.
19. Me duelen los músculos: creo que *a causa de que he andado* muchos kilómetros.
20. Tomaron esa decisión *no meditando* * las consecuencias.
21. *Lavando* los objetos sólo con jabón no conseguirás desinfectarlos.
22. *Si tengo* más hambre, te lo digo.
23. Le acusaron *porque había robado* un coche.
24. *Cuando le vio,* recordó que le había conocido muchos años antes.

25. *Si decido* ir a la playa, te lo digo y vamos juntos.
26. Compró aquel solar *no sabiendo** que no era edificable.
27. *Cuando llegó* la comitiva empezó la ceremonia.
28. *Si necesitas* una asistenta, dímelo, que yo te proporciono una.
29. *Repitiendo* siempre la misma cosa sólo te haces pesado.
30. No pude encontrarle *porque* Juan *había salido* unos minutos antes.
31. Bebió mucho güisqui *no pensando** que acabaría emborrachándose.
32. Le regalaron una bicicleta *porque era* su cumpleaños.
33. Está completamente afónico: debe de ser *a causa de que gritó* tanto.
34. *Si no vienes* mañana a mi casa, avísame.

_____

* Forma no adecuada.

**29.** Resuelva las subordinadas adverbiales de las frases siguientes con un INFI-
NITIVO o con una oración con QUE, o con ambos, según convenga:

    1. Tras ...... (él, salir) de la cárcel, abandonó el país.
    2. No le mandaremos los libros antes de ...... (nosotros, recibir) el dinero.
    3. No pasen por control de pasaportes antes de ...... (ustedes, facturar) el equipaje.
    4. Os advierto de antemano para ...... (no, haber) sorpresas.
    5. Quiso ver la película en original, aun sin ...... (él, entender) una palabra.
    6. No abriré la puerta antes de ...... (yo, mirar) por la mirilla.
    7. Aun sin ...... (darse) cuenta, algunas personas infringen la ley.
    8. Leo estos artículos para ...... (yo, tener) una idea de la situación mundial.
    9. Vivieron como trotamundos hasta ...... (ellos, tener) su primer hijo.
  10. A pesar de ...... (ser) climatizado, este local es muy caluroso.
  11. No se acuesta nunca antes de ...... (dejar) acostados a los niños.
  12. Para ...... (tú, llamar, a nosotros) usa el portero electrónico.
  13. La policía llegó antes de ...... (los ladrones, poder) largarse.
  14. Tras ...... (morder, a él) la culebra, el pobre se desmayó.
  15. Después de ...... (él, terminar) la carrera, abrió un bufete de abogado.
  16. Corrió tanto hasta ...... (quedar) sin fuerzas.

**30.** Resuelva las subordinadas sustantivas de las frases siguientes con un INFINI-
TIVO o con una oración con QUE, según convenga, haciendo los cambios necesarios:

    1. ¿Recuerdan ustedes ...... (yo, decir) alguna vez una cosa semejante?
    2. Yo evito ...... (yo, cruzar) la calle cuando el semáforo está rojo.

3. Prefirieron ...... (ellos, marcharse) antes de que empezara a llover.
4. El estudiante se propuso ...... (él, dedicar) otras dos horas al estudio.
5. Te prometo ...... (tu padre, comprar, a ti) una bicicleta cuando cumplas 18 años.
6. No logro ...... (yo, comprender) lo que está diciendo.
7. Él recuerda ...... (él, estar) en este pueblo en otra ocasión.
8. La familia decidió ...... (la familia, ir) de vacaciones a la Costa Brava.
9. Al menos en esta ocasión, yo deseo ... (yo, ser, a ti) útil.
10. He evitado ... (el niño, caerse) por el barranco.
11. Lamento ...... (yo, no ver, a él) antes de morir.
12. Prefiero ...... (ustedes, quedarse) conmigo toda la tarde.
13. El juez se propuso ...... (la pareja, llegar) a un acuerdo.
14. Don Francisco prometió ...... (él, comprar) todos los libros de la biblioteca.
15. Creo ...... (yo, obrar) honestamente.
16. Le gusta ...... (él, ser) el primero en todo.
17. En el examen procura ...... (tú, no ponerse) nervioso.
18. El médico no logró ...... (los medicamentos, hacer) efecto.
19. El padre decidió ...... (su hijo, estudiar) en una universidad americana.
20. Deseamos ...... (vosotros, pasar) por nuestra casa para tomar un aperitivo.
21. Siento ...... (tú, resbalar) por las escaleras.
22. El Ministerio de Hacienda exige ...... (los ciudadanos, pagar) los impuestos.
23. Creemos ...... (ellos, ir) con nosotros al cine.
24. Les gustaría ...... (nosotros, ir) a verle cuanto antes.
25. Los empleados acordaron ...... (ellos, nombrar) una comisión de representantes.
26. He decidido ...... (yo, no trabajar) más.


## 31. Como el ejercicio anterior:

1. Para aprobar los exámenes conviene ...... (estudiar) más.
2. El médico aconsejó al enfermo ...... (él, acostarse) después del almuerzo.
3. Me han dicho ...... (yo, contribuir) a pagar los gastos.
4. Paseando por el campo oí ...... (cantar) los pájaros.
5. Es mejor ...... (no gastar) demasiado porque la vida está muy cara.
6. En la universidad prohíben ...... (entrar) a los no matriculados.
7. Mi tía Luisa sabe ...... (ella, planchar) divinamente.
8. Los bedeles nos mandaron ...... (nosotros, salir) inmediatamente de la biblioteca.
9. Con ese tiempo tan malo, no vale la pena ...... (vosotros, ir) a la playa.
10. Sírvanse ...... (ustedes, hablar) más despacio porque hay muchos extranjeros.

11. Se vio al pobre perro ...... (él, cruzar) de pronto la calle y ...... (él, ir a parar) debajo de las ruedas del coche.
12. Las golondrinas suelen ...... (ellas, emigrar) en otoño.
13. Pienso ...... (yo, arreglar) el cuarto yo sola; no necesito tu ayuda.
14. No nos dejaron ...... (nosotros, entrar) en la iglesia sin mangas y sin mantilla.
15. Juan debería ...... (él, hacer) horas extraordinarias si quiere ...... (él, ganar) más.
16. ¿Qué quieres ...... (yo, hacer) con todo el trabajo que ya tengo?
17. Para ser ciclista importa ...... (gozar) de una buena salud.
18. Conviene ...... (vosotros, salir) antes de que empiece la huelga.
19. Les rogamos ...... (ustedes, dirigirse) a los mostradores de información o de facturación.
20. No te conviene ...... (tú, comprar) un coche usado.
21. Me han hecho ...... (yo, fregar) todo ese montón de platos a mano.
22. Importa ...... (tú, pagar) los impuestos según las disposiciones vigentes.
23. No le interesa tanto el sueldo como ...... (ellos, dar, a él) un trabajo cualquiera.
24. Su amabilidad hace ...... (nosotros, sentir) en su casa como en la nuestra.
25. Afirmamos rotundamente ...... (nosotros, no tener) nada que ver con este asunto.
26. En los reformatorios para menores tratan de ...... (los delincuentes, mejorar) su conducta.

## 32. Como el ejercicio anterior:

1. Jorge y Julita decidieron ...... (ellos, casarse) en julio.
2. Con la huelga de ferrocarriles, él teme ...... (él, llegar) tarde.
3. El testigo afirmó ...... (él, ser) extranjero.
4. Dudo ...... (mi novio, poder) salir conmigo esta noche.
5. El matrimonio decidió ...... (él, internar) al abuelo en un asilo para ancianos.
6. El Gobierno acordó ...... (los Ministros, reunirse) en la Moncloa.
7. Mi padre desea ...... (yo, ser) ingeniero.
8. Los alumnos procuran ...... (ellos, llegar) puntuales a la escuela.
9. Mis padres han decidido ...... (yo, seguir) la carrera de Filosofía y Letras.
10. He afirmado ...... (el señor Pérez, estar) en mi casa en el momento del crimen.
11. Con esta corriente de aire, tememos ...... (el niño, resfriarse).
12. El médico no dudaba ...... (él, poder) visitar al enfermo antes de media noche.

13. Ellos negaron ...... (aquello, ser) verdad.
14. Ellos negaron ...... (yo, ver, a ellos).
15. No logro ...... (mis hijos, respetar, a mí).
16. Hemos decidido ...... (vosotros, quedarse) en casa.
17. Deseo ...... (yo, ser) periodista.
18. Yo procuro ...... (los demás, no tomar, a mí) el pelo.
19. No consigo ...... (yo, recordar) tu número telefónico.
20. Me da miedo ...... (yo, salir) solo por la noche.
21. Tengo ganas de ...... (yo, comprar, a mí) un traje chaqueta.
22. Me sabe mal ...... (tú, no aprobar) el examen de derecho.
23. Trataré de ...... (yo, explicar, a ti) lo que me ha ocurrido.
24. A sus padres les daba miedo ...... (el niño, jugar) en la calle.
25. Los ladrones trataron de ...... (la policía, no ver, a ellos).
26. El joven negó ...... (él, conocer) a aquellos muchachos.

## 33. Como el ejercicio anterior:

1. En la aduana, la policía exige ...... (los pasajeros, mostrar) el contenido de su equipaje.
2. El camarero sugirió a los turistas ...... (ellos, probar) una tortilla de alcachofas.
3. Quería reprocharle lo que hizo, pero no osé ...... (yo, enfrentarse) con él.
4. Les ruego ...... (ustedes, enviar, a mí) cuanto antes información detallada sobre su actividad.
5. Cuando llegamos a mitad del recorrido, nos dijeron ...... (nosotros, pasar) por otra carretera.
6. El mecánico me sugirió ...... (yo, cambiar) las bujías del automóvil.
7. Es preferible que en vez de ponerte ese traje de lana ...... (tú, ponerse) esa rebeca.
8. No es bueno ...... (tú, gastar) todo tu sueldo, porque acabarás sin un duro.
9. Queríamos hacer un fuego en la montaña, pero nos impidieron ...... (nosotros, hacer, él).
10. El juez mandó ...... (callarse) a todos los presentes.
11. Al testigo le pareció ...... (él, observar) que en la sala estaba el homicida.
12. La cuestión de la contaminación de las aguas merece ...... (estudiarse) a fondo.
13. El cobrador del tranvía observó a unos pasajeros ...... (ellos, pasar) sin billete.
14. Faltaba todavía media hora para cerrar el museo, pero no consintieron ...... (entrar) a los visitantes.

15. Todavía no he ido a ver a mi tío, pero espero ...... (yo, ir) cuanto antes.
16. En general, es malo ...... (comer) tocino por la noche.
17. He tratado de ...... (yo, aprender) a conducir, pero nunca he logrado ...... (yo, sacar) el carné.
18. La policía prohibió a la muchedumbre ...... (ella, acercarse) al cadáver de la pobre mujer.
19. El presidente piensa ...... (él, dimitir) a fines de mes.
20. Don Quijote creyó ...... (él, ver) en medio del campo a unos gigantes.
21. A él le interesa ...... (él, coleccionar) cajitas de cerillas.
22. El abono natural hace ...... (el terreno, ser) más fértil.
23. Es oportuno ...... (vosotros, tomar) más leche.
24. Confiamos ...... (nosotros, terminar) el trabajo antes de mañana.
25. ¿Todos los años hacen ustedes ...... (ellos, lavar) las alfombras?
26. El ciego no osa ...... (él, cruzar) sin un acompañante.


**34.** Como el ejercicio anterior:

1. Vimos a los albañiles ...... (ellos, subirse) al tejado.
2. El médico me ha impuesto ...... (yo, andar) todos los días una media horita.
3. Pensábamos ...... (vosotros, ir) al concierto, pero no os vimos.
4. Fui a la casa de campo para descansar, pero me hicieron ...... (yo, trabajar) todo el día.
5. Es útil ...... (tú, comer) carne, fruta y muchas verduras.
6. Luisa sabe ...... (ella, hablar) cuatro idiomas, pero no sabe ...... (ella, escribir) a máquina.
7. Para aprender el español conviene ...... (tú, leer) mucho.
8. La asistenta aceptó el puesto para cuidar a los niños y luego le hicieron ...... (ella, hacer) la limpieza de la casa.
9. Aunque soy miembro del jurado, de hecho no me permiten ...... (yo, expresar) mi opinión.
10. Le recomendaron ...... (él, no fumar) demasiado durante la convalecencia.
11. Pidieron al camarero ...... (él, traer) una copa más.
12. Cuando quise ...... (yo, hacer obras) en casa, me impusieron ...... (yo, pedir) permiso al Ayuntamiento.
13. Les pido ...... (ustedes, comprender) mi situación.
14. Si quiero terminar la traducción esta semana, debo ...... (yo, trabajar) todo el día.
15. Les pareció ...... (ellos, oír) a lo lejos las esquilas de las ovejas.
16. Cuando murió la madre, recomendó a su hermana ...... (ella, cuidar) de sus hijos.

17. El fuerte dolor de cabeza me impidió ...... (yo, concentrarse) en lo que estaba haciendo.
18. El jefe ordenó a la secretaria ...... (ella, pasar) en limpio la carta que acababa de dictarle.
19. El maestro me aconsejó ...... (yo, repasar) las tablas de multiplicar unas horas cada día.
20. Creyó ...... (él, divisar) un ovni en el firmamento.

## 35. Como el ejercicio anterior:

1. Ellos temen ...... (ellos, llegar) tarde.
2. La interpretación de esta ley me hizo ...... (él, sudar) como un negro.
3. Yo no dejaré ...... (tus amigos, humillar, a ti).
4. Deseamos ...... (vosotros, ser) felices.
5. Yo no logro ...... (los alumnos, aprender) los verbos irregulares.
6. Hemos decidido ...... (nosotros, casarse) en cuanto encontremos un piso en el centro de la ciudad.
7. Conviene ...... (todo el mundo, vivir) con decoro.
8. En general, es preferible ...... (trabajar) de día.
9. El dietólogo impidió ...... (el paciente, comer) dulces.
10. Los campesinos temen ...... (ir a llover).
11. Todas las mañanas debo ...... (yo, hacer) inhalaciones.
12. Me prometió ...... (él, acompañar, a mí) a la reunión.
13. Intentaré ...... (yo, estar) en la oficina a las ocho.
14. Su hijo le vio ...... (ella, expirar).
15. Tendría que contarle lo ocurrido, pero no oso ...... (yo, decir, eso, a ella).
16. En general, no es bueno ...... (dormir) demasiadas horas.
17. Teresa sabe ...... (ella, hacer ganchillo) perfectamente.
18. A última hora decidí ...... (ellos, no venir) a mi casa.
19. Les aconsejé ...... (ellos, no salir) a la calle.
20. No puedo ...... (yo, tomar) el sol porque me perjudica.

## 36. Como el ejercicio anterior:

1. El policía vio ...... (detenerse) a unos patrulleros.
2. La gente que está en las filas delanteras nos impiden ...... (nosotros, ver) la pantalla.
3. Nosotros deseamos ...... (nosotros, ser, a vosotros) útiles.
4. El problema exige ...... (ser) examinado detenidamente.

5. Hasta ahora no he podido llamarle por teléfono: espero ...... (yo, hacer, eso) mañana.
6. No le permitieron ...... (él, entrar) en el cine porque era menor de edad.
7. Yo quiero ...... (yo, salir) esta noche.
8. El Consejo, por unanimidad, acordó ...... (él, nombrar) una comisión encargada de diagnosticar la situación económica.
9. No consigo ...... (yo, adaptarme) a este clima tan riguroso.
10. Vi ...... (la criada, espiar) a través de la puerta del salón.
11. El profesor permite ...... (el muchacho, responder) por escrito a las preguntas.
12. Yo le aconsejo ...... (usted, rectificar) su versión de los hechos.
13. Mis amigos suelen ...... (ellos, llegar) temprano, pero esta vez han llegado tarde.
14. Lamento ...... (tu padre, fallecer) tan joven.
15. El Ayuntamiento exige ...... (los ciudadanos, no ensuciar) la ciudad.
16. No importa ...... (ganar) mucho dinero, sino ser feliz.
17. Sírvanse ...... (ustedes, remitir, a mí) los libros siguientes.
18. No nos permitieron ...... (nosotros, entrar) en traje de baño.
19. Les ruego ...... (ustedes, respetar) las condiciones especificadas.
20. Les oí ...... (ellos, charlar) durante toda la noche.

## PARTICIPIO

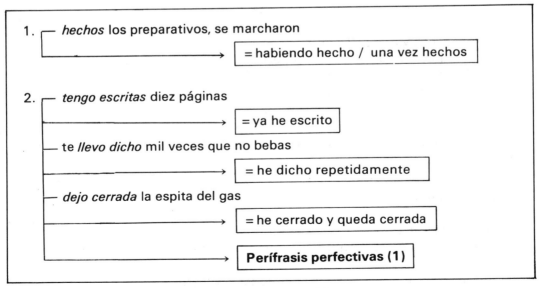

1. — *hechos* los preparativos, se marcharon
   → = habiendo hecho / una vez hechos

2. — *tengo escritas* diez páginas
   → = ya he escrito
   — te *llevo dicho* mil veces que no bebas
   → = he dicho repetidamente
   — *dejo cerrada* la espita del gas
   → = he cerrado y queda cerrada
   → **Perífrasis perfectivas (1)**

(1) Cfr. PERÍFRASIS o FRASES VERBALES, págs. 125-126.

**37.** Transforme las frases siguientes según el punto 1:

1. Cuando hubieron llegado a la cumbre, plantaron la bandera.
2. Habiendo leído el periódico, lo tiró a la papelera.
3. Una vez lavado el pelo, lo secó con el secador.
4. Cuando haya limpiado los cristales, ponga usted las cortinas.
5. Una vez selladas las cartas, échelas al buzón.
6. Cuando hayamos clavado los clavos, colgaremos los cuadros.
7. Habiendo rellenado el impreso, pasen ustedes a caja.
8. Cuando hubo terminado el espectáculo, el público abandonó la sala.
9. Una vez tomados los aperitivos, sírvanos el primer plato.
10. Cuando hube llegado a la estación, me di cuenta de que había huelga de trenes.
11. Una vez que hubo dicho su opinión, no volvió a intervenir.
12. Saqué varios libros de la biblioteca, que, una vez que los hube leído, los devolví.

**38.** Transforme las frases siguientes según el punto 2:

1. He planchado toda la colada de esta semana.
2. Le he escrito aquí lo que tiene que comprarme.
3. Le han inyectado ya más de cien ampollas.
4. La criada me ha limpiado los cristales.
5. Te he recomendado no sé cuántas veces que no salgas con esos golfos.
6. Ya he terminado las mangas del jersey.
7. La secretaria ha despachado una buena parte de la correspondencia.
8. Ya he sacado las entradas para el concierto.
9. Le hemos prestado 10.000 pesetas y no las hemos vuelto a ver.
10. Ha repetido ya el examen de latín un montón de veces.

**39.** Conjugue en PARTICIPIO el verbo entre paréntesis de las frases siguientes:

1. ...... (ver) que el estreno del drama ha ...... (ser) un fracaso, lo han ...... (quitar) del cartel.
2. Se ha ...... (celebrar) un encuentro ...... (dedicar) al teatro clásico.

3. ...... (podar) los árboles, el jardinero pasó al injerto.
4. ...... (abrir) las persianas, la luz de la luna inundó la habitación.
5. El ...... (aficionarse) al voleibol no se pierde ni un encuentro.
6. ...... (ver) las reacciones de los participantes, propongo reanudar la sesión.
7. Dentro de los filmes actuales los más ...... (reproducir) son los de aventura.
8. El pronóstico del tiempo es de cielos ...... (despejar) en toda la península.
9. ...... (ver) que lo dice un experto, seguramente será verdad.
10. Estamos ...... (decidir) a presentar querella.
11. Esta sospecha viene ...... (avalar) por el hecho de que los documentos ...... (encontrar) parece que ya eran ...... (considerar) caducos.
12. ...... (elegir) el presidente, se pasó al nombramiento de los consejeros.

## 40. Como el ejercicio anterior:

1. El sistema democrático ha ...... (incorporar) algunas innovaciones.
2. Tiene ...... (guardar) los objetos de valor en una caja de seguridad.
3. Le he ...... (dejar) la compra ...... (hacer).
4. María está ...... (cansar) de tanto trabajo.
5. Le han ...... (herir) en la barriga.
6. Entregaron a la novia tres juegos de cama ya ...... (bordar).
7. El castillo, ...... (convertir) en museo, ha sido ...... (adquirir) por el Estado.
8. Antes de morir, dejó ...... (establecer) la repartición de la herencia.
9. ...... (someter) los teléfonos a control, la policía pudo detectar al secuestrador.
10. ...... (deber) a la persistencia de la lluvia durante toda la jornada, las actuaciones del grupo pop fueron ...... (trasladar) del auditorio al aire libre, en el que se había ...... (desarrollar) la primera jornada, al recinto ...... (cerrar) del Pabellón Municipal de Deportes.
11. ...... (asegurar) la celebración del certamen, se pasó a la convocatoria.
12. Según una información ...... (publicar) ayer por el diario, la cosecha de tomate para este año está ...... (estimar) en 3,5 millones de kilogramos.

## 41. Conjugue en voz activa o pasiva los verbos entre paréntesis de las frases siguientes usando el PRETÉRITO PERFECTO:

1. Existen escuchas clandestinas que ...... (denunciar) por dirigentes políticos.
2. Él ...... (subir) las escaleras de tres en tres.
3. El Parlamento ...... (ser) incapaz de elaborar una ley contra la evasión fiscal.
4. Destacados profesionales ...... (detener) por la policía para un control.

5. El cuerpo de bomberos ...... (intervenir) en la extinción del incendio.
6. ...... (colocar) un candado en la puerta por los propietarios para evitar el acceso a la vivienda de personas ajenas a la misma.
7. El atleta soviético ...... (superar) el récord mundial de pértiga.
8. Pese a la niebla, el avión ...... (aterrizar) puntualmente.
9. ...... (correr) el maratón con buen punteo.
10. En la editorial se ...... (recibir) escritos de un millar largo de mujeres desconocidas.
11. El sistema capitalista parece que ...... (entrar) en crisis.
12. El espectáculo ...... (resultar) una horterada.


**42.** **Conjugue en** PARTICIPIO **el verbo entre paréntesis de las frases siguientes:**

1. Ha ...... (abrir) el paquete sin mi permiso.
2. No has ...... (hacer) lo que te he ...... (decir).
3. ¿Ha ...... (resolver) la cuestión del desahucio?
4. Se han ...... (romper) las negociaciones de paz.
5. El rector, ...... (elegir) por unanimidad, ha ...... (renunciar) al puesto.
6. Los ...... (recluir) de la cárcel de Carabanchel hicieron huelga de hambre.
7. Este autor se ha ...... (distinguir) por su popularidad.
8. —¿Se ha ...... (despertar) ya el niño? —Sí, ya está ...... (despertar).
9. ¿Dónde ha ...... (poner) las patatas ...... (freír), Marisa?
10. Le han ...... (recluir) en un reformatorio.
11. Durante el registro, el inspector ha ...... (revolver) todos los cajones.
12. Le hemos ...... (satisfacer) en todo lo posible.
13. Han ...... (imponer) una nueva tasa sobre los bienes inmuebles.
14. No han ...... (reconocer) a los atracadores porque sólo los han ...... (entrever).
15. Me han ...... (robar) la rueda de ...... (reponer).
16. Hemos ...... (leer) desde la página trece hasta la treinta, ambas ...... (incluir).
17. La dependienta me ha ...... (atender) muy cortésmente.
18. La venta de los discos ha ...... (descender) mucho a favor de los cassettes.
19. Se quedó ...... (dormir) como un tronco.
20. ¿A qué hora te has ...... (poner) en marcha?

## FORMAS PERSONALES DEL VERBO

## IMPERATIVO

- ¡niños, a callar!
- ¡niños, callaos!
- ¡niños!, ¿queréis callaros?

**Recuerde:**
- canta (tú) ——————————→ no cantes (subjuntivo)
- lava a ti mismo / lava la fruta ——————→ lávate / lávala
- lavad a vosotros mismos ——————→ lavaos (~~lavados~~ / ~~lavaros~~)
- id ——————————————→ iros (única excepción)

## EJERCICIOS

**43.** Ponga correctamente los IMPERATIVOS de uso coloquial, según el ejemplo:

¡Niños, *hablar* en voz baja! ——————→ ¡Niños, *hablad* en voz baja!

¡Niños, *no gritar*! ——————————→ ¡Niños, *no gritéis*!

1. ¡Entrar en casa!
2. ¡Lavaros las manos antes de comer!
3. ¡Levantaros temprano mañana!
4. ¡Escribir con letra clara!

5. ¡No ensuciar el mantel!
6. ¡Poner los platos en el fregadero!
7. ¡No comerse las uñas!
8. ¡No doblar las esquinas de las páginas del libro!
9. ¡No cerrar la ventana!
10. ¡No rascaros la cabeza!
11. ¡Limpiarse los zapatos en el felpudo antes de entrar!
12. ¡No decir mentiras!
13. ¡No subir al tranvía en marcha!
14. ¡No hablar con el conductor!
15. ¡Ir a casa cuanto antes!
16. ¡No salir antes de que suene el timbre!

**44.** **Ponga en estilo directo la parte subordinada de las frases siguientes, según el ejemplo:**

El padre dijo al niño *que estudiara* ─────────→ El padre dijo: niño, *¡estudia!*

1. El coronel ordenó a los soldados que se pusieran en marcha.
2. A las diez en punto el padre mandó a los niños que se acostaran.
3. La dueña gritó a la criada que quitara el polvo y fregara el suelo.
4. El profesor dijo al alumno que se callara.
5. El jefe mandó a los exploradores que plantaran la tienda en aquel prado.
6. El taxista dijo al cliente que cerrara la puerta despacio y que no fumara.
7. El cliente contestó al taxista que se fuera a freír espárragos.
8. El guardia ordenó a los gitanos que abandonaran la ciudad.
9. El Presidente ordenó que todos los Ministros dimitieran.
10. La señora dijo al jardinero que regara el césped.
11. La dirección aconsejó a los clientes que apagaran todas las luces antes de salir de la habitación, que mantuvieran cerradas las ventanas, que emplearan únicamente el agua caliente necesaria y que sobre todo se acordaran de mantener la calma en caso de incendio.

**45.** **Sustituya los verbos en PRESENTE IMPERSONAL de la receta siguiente por las formas de IMPERATIVO PERSONAL (lave usted) o de IMPERATIVO IMPERSONAL (lávese):**

SE parte la carne en ocho rodajas más bien gruesas. Se corta el tocino entreverado a tiras. Se mechan las rodajas de carne con los trocitos de tocino.

Aparte se cuecen las cebolletas; se pone al fuego la mitad de la mantequilla y, cuando esté caliente, se añaden las cebolletas previamente peladas y se rehogan; después se cubren con un poco de agua, se sazonan con sal y se dejan cocer con el recipiente tapado. En un segundo recipiente se pone al fuego la mantequilla restante con un poco de aceite; cuando esté caliente, se colocan las tajadas de carne y se añade el perejil picado, la corteza del limón y un poquito de sal.

Cuando la carne esté dorada, se rocía con el vino blanco y se cuece lentamente. Se lavan los champiñones, se cortan en rodajitas y se cuecen aparte en un poco de aceite; se añade el restante perejil, un poco de caldo y la pimienta y la sal necesarias. Se agrega después una pizca de harina y un poco más de caldo. Se mezclan las setas con la carne y se deja todo en el fuego durante diez minutos. Se baten las yemas de los huevos junto con unas cucharadas de leche y se añaden a la carne. Se sirve inmediatamente.

**46.** **Conteste positiva y negativamente a las preguntas siguientes, según el ejemplo:**

—¿Pongo la fruta en la mesa? ⟶ —Sí, *ponla*
—No, *no la pongas*

1. ¿Como esta manzana? (tú)
2. ¿Nos llevamos el televisor? (nosotros)
3. ¿Quiere que salga mientras habla por teléfono? (usted)
4. ¿Me dejas soltar al perro? (tú)
5. ¿Llevamos las cortinas a la tintorería? (ustedes)
6. ¿Lavo la colada, señora? (usted)
7. ¿Le ayudo a cruzar la calle, señor? (usted)
8. ¿Subo por la escalera de servicio? (usted)
9. ¿Usamos el ascensor? (vosotros)
10. ¿Plancho la camisa con almidón? (usted)

**47.** **Cuando sea necesario, ponga correctamente los imperativos de uso coloquial que se encuentran en las siguientes frases, según el ejemplo:**

*¡La ponga* allí la maleta! ⟶ *¡Póngala* allí la maleta!

1. ¡Le dé algo al mendigo!
2. ¡Lo transporten con cuidado este paquete frágil!
3. ¡No la abra la caja fuerte!
4. ¡La pague en caja la consumición!
5. ¡Las dé al portero las llaves del garaje!
6. ¡Lo comunique al responsable este asunto!
7. ¡No le engañen al pobre!

8. ¡La siente en la sillita a la nena!
9. ¡Las ponga en su lugar las cosas!
10. ¡Lo diga al comisario lo que ha visto!
11. ¡No le tires la cola al perro!
12. ¡Lo estudien de memoria este párrafo!
13. ¡Le paguen por adelantado, si quiere!
14. ¡Lo diga usted mismo que no es culpa mía!
15. ¡Nos la diga a nosotros la verdad!
16. ¡No se las entregue a él las libretas de ahorro!
17. ¡Se sienten en la quinta fila, por favor!
18. ¡Me lo den a mí el resguardo del banco!

**48. Conjugue los verbos en FUTURO o en IMPERATIVO, según lo requiera el texto; cuando sea necesario, sustituya los pronombres tónicos por los correspondientes átonos:**

AHORA ...... (vos, decir, a mí) si estáis conmovido, y si puedo daros el consejo que guardo en mi corazón.

—¡...... (vos, no dudar, eso), reverendo padre! Vuestras palabras me han hecho sentir algo semejante al terror. Yo juro seguir vuestro consejo.

—Está bien, hijo mío. Espero que por un sentimiento de caridad, suceda lo que suceda, a nadie ...... (vos, hablar) de este capuchino.

—Lo prometo por mi fe de cristiano, reverendo padre [...]. Pero, ...... (vos, hablar), os ruego.

—Hoy, después de anochecido, ...... (vos, salir) por la cancela del jardín, y ...... (vos, bajar) rodeando la muralla; ...... (vos, encontrar) una casa terreña que tiene en el tejado un cráneo de buey: ...... (vos, llamar) allí, ...... (abrir, a vos) una vieja, y ...... (vos, decir, a ella) que deseáis hablarle: con esto sólo ...... (ella, hacer entrar, a vos). ...... (ella, no

preguntar, a vos) quién sois, pero si lo hiciese, ...... (vos, dar) un nombre supuesto.

Una vez en la casa, ...... (vos, rogar, a ella) que os escuche, y ...... (vos, exigir, a ella) secreto sobre lo que ...... (vos, confiar, a ella). Es pobre, y debéis mostraros liberal con ella, porque así ...... (ella, servir, a vos) mejor; ...... (vos, ver) cómo inmediatamente cierra su puerta para que podáis hablar sin recelo. Vos, entonces, ...... (hacer, a ella) entender que estáis resuelto a recobrar el anillo y cuanto ha recibido con él; ...... (vos) no olvidar esto: el anillo y cuanto ha recibido con él.

...... (vos, amenazar, a ella) si se resiste, pero ...... (vos, no hacer) ruido, ni ...... (vos, dejar, a ella) que pida socorro. ...... (vos, procurar) persuadirla, ofreciéndole doble dinero del que alguien le ha ofrecido por perderos. Estoy seguro que ...... (ella, hacer) lo que le mandéis, y que todo ...... (costar, a vos) bien poco. Pero aun cuando así no fuese, vuestra vida debe seros más preciada que todo el oro del Perú. ...... (vos, no preguntar, a mí) más, porque más no puedo deciros [...]. Ahora, antes de abandonaros, ...... (vos, jurar, a mí) que estáis dispuesto a seguir mi consejo.

—Sí, reverendo padre, ...... (yo, seguir) la inspiración del Ángel que os trajo.

—¡Así sea!

VALLE-INCLÁN, *SONATA DE PRIMAVERA*, Madrid, Espasa-Calpe, «Austral», 1965[6], págs. 59-60.

# INDICATIVO

## PRESENTE

1. — el agua *hierve* a 100° centígrados ⟶ permanente o universal

2. — Juan *trabaja* en un banco ⟶ visto como permanente

3. — *tomo* el café con azúcar ⟶ iterativo o habitual

4. — *estoy leyendo* un libro ⟶ continuativo

**Recuerde** las irregularidades:
— *acertar / acierto; dormir / duermo*
— *servir / sirvo*
— *tener / tengo; valer / valgo*
— *huir / huyo*
— *nacer / nazco*

**49.** Complete libremente las frases siguientes añadiendo POR SI, según el ejemplo:

Me *pongo* el abrigo *por si hace* frío

1. Me quedo en casa ......
2. Prefiere no venir ......
3. Repasa la lección ......
4. Preparamos las maletas ......
5. Cierran los cajones con llave ......
6. Voy al banco ......

**50.** Imagine una situación cualquiera en la que usted sugiere a otra persona, a un amigo o a un desconocido, lo que tiene que hacer: para llegar a la estación, para ir a París, para encontrar una calle, para contar a la policía algo ocurrido –como un robo, un asesinato, etc.–, para aprender un idioma... Use para ello el PRESENTE DE INDICATIVO con valor imperativo o de mandato. Ej.: Tú entras, preguntas si está y le dices que ......

**51.** Conjugue en PRESENTE de INDICATIVO los verbos entre paréntesis:

1. He engordado demasiado y no ...... (caber) en este pantalón.
2. Mi hijo no ...... (ver) muy bien de lejos.
3. Si no ...... (vosotros, traer) las botas de montaña, no podemos hacer la excursión.
4. Hay gente que no ...... (concebir) siquiera una idea semejante.
5. Si ...... (vosotros, venir) demasiado tarde, nos habremos ido ya.
6. El pasante ...... (ir) todas las mañanas al juzgado y yo ...... (ir) con él.
7. Si ...... (vosotros, reír) de esta forma, no ...... (nosotros, oír) lo que ...... (ellos, decir).
8. Aquel niño no ...... (jugar) nunca.
9. Este asunto no me ...... (concernir).
10. Yo no ...... (tener) tiempo para ir de paseo.

11. Yo ...... (bendecir) el día en que te conocí.
12. Si tú ...... (ver) que yo ...... (caerse), aguántame.
13. ¿Vosotros ...... (acordarse) del día que fuimos al río?
14. –¿...... (tú, conocer) a aquel profesor? –Sí, le ...... (yo, conocer) desde el año pasado.
15. En España ...... (regir) la monarquía.
16. El campesino ...... (regar) los campos todos los días.
17. Cuando ...... (yo, freír), ...... (yo, cerrar) la puerta de la cocina.
18. Aquel chico ...... (huir) cuando ...... (ver) un perro.
19. Cada día ...... (yo, darse cuenta) de que ...... (yo, envejecer) muy rápidamente.
20. Se ...... (prever) que los precios ...... (ir) a subir.


## 52. Como el ejercicio anterior:

1. Julián ...... (desenvolverse) en sociedad con mucha habilidad.
2. Que acepte o no, ...... (depender) del dinero que le ofrezcan.
3. El escalador ...... (apretarse) bien la cuerda en torno a la cintura y así no ...... (caerse) al barranco.
4. El agua ...... (hervir) a los 100 grados.
5. Cuando ...... (yo, presenciar) escenas violentas, ...... (yo, enfurecerse).
6. Nosotros ...... (pensar) viajar en coche.
7. Nosotros ...... (descolgar) este cuadro y ...... (poner) otro más moderno.
8. Entre los autores medievales españoles, ....... (descollar) el Arcipreste de Hita.
9. ...... (yo, serrar) los troncos para hacer fuego este invierno.
10. Si vosotros ...... (divertirse) con este juego, ...... (poder) seguir jugando un poco más.
11. En medio del campo ...... (erguirse) un majestuoso campanario.
12. Los alumnos ...... (errar) si ...... (ellos, pensar) que no les ...... (yo, ver) cuando ...... (ellos, copiar) en el examen.
13. Si vosotros ...... (desviarse) del camino, coged el mapa y la brújula.
14. En este punto de la carretera ...... (confluir) cuatro caminos.
15. Yo ...... (conducir) con mucha prudencia.
16. Cada uno ...... (defender) sus intereses.
17. Este perro no ...... (morder).
18. El presidente ...... (condescender) en saludar a los presentes.
19. Entre dos posibilidades, ...... (yo, elegir) siempre la que ...... (yo, creer) que ...... (ser) mejor.
20. El trabajo hoy me ...... (rendir) mucho.

**53.** Conjugue en PRESENTE de INDICATIVO los verbos entre paréntesis del siguiente párrafo:

EL viajero ...... (seguir), con su morral a costillas, por la carretera adelante. A cada hora de marcha, a cada legua, ...... (sentarse) en la cuneta a beber un trago de vino, a ...... (fumar) un pitillo y ...... (descansar) un rato. Por el campo ...... (verse) labriegos arando la tierra con su yunta de mulas. A veinte pasos del viajero ...... (levantar) su vuelo un bando de palomas.

Entre una nube de polvo ...... (pasar) dos coches de línea abarrotados de gente.

A la legua larga de Torija ...... (aparecer) los robles. Un pastor ...... (caminar) sin prisa detrás de las ovejas, por la pradera de una loma. No ...... (oírse) más que el piar de las golondrinas. Poco más tarde ...... (verse) las casas de Fuentes, con la torre de la iglesia en medio.

Fuentes de la Alcarria ...... (estar) a la derecha del camino. El campo ...... (oler) con un olor profundo. Dos conejos ...... (mirar) para el viajero, un instante, ...... (mover) las orejas, sentados sobre el rabo, y ...... (huir) después, veloces, a esconderse detrás de unas piedras. Un águila ...... (volar) trazando círculos. Una mujer, subida en un burro, ...... (cruzarse) con el viajero. El viajero la ...... (saludar) y le ...... (sonreír), y la mujer ni le ...... (mirar) ni le ...... (contestar). Es una mujer joven, pálida y hermosa. El viajero ...... (volverse). La mujer ...... (ir) inmóvil, dejándose llevar del trote del burro entero, poderoso.

CAMILO JOSÉ CELA, *VIAJE A LA ALCARRIA*,
Madrid, Espasa-Calpe, «Austral», 1967[5], pp. 45-46

**54.** Escriba una breve redacción sobre uno de los temas siguientes:

1. Describa cómo pasa una mañana, tarde o noche, o un fin de semana.
2. Describa sus normales actividades en el trabajo o estudio.
3. Describa su casa o un paisaje.
4. Autorretrato.
5. Cuente la trama de un libro o de una película.
6. Describa a una persona que usted conozca.

# PASADO

1. — cuando *vivía* en Madrid, no *conocía* a nadie ⟶ | durativo del pasado |

2. — cada vez que *venía* nos *molestaba* a todos ⟶ | reiterativo del pasado |

3. a) — *he decidido* operarme
   — *ha llamado* hace un momento ⟶ | terminado poco antes del ahora, con o sin efecto en el presente |

   b) — no *he visto* nunca una cosa igual
      — siempre *has sido* un egoísta ⟶ | durativo en acto o no en el presente |

   c) — *ha llovido* toda la mañana
      — este invierno *ha nevado* poco
      — últimamente el progreso *ha sido* notable
      — este mes todavía no me *han pagado* ⟶ | durativo en unidad de tiempo medida desde el ahora, en acto o no en el presente |

4. — anoche *me acosté* temprano
   — el año pasado *llovió* poco ⟶ | durativo o puntual remotos |

---

**Recuerde** las irregularidades:

INDEFINIDO
   — *pedir / pidió; morir / murió*
   — *huir / huyó*
   — *conducir / condujo*

PARTICIPIO
   — *imprimir / impreso; escribir / escrito; hacer / hecho*
   — *abrir / abierto; morir / muerto*
   — *despertar* < *despertado*
                   *despierto*

**55.** **Conteste a las preguntas siguientes:**

1. ¿Dónde estuviste de vacaciones el año pasado?
2. ¿Por qué elegiste este lugar para unas vacaciones?
3. ¿En qué época del año fuiste?
4. ¿En qué viajaste?
5. ¿Con quién fuiste?
6. ¿Qué tipo de equipaje llevaste?
7. ¿Dónde vivías?
8. ¿Cuánto pagaste por la estancia?
9. ¿A qué personas encontraste?
10. ¿Hiciste amistad con ellas?
11. ¿Cómo pasabas el tiempo?
12. ¿Qué comías?
13. ¿Qué bebías normalmente durante las comidas?
14. ¿Qué tiempo hacía?
15. ¿Cuántas horas dormías?
16. ¿A qué hora te levantabas?
17. ¿A quién mandaste postales?
18. ¿Para quién compraste regalos?
19. ¿Cuánto te costaron estas vacaciones?
20. ¿Qué sensación tuviste al volver a casa?

**56.** **Conjugue los verbos entre paréntesis en** PRETÉRITO INDEFINIDO de INDICATIVO (canté):

1. ¿Es cierto que vosotros ...... (caerse) de la escalera?
2. Mariángeles ...... (ceñirse) el pelo con una cintita roja.
3. Las mantas no ...... (caber) en el arcón.
4. Cuando yo ...... (insultar, a ellos), ellos ...... (sonreír).
5. Todos los empleados ...... (adherir) a la propuesta de crear un fondo común.
6. Los excursionistas ...... (ponerse) en marcha muy de madrugada y ...... (andar) todo el día.
7. Los acusados ...... (contradecirse) durante todo el interrogatorio.
8. Todos los obreros ...... (maldecir) el día en que ...... (cerrarse) la fábrica.

9. Ninguno de ellos ...... (atenerse) a las instrucciones.
10. Los niños ...... (entretenerse) jugando a bolos.
11. Los camioneros ...... (conducir) con la máxima prudencia.
12. ¿Por qué ...... (vosotros, elegir) este color?
13. Me ...... (ellos, traer) de España un cartel de toros.
14. El intérprete ...... (traducir) con extrema habilidad.
15. Los niños no ...... (ir) al colegio y ...... (decir) que estaban enfermos.
16. Los incendios forestales del verano pasado ...... (destruir) enormes extensiones de terreno y ...... (producir) pérdidas incalculables.
17. El Ayuntamiento ...... (prevenir) el exceso de tráfico en el casco antiguo y ...... (prohibir) la circulación de coches.
18. Yo ya ...... (prever) lo que ocurriría.
19. Les ...... (yo, preguntar) qué ...... (ellos, hacer) aquella noche y ...... (ellos, no saber) qué contestar.
20. El día de carnaval Manuel ...... (vestirse) de indio.
21. Todo el mundo ...... (anteponer) el propio interés al interés común.
22. Casandra ...... (predecir) la destrucción de Troya.

**57.** **Complete las frases siguientes con los elementos que se hallan entre paréntesis:**

| | |
|---|---|
| 1. No conozco a su amigo: ...... | (encontrar, nunca) |
| 2. No sabe una palabra de español: ...... | (estudiar, nunca, antes) |
| 3. No me preguntes a qué saben los melones: ...... | (nunca, probar) |
| 4. Los cristales están rotos: los ladrones ...... | (entrar) |
| 5. No encuentro el Quijote: por lo visto ...... | (agotarse) |
| 6. –¿De qué trata este libro? –No sé, ...... | (leer, nunca) |
| 7. –¿Es difícil de resolver este problema? –No sé, ...... | (resolver, nunca) |
| 8. No te he llamado por teléfono: ...... | (olvidar) |
| 9. No sigas buscando las llaves: ...... | (encontrar) |
| 10. Ha llegado por fin el cura, pero Jaime ...... | (morir) |

**58.** **Complete las frases siguientes con uno de los DOS PARTICIPIOS –en función verbal o adjetival– de los verbos entre paréntesis:**

1. Es un señor muy ...... (distinguir).
2. Tu discurso es completamente ...... (abstraer) y no tiene fundamento alguno.
3. El profesor no ha ...... (corregir) nuestros deberes.
4. Es un pintor ...... (nacer), ...... (proveer) de un talento excepcional.
5. El viejo gitano ha ...... (maldecir) a su enemigo.

6. Lleva el pelo ...... (teñir) de rubio.
7. Habían ...... (recluir) al reo en una cárcel moderna para ...... (recluir) peligrosos.
8. Yo he ...... (nacer) hace muchos años.
9. Hemos ...... (reunir) a todos los hijos, y puesto que estaban todos ...... (juntar) se pudo abrir el testamento.
10. Se oyen voces ...... (confundir) salir de aquella habitación.
11. Todavía no se han ...... (fijar) las fechas de las elecciones.
12. Se había ...... (proveer) de todo el equipamiento para escalar la montaña.
13. –¿A qué hora te has ...... (despertarse) esta mañana? –Muy temprano: a las seis ya estaba ...... (despertar).
14. Se han ...... (difundir) falsas noticias sobre la muerte de los exploradores.
15. Yo no he ...... (distinguir) la voz de mi hermano de la de mi padre.
16. El abuelo ha ...... (bendecir) a sus nietos antes de expirar.
17. Siente un dolor ...... (difundir) por todo el pecho.
18. ¡...... (bendecir) el día en que te conocí!
19. He ...... (confundir) el reinado de Felipe III con el de Felipe IV.
20. El cuadro está bien ...... (fijar) en la pared.

**59.** **Complete las frases siguientes:**

1. Uno que acaba de llegar es un ......
2. Lo que se acaba de pintar está ......
3. Lo que se acaba de hacer está ......
4. Lo que se acaba de inaugurar está ......
5. Lo que se acaba de comprar es algo ......
6. Uno que acaba de nacer es un ......
7. Los que se acaban de casar son ......
8. Los que acaban de despertarse están ......

**60.** **Señale en cuáles de las oraciones siguientes están mal empleadas las formas de PRETÉRITO INDEFINIDO** (canté) **y de PRETÉRITO PERFECTO** (he cantado):

1. Estuve enfermo todo el mes pasado.
2. Este año estuvimos siempre haciendo obras y todavía no acabamos.
3. Esta semana no fuimos al cine por la enfermedad de la abuela.
4. El año pasado no he ido nunca al teatro por falta de dinero.
5. Anoche hemos charlado largo tiempo con nuestros amigos y se nos ha hecho muy tarde.
6. He viajado mucho en estos últimos años y quiero viajar más.

7. –¿Has leído la última novela de Sender? –Sí, la he leído hace un mes.
8. –¿Habéis comido alguna vez la paella? –Sí, la hemos comido en Valencia durante las vacaciones de verano.
9. Esta mañana fui al mercado.
10. Anoche hemos estado viendo la televisión hasta las tantas.
11. Este mes cobré menos que el mes pasado.
12. –¿Está el señor Gil en casa? –No. salió ahora mismo.
13. El martes he ido a la piscina, pero no me he bañado porque el agua estaba fría.
14. No he comido asado tan rico en toda mi vida.
15. Se han conocido el pasado verano.
16. El domingo he ido a casa de mis padres.

## 61. Conjugue en IMPERFECTO (cantaba) o INDEFINIDO (canté) de INDICATIVO los verbos entre paréntesis:

LA *Rucha* vieja ...... (despertar) a Carlos con el desayuno. Mientras se lo ...... (ella, servir), ...... (ella, explicar) que doña Mariana había marchado, muy temprano, de viaje, y que probablemente no volvería hasta el día siguiente, porque había llevado consigo a la *Rucha* moza.

–...... (ella, decir) que no ......(despedirse) por no despertarle, y que le dispense.

...... (el, tener) por delante todo un día sin obligaciones, todo un día de libertad.

...... (él, hacer) la maleta y la ...... (él, trasladar), con todo lo suyo, al carricoche. [...]

Bajo un alpendre, en la playa, unas mujeres ...... (coser) redes y ...... (hablar) a gritos. Unos críos descalzos ...... (jugar) bajo la lluvia. Al pasar el coche, uno de ellos, atrevido, le ...... (preguntar) si le ...... (él, llevar) un rato. Carlos le ...... (dejar) subir y lo ...... (conducir) hasta la cuesta, entre la mirada sorprendida de los otros rapaces.

El crío ...... (agradecer) el viaje con un guiño; ...... (él, saltar) a la carretera.

Más adelante ...... (él, tropezarse) con la madre de Rosario, que ...... (ella, hacer) como que no le ...... (ver) y ...... (pasar) sin saludar. Por la hora, y por el cestillo que ...... (ella, llevar), ...... (ella, deber) de ir al astillero con las comidas.

...... (él, pasar) el resto de la mañana acomodando su ropa en el armario. ...... (él, tumbarse) después en la cama y ...... (él, demorarse) un rato en ella.

...... (él, bajar) a comer temprano, y lo ...... (él, hacer) en silencio.

–¿No me han traído ningún recado? – ...... (él, preguntar) a la *Rucha*.

–Nadie ...... (venir), señor.

GONZALO TORRENTE BALLESTER, *EL SEÑOR LLEGA*,
Madrid, Alianza Editorial, 1971, pp. 295-296.

**62.** Como el ejercicio anterior:

CUANDO ...... (resolverse) por completo la cuestión de la herencia de Savarof, Sacha ...... (pensar) en trasladarse a Moscú; quizá allí, en una gran ciudad, su marido encontraría distracciones y la existencia del matrimonio se haría más soportable.

El ensayo ...... (ser) completamente desgraciado; no ...... (haber) solución para la vida de ambos. Al cabo de dos años de vivir en Rusia, la hostilidad entre marido y mujer ...... (convertirse) en odio profundo.

Sacha ...... (sentir) por Klein un gran desprecio. ...... (parecer, a ella) imposible que hubiese llegado a tener cariño por aquel hombre tan vulgar, tan ridículo, tan egoísta, tan mezquino en todo.

En uno de los altercados matrimoniales, Klein ...... (querer) golpear a Sacha. Ella, ciega por el instinto de venganza, ...... (comprar) un revólver y en la primera ocasión ...... (disparar) dos tiros a su marido.

Afortunadamente ...... (ella, no dar, a él). Al ver lo que había hecho, trastornada por el odio, ...... (ella, quedar) espantada de sí misma.

Klein ...... (horrorizarse) ante la perspectiva de recibir un balazo. La violencia y la sangre ...... (aterrorizar, a él). Para no verse de nuevo en la posibilidad de ser agujereado por una bala, ...... (él, hablar) a Sacha y le ...... (él, decir) que aquella vida ...... (ser) imposible.

Él ...... (comprender) que ninguno de los dos ...... (tener) la culpa; ...... (haber) incompatibilidad de caracteres, de opiniones, de todo.

Lo más sensato ...... (ser) separarse, entablar una demanda de divorcio.

Sacha ...... (aceptar) la idea, a condición de que ella se quedaría con la niña.

Klein no ...... (sentir) un gran cariño por su hija, y no ...... (tener) inconveniente en que fuera a vivir con su madre.

PÍO BAROJA, *EL MUNDO ES ANSÍ,*
Madrid, Espasa-Calpe, «Austral», 1963, p. 92.

**63.** Escriba una redacción sobre:

1. Cuando yo era niño/a ......
2. Describa con todo detalle lo que ha hecho esta mañana desde que se ha levantado.
3. Cuente la trama de un libro, una película o una pieza teatral que haya visto recientemente.

# PLUSCUAMPERFECTO

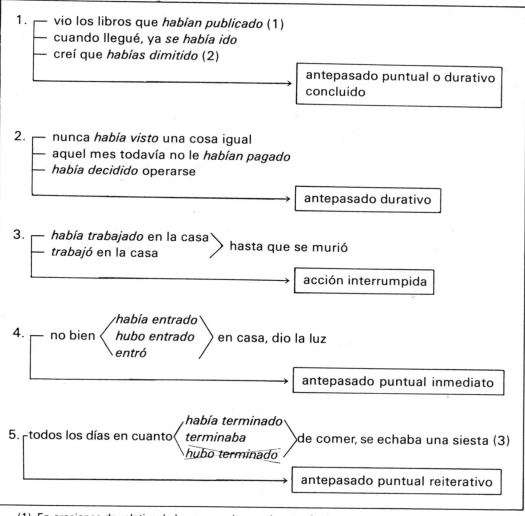

1. ┌─ vio los libros que *habían publicado* (1)
   ├─ cuando llegué, ya *se había ido*
   └─ creí que *habías dimitido* (2)
   → antepasado puntual o durativo concluido

2. ┌─ nunca *había visto* una cosa igual
   ├─ aquel mes todavía no le *habían pagado*
   └─ *había decidido* operarse
   → antepasado durativo

3. ┌─ *había trabajado* en la casa
   └─ *trabajó* en la casa
   ⟩ hasta que se murió
   → acción interrumpida

4. ┌─ no bien ⟨ *había entrado* / *hubo entrado* / *entró* ⟩ en casa, dio la luz
   → antepasado puntual inmediato

5. ┌─ todos los días en cuanto ⟨ *había terminado* / *terminaba* / ~~*hubo terminado*~~ ⟩ de comer, se echaba una siesta (3)
   → antepasado puntual reiterativo

(1) En oraciones de relativo, la lengua escrita emplea con frecuencia el imperfecto de subjuntivo (sólo *amara*): defendía lo que antes tanto *atacara* (o *había atacado*).

(2) Cuando el antepasado depende de verbos de pensamiento o afirmación con *que* o cuando en la narración queda claramente establecida la anterioridad de la acción, se sustituye con frecuencia el pluscuamperfecto por el indefinido:

aseguró que los ladrones le ⟨ *habían entrado* / *entraron* ⟩ en casa.

(3) Observe que tales construcciones se reservan a verbos de significado puntual: todas las mañanas

en cuanto ⟨ *había desayunado,* / ~~*desayunaba,*~~ ⟩ iba a la oficina.

**Observe detenidamente el uso del PLUSCUAMPERFECTO y del INDEFINIDO en el siguiente fragmento:**

CONTABA sus pasos. Era su costumbre. La tapia del cementerio, que hacía más de media hora que *habían dejado* atrás, tenía 1.390 pasos hasta la caseta de arbitrios. Lo sabía muy bien. En pocos podía equivocarse. Perdía la cuenta al saludar al empleado, amodorrado, ojeroso, seguramente con un aliento nocturno como el olor de los perros sin amo. El empleado tiritaba, descompuesto, amañanado. Le *habían saludado.* Les *contestó* bruscamente. Luego *se dulcificó:* «Buena caza», les dijo.

Cuando Cristóbal se levantó para salir al campo, la casa estaba en silencio; silencio cuarteado por la fuerte respiración de su mujer. Procuró no despertarla. Llegó a la pequeña cocina y se lavó en el fregadero. Preparó su desayuno. Bostezaba de hambre y sueño. Estuvo esperando a que la leche se calentara, apoyado en la mesa, escalofriándose de vez en vez, dejándose escurrir el sueño, según creía, hasta los pies. Hizo algún ruido. *Escuchó* la voz de su mujer: «¿Ya te vas, Cristobal?» «Ya me voy», *había contestado.* «Que haya suerte.»

Se *había encontrado* con su amigo Lino bajo la gran farola de tres brazos de la glorieta de su barrio. Lino vivía solo. Al anochecer del día anterior le *había dicho* Cristóbal: «No te retrases, Lino; no bebas mucho, que mañana hay que tener el ojo listo». Lino le *respondió:* «Se hará, se hará». Luego *se metió* en la taberna a beberse unos vasos de vino mientras miraba con sus ojillos de pájaro miedoso la fuente de la cerveza y el vermut, que le asombraba con su brillo argentino y su águila herida en la terminación. Se pellizcaba sin cesar las manos, como si estuviese jugando al pizpiragaña.

IGNACIO ALDECOA, *LOS HOMBRES DEL AMANECER,*
Vol. 1, Madrid, Alianza Editorial, 1971, pág. 40.

## EJERCICIOS

**64. Transforme las frases siguientes con una oración compuesta con CUANDO + PRETÉRITO INDEFINIDO (canté) y coloque en la principal el tiempo verbal necesario, según el ejemplo:**

Antes de irme, les saludé ⟶ Cuando me fui, ya les había saludado.

1. Antes de salir de casa, me puse el abrigo.
2. Antes de marcharse, la secretaria avisó al jefe de la oficina.

3. Antes de cerrar los almacenes, algunos empleados vaciaron los escaparates.
4. Antes de arreglar el enchufe, quitaron la corriente.
5. Antes de ponerse a comer, se lavó las manos.
6. Antes de entrar, dejasteis el paraguas en el paragüero.
7. Antes de subir al autobús, compraste los billetes.
8. Antes de irse a América, sacó el pasaporte.
9. Antes de pasar la bayeta, barrió el suelo.
10. Antes de marcharse del hotel, abonaron la cuenta.
11. Antes de comprarse el coche, aprendió a conducir.
12. Antes de encender el pitillo, fue a buscar un mechero.

**65.** **Conjugue los verbos entre paréntesis, teniendo en cuenta que el primero debe ser en INDEFINIDO, como muestra la primera frase:**

1. Cuando *murió* Felipe II en 1598, ...... (él, reinar) 42 años.
2. Cuando ...... (él, llegar) a casa, ...... (él, ver) que los ladrones ...... (robar, a él).
3. Ninguno de los profesores ...... (explicarse) cómo ...... (suspender) al mejor alumno de la clase.
4. El investigador ...... (comprender) de repente lo que ...... (ocupar, a él) la mente durante los dos últimos meses.
5. Los resultados ...... (confirmar) lo que los sondeos ...... (prever).
6. Lo que luego ...... (suceder) fue lo que todo el mundo ...... (temer).
7. A las diez de la mañana los alpinistas ...... (ver) que ya casi ...... (llegar) a la cumbre.
8. De repente, el chófer ...... (darse cuenta) que ...... (él, equivocarse) de camino.
9. ...... (ellos, empezar) la exploración que antes nadie ...... (hacer) en el mundo.
10. El Gobierno ...... (verse obligado) a tomar medidas que antes ...... (él, rechazar).

**66.** **Conjugue los verbos entre paréntesis en todos los tiempos posibles:**

1. ...... (él, vivir) con sus tíos hasta que se casó.
2. Cuando le despidieron de la fábrica todavía no ...... (él, encontrar) otro trabajo.
3. El ingeniero de caminos supervisó los edificios que ...... (ellos, construir).
4. Todos los meses en cuanto ...... (ellos, entregar, a él) el sueldo, iba al banco a depositarlo.
5. Cuando llegaron a la casa de socorro, ya ...... (él, morirse).

6. En cuanto ...... (él, tomarse) la manzanilla se acostaba.
7. Los bomberos acudieron al lugar del incendio no bien ...... (recibir) la llamada.
8. Pensé que ...... (tú, dejar) de fumar.
9. Todas las noches en cuanto ...... (terminar) el programa emitían el himno nacional.
10. Se enfadó muchísimo porque nunca ...... (ellos, insultar, a él) de aquel modo.

## INDEFINIDO COMPUESTO

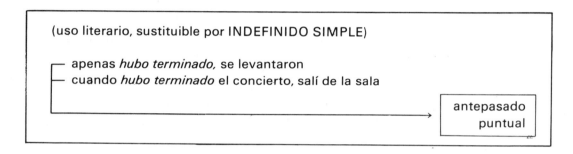

(uso literario, sustituible por INDEFINIDO SIMPLE)

— apenas *hubo terminado*, se levantaron
— cuando *hubo terminado* el concierto, salí de la sala

antepasado
puntual

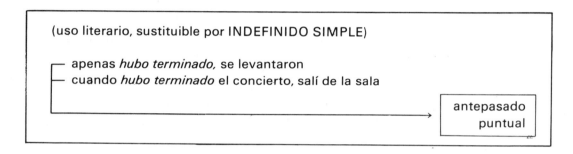

EJERCICIOS

**67. Complete las frases siguientes con una de estas conjunciones** (APENAS, LUE-GO QUE, EN CUANTO, ENSEGUIDA QUE, NO BIEN, DESPUÉS QUE, HASTA QUE, CUAN-DO), **seguida del verbo entre paréntesis debidamente conjugado:**

1. ...... (terminar) el discurso, todo el mundo aplaudió.
2. No tocaron el cadáver ...... la policía ...... (ella, no examinar, a él).
3. ...... (ellas, pasar) la bayeta por el suelo, los niños entraron corriendo con los zapatos llenos de barro.
4. ...... (él, talar) los árboles, pasó el barrendero a recoger las ramas y las hojas.
5. ...... (él, decir) estas palabras, se puso colorado como un tomate.
6. No se fue de compras ...... (no arreglar) la casa.
7. No pasó a estudiar los verbos irregulares ...... (él, no estudiar) los regulares.

8. ...... (él, ver) la televisión, se fue a la cama.
9. No echó el arroz ...... toda la familia ...... (ella, no llegar).
10. Regresaron al hotel ...... (el sol, ponerse).
11. No quiso acostarse ...... (ella, no terminar) de leer la novela policiaca.
12. ...... (ella, hablar) por teléfono con su novio, se echó a llorar.

## 68. Transforme las frases siguientes con una oración compuesta con CUANDO:

1. Acabada la conferencia, la gente se marchó.
2. Dichas estas palabras, se retiró a su puesto.
3. Anotada la dirección, me pidió la mía.
4. Descolgados los cuadros, desempapelamos las paredes.
5. Echados los cimientos, levantaron la casa.
6. Apagado el incendio, los bomberos quedaron satisfechos.
7. Desinfectada la herida, el enfermero puso una venda.
8. Acabados los deberes, los niños volvieron a sus juguetes.
9. Lavado el pelo, la peluquera pasó al corte.
10. Llegado a los cien metros de profundidad, el buzo tuvo que abandonar la empresa.

## 69. Conjugue en el debido tiempo del PASADO los verbos entre paréntesis:

1. El verano pasado ...... (él, ir) a la piscina casi todos los días.
2. ...... (ella, cantar) muy mal, por eso la ...... (ellos, expulsar) del coro.
3. Ayer ...... (nosotros, ver) una película de ciencia-ficción, pero no nos ...... (gustar) nada.
4. Después que ...... (él, oír) aquella noticia, ...... (ponerse) muy melancólico.
5. Hoy ...... (yo, lavar) mucho, por eso se me han agrietado las manos.
6. En el siglo XIX el alumbrado ...... (ser) de gas.
7. En el mes de mayo del año pasado, ...... (nosotros, hacer) una excursión con el colegio: ...... (hacer) un día estupendo.
8. Todas las mañanas el viejo jubilado ...... (ir) a comprar el periódico y ...... (dar) su paseo.
9. Mientras ...... (él, andar) por el campo, ...... (ponerse) a llover.
10. Cuando el doctor le ...... (decir) que no ...... (ella, tener) que operarse, ...... (sentirse) mucho más aliviada.
11. ...... (yo, equivocarse) de autobús, por eso ...... (volver) a casa más tarde.
12. Cuando ...... (él, salir) de casa, ...... (darse cuenta) de que ...... (hacer) mucho frío.

13. ...... (yo, ir) a salir cuando me ...... (ellos, llamar) por teléfono.
14. El pueblo que ...... (nosotros, acabar) de pasar ...... (ser) Jerez de la Frontera.
15. Marconi ...... (inventar) la radio.
16. Me ...... (comer) todo lo que ...... (encontrar) hasta que ...... (llegar) a saciarme.
17. Luego que ...... (él, cenar), ...... (irse) directamente a la cama.
18. Mi hermano ...... (nacer) en Francia, pero habla sólo español porque lo ...... (ellos, traer) aquí cuando ...... (él, ser) pequeño.
19. Luis ...... (tener) un corte de digestión porque en cuanto ...... (comer), ...... (ducharse).
20. Los jóvenes ...... (adquirir) mucha experiencia dando vueltas por el mundo.
21. María ...... (reservar) una habitación individual para el verano que viene.
22. Los excursionistas no ...... (partir) hasta que ...... (dejar) de llover.
23. El rebaño ...... (volver) al redil mientras ...... (anochecer).
24. Después que ...... (ponerse) el sol, las aves nocturnas ...... (alzar) el vuelo.
25. En cuanto te ...... (él, ver), te ...... (reconocer) enseguida.
26. Todas las veces, luego que ...... (él, llorar) tanto, el niño ...... (quedarse) dormido.
27. ...... (tú, seguir) conduciendo con imprudencia, si bien te ...... (ellos, amonestar).
28. Cuando César ...... (pasar) el Rubicón, ...... (encontrarse) en Italia.
29. No bien ...... (él, llegar), ...... (darse cuenta) de que el cliente ...... (marcharse).
30. ...... (él, estar) charlando largo rato por teléfono hasta que le ...... (ellos, cortar) la línea.

## FUTURO SIMPLE

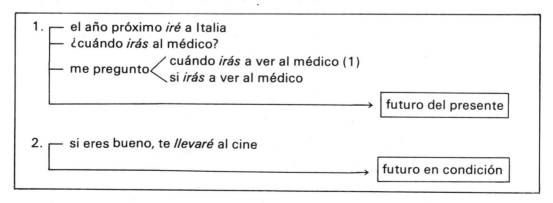

(1) En ambos casos las oraciones con *cuando* o con *si* no son subordinadas propiamente dichas, sino oraciones complemento directo del verbo: cuando *vayas*, te *daré* el libro; si *vas*, te *daré* el libro.

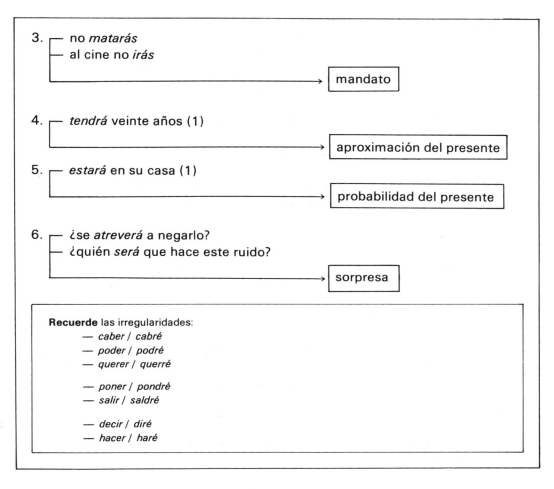

3. ┌─ no *matarás*
   └─ al cine no *irás*
                                    → mandato

4. ┌─ *tendrá* veinte años (1)
                                    → aproximación del presente

5. ┌─ *estará* en su casa (1)
                                    → probabilidad del presente

6. ┌─ ¿se *atreverá* a negarlo?
   └─ ¿quién *será* que hace este ruido?
                                    → sorpresa

**Recuerde** las irregularidades:
— *caber / cabré*
— *poder / podré*
— *querer / querré*

— *poner / pondré*
— *salir / saldré*

— *decir / diré*
— *hacer / haré*

(1) Con los verbos *poder, tener que, deber, deber de,* se usa el presente: *debe de tener* veinte años; *puede que esté* en su casa.

## EJERCICIOS

**70.** **Conjugue en FUTURO los verbos entre paréntesis:**

1. Nadie nos ...... (impedir) que expresemos nuestras opiniones.
2. Estoy seguro que estas soluciones no le ...... (satisfacer).
3. Tú no ...... (contradecirse) aunque el fiscal te haga numerosas preguntas.

4. No pongas los trajes a secar al sol, porque si no ...... (desteñirse).
5. Los estantes son muchos, pero no sé si todos los libros ...... (caber).
6. La justicia ...... (prevalecer) sobre la iniquidad y el mal.
7. Si me haces este favor, te ...... (yo, bendecir) toda la vida.
8. Todos los votantes ...... (decir) su opinión y luego ...... (poder) pasar a la votación.
9. El aparejador ...... (medir) el solar donde ...... (ellos, construir) los nuevos bloques.
10. Le ...... (ellos, retener) parte del sueldo por el préstamo que le ...... (conceder).
11. El bibliotecario ...... (disponer) las fichas por orden alfabético.
12. No hay duda de que la cuestión de la herencia ...... (desavenir) a los hermanos.
13. Rehusar a ayudarles ...... (equivaler) a enemistarse con ellos.
14. ...... (traducir) la Eneida un renombrado poeta.
15. Tomando estas píldoras al primer síntoma, ...... (tú, prevenir) el resfriado.
16. ¿Creéis que ...... (ellos, querer) volar en un chárter?
17. Te ...... (valer) mucho su ayuda.
18. Con su expediente académico, ...... (él, sobresalir) en la lectura de la tesis de licenciatura.
19. ¿...... (ustedes, saber) decirme mañana si hay plazas para el rápido de Santander?
20. Nada más volver a casa, ...... (yo, deshacer) las maletas.


**71.** **Cuando sea posible, conjugue en el FUTURO DE APROXIMACIÓN los verbos entre paréntesis:**

1. No sé cuántos años tiene, pero ...... (tener) unos cuarenta.
2. No se sabe a qué hora saldrá el tren, pero ...... (ser) a eso de las seis.
3. Los médicos no saben qué tiene, pero probablemente ...... (deber de) tener una pulmonía.
4. No sabemos qué hora es, pero ...... (tener que) ser las cinco.
5. Supongo que Miguel ...... (estar) trabajando en su casa.
6. No sabemos qué hace, pero ...... (él, deber de) ser un peón.
7. No me explico por qué habla con su enemigo: ...... (verse) obligado a hacerlo.
8. No sabemos aún cuándo empiezan las vacaciones, pero ...... (ser) en junio.
9. Probablemente el avión ...... (llegar) con retraso por la tormenta.
10. Si te ha cogido la gripe, ...... (ser) por el frío de esta noche.

11. Los niños están muy contentos: ...... (estar) jugando con el nuevo tren eléctrico.
12. Hay una huelga general: ...... (tener que) ser a causa de los despidos en masa de la empresa.
13. Hay un señor al lado del presidente: ...... (tratarse) de un corresponsal de prensa.
14. La gasolina ha aumentado: ...... (deber de) ser por el aumento reciente del crudo.

**72.** **Complete libremente las siguientes CONDICIONALES:**

1. Si eres bueno, ......
2. Si mañana os da tiempo, ......
3. Si el año próximo tienen bastante dinero, ......
4. Si me encuentro mejor, ......
5. Si tengo ganas, ......
6. Si desean decírmelo, ......
7. Si quiere que le pague, ......
8. Si encontráis las gafas, ......
9. Si me echas una mano, ......
10. Si va a Inglaterra, ......
11. Si rompes los platos, ......
12. Si es ya muy tarde, ......
13. Si no me aumentan el sueldo, ......
14. Si perdemos el tren, ......
15. Si te mueres pronto, ......
16. Si llegáis tarde, ......
17. Si no pones el despertador, ......
18. Si no me dices la verdad, ......
19. Si me lo preguntas mañana, ......
20. Si no vienen a mi casa, ......

**73.** **Cuente con detalle lo que hará mañana.**

**74.** **Diga en FUTURO de INDICATIVO lo que supone acerca de las personas y situaciones que figuran en este grabado: quiénes son, qué edad tienen, qué rela-**

ción existe entre ellas, cuál es su profesión, qué están haciendo, dónde se encuentran, qué tiempo hace, etc.

## FUTURO PERFECTO O ANTEFUTURO

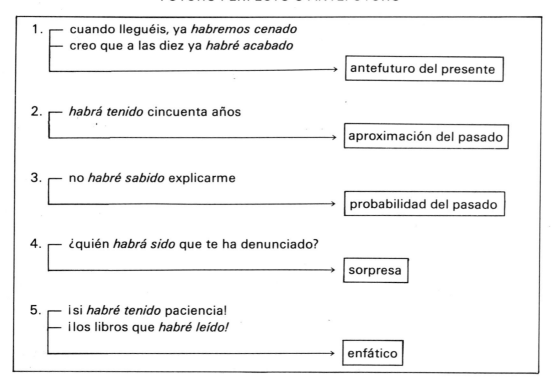

1. — cuando lleguéis, ya *habremos cenado*
   — creo que a las diez ya *habré acabado*
   → antefuturo del presente

2. — *habrá tenido* cincuenta años
   → aproximación del pasado

3. — no *habré sabido* explicarme
   → probabilidad del pasado

4. — ¿quién *habrá sido* que te ha denunciado?
   → sorpresa

5. — ¡si *habré tenido* paciencia!
   — ¡los libros que *habré leído*!
   → enfático

**75.** Complete las frases siguientes según lo exija el sentido, empleando los adverbios YA o TODAVÍA NO:

1. Lidia se levantará a las siete; a las nueve, pues, ......
2. El tren llega a las diez; a las nueve y media, pues, ......
3. Hoy almuerzo a la una de la tarde; a las dos, pues, ......
4. Limpiaré la casa por la mañana; por la tarde, pues, ......
5. En abril las rosas echan los capullos; en mayo, pues, ......
6. Los niños van a ir al gimnasio el lunes; el martes, pues, ......
7. María se va a casar en verano; en febrero, pues, ......
8. El periódico de la ciudad sale esta madrugada; mañana por la mañana, pues, ......
9. En invierno talarán los árboles de mi calle; el año próximo, pues, ......
10. María le dirá mañana lo que ha decidido; esta noche, pues, ......
11. Me aseguraron que me pagarían antes del 27 de este mes; el día 30, pues, ......
12. Me traerán el pan a las doce; a las nueve, pues, ......

**76.** Transforme las frases siguientes, según lo exija el contexto:

1. Terminará el invierno y apagarán la calefacción:
   – Cuando apaguen ......
2. Lavarás los calabacines y los cocerás:
   – Cuando cuezas ......
3. Me llamarán por teléfono y saldré:
   – Cuando salga ......
4. Pintarán las paredes y luego pondremos la moqueta:
   – Cuando pongamos ......
5. Acabarán las clases e iremos de vacaciones:
   – Cuando vayamos ......
6. Leeré el periódico y luego te lo prestaré:
   – Cuando te preste ......
7. Tomarás el aperitivo y te pondrás a comer:
   – Cuando te pongas ......
8. Presentarán la documentación para el pasaporte y se lo entregarán:
   – Cuando les entreguen ......

9.  Pondrás una bombilla más fuerte y tendrás más luz en la habitación:
    – Cuando tengas ......
10. Sembrarán el campo y recogerán el trigo en agosto:
    – Cuando recojan ......
11. Pondrás gasolina en el coche y partirás para Zaragoza:
    – Cuando partas ......
12. Harás la visita médica e irás a la mili:
    – Cuando vayas ......

**77.** **Conteste las frases siguientes con un FUTURO PERFECTO «ENFÁTICO», según el ejemplo:**

$$-\text{¿Se lo \textit{has dicho} alguna vez?} \begin{cases} -\text{¡La de veces que} \\ -\text{¡Las veces que} \\ -\text{¡Cuántas veces} \end{cases} \text{se lo \textit{habré dicho}!}$$

1.  ¿Has tomado alguna vez aspirina?
2.  ¿Has recitado alguna vez en aquel teatro?
3.  ¿Habéis ido alguna vez a la corrida?
4.  ¿Por qué no le pone una multa?
5.  ¿Ha hablado usted alguna vez en público?
6.  ¿Por qué no llevas a arreglar la radio?
7.  ¿Han comido ustedes alguna vez calamares en su tinta?
8.  ¿Por qué no le pegas a tu hijo cuando no te obedece?
9.  ¿Te has enjuagado bien la boca?
10. ¿Has ido alguna vez a una sesión de espiritismo?
11. ¿Por qué no tienes un poco de paciencia con ellos?
12. ¿Por qué no arreglas tus papeles?
13. ¿Has repasado la lección?
14. ¿Has limpiado alguna vez esos zapatos?

**78.** **Transforme las frases siguientes con un FUTURO** (cantaré) **o un FUTURO PERFECTO** (habré cantado), **según los casos:**

1.  Probablemente te has dado cuenta de que no te han saludado.
2.  Probablemente desconoce su enfermedad.
3.  Probablemente me han enviado un talón.
4.  Probablemente sabe muy bien que todo el mundo le odia.

5. Probablemente te imaginas que tengo más de veinte años.
6. Probablemente resbaló y por eso se rompió una pierna.
7. Probablemente presidió la reunión el señor Ortiz.
8. Probablemente en el Ateneo se ha conmemorado el centenario de la muerte de Wagner.
9. Probablemente le empujaron.
10. Probablemente ha vendido el piso.
11. Probablemente mi padre está echando la siesta.
12. Probablemente la criada ha salido para la compra.
13. Probablemente el niño ha roto el vaso.
14. Probablemente se quedó en casa todo el día.

**79. Narre un relato policiaco partiendo de los indicios y elementos aquí indicados. Para las suposiciones o conjeturas, use el FUTURO PERFECTO. Ej.: el asesino habrá entrado a eso de las diez de la noche:**

- el ama de llaves encuentra el cadáver del señor Bermejo;
- llama a la policía;
- llega un policía o detective;
- en el camino de la casa se observan huellas y unas marcas circulares;
- observación detenida del cadáver: suposiciones acerca de cómo ha sido asesinado el señor Bermejo;
- huellas digitales en el pomo de la puerta;
- puerta del cuarto de baño y cocina entreabiertas;
- en una camilla, dos sillas y dos tazas de café;
- una taza completamente vacía y la otra llena a mitad;
- encima de la camilla, cenicero con numerosas colillas;
- conjeturas sobre el sujeto y las causas del homicidio.

POTENCIAL SIMPLE

1. ¿qué *haría* usted en mi caso?
   ¿*trabajaría* usted { si fuera rico? / aunque fuera rico?
   me *gustaría* verle
   → hipótesis del presente / futuro

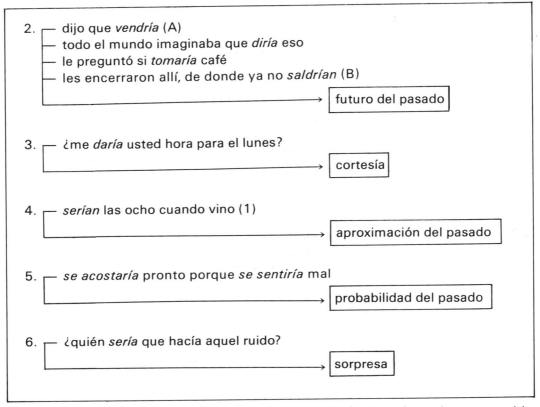

2. ┌─ dijo que *vendría* (A)
   ├─ todo el mundo imaginaba que *diría* eso
   ├─ le preguntó si *tomaría* café
   └─ les encerraron allí, de donde ya no *saldrían* (B)
   → **futuro del pasado**

3. ┌─ ¿me *daría* usted hora para el lunes?
   → **cortesía**

4. ┌─ *serían* las ocho cuando vino (1)
   → **aproximación del pasado**

5. ┌─ *se acostaría* pronto porque *se sentiría* mal
   → **probabilidad del pasado**

6. ┌─ ¿quién *sería* que hacía aquel ruido?
   → **sorpresa**

(1) En este caso se admite igualmente la forma *habría cantado*. Con los verbos *poder, tener que, deber, deber de,* etc., se usa el imperfecto indicativo (cfr. FUTURO, 4 y 5, nota 1, pág. 75): *debían de ser* las ocho cuando vino.

## A. Observe detenidamente el empleo del POTENCIAL SIMPLE en el siguiente párrafo:

ESTABA claro que nadie en Pueblanueva –probablemente tampoco fuera de ella– *entendería* lo que tenía que pasar. *Dirían,* por ejemplo: «Aldán mató a Cayetano porque se acostó con Clara». O, acaso: «Lo mató por pura envidia; lo de Clara es el pretexto». Y estas versiones, más o menos ampliadas, más o menos mezcladas a eso que llamaban la cuestión social, *saldrían* en los periódicos de La Coruña y en los de Madrid, donde nadie *reconocería,* donde nadie *recordaría* al protagonista del suceso. Ni siquiera los pescadores que le escuchaban en la taberna del Cubano lo *comprenderían* enteramente, ni siquiera el Cubano *pasaría* de barruntos oscuros, aunque, eso sí, *diría* a sus amigos: «No está claro: hay algo que nosotros no entendemos», porque el único que podía entenderlo era Carlos. Carlos *discriminaría* los motivos aparentes de los reales; Carlos *comprendería* enteramente el suceso en toda su grandeza.

GONZALO TORRENTE BALLESTER, *EL SEÑOR LLEGA,*
Madrid, Alianza Editorial, 1971, p. 92.

**B. Observe detenidamente el empleo del** POTENCIAL SIMPLE **en el siguiente fragmento:**

LA reunión tenía lugar, el sábado 6 de octubre, en el palacio de la Moncloa.

A las once de la mañana, los 35 miembros del Comité entraban en uno de los salones del palacio presidencial, donde *permanecerían* reunidos hasta cerca de las dos y media de la tarde, *harían* una pausa hasta las seis y *reanudarían* la sesión hasta cerca de la medianoche.

La apertura la *iniciaría* Fernández Ordóñez, preguntándose si la reflexión sobre la marcha del partido *debería* tener lugar al principio o al final, en el turno de ruegos y preguntas. Adolfo Suárez trasladó la decisión al colectivo, que, unánimemente, decidió que la discusión se iniciase de inmediato. El turno de ruegos y preguntas no hubiera permitido tanto tiempo para el debate, que *duraría* desde las once hasta casi las dos y media.

Fernández Ordóñez *señalaría* la necesidad que las reuniones de la ejecutiva fueran más frecuentes. Tras proponer que se celebraran mensualmente, *sería* el propio Suárez quien apuntó la necesidad de que, al menos al principio, fueran cada quince días.

Abrió el turno de intervenciones Rafael Arias, que inició «la autocrítica» de una forma sorpresiva para todos, y con planteamientos vagos y difusos, a los que Fernández Ordóñez *calificaría* poco después como intervención «poco profunda». A partir de ahí, *vendría* lo que varios miembros de la ejecutiva definieron como «psicoterapia de grupo».

«Cambio 16», 21 octubre, 1979.

## EJERCICIOS

**80. Complete libremente las frases siguientes:**

1. ¿Aunque tuvieras mucho dinero ......
2. ¿Si estuvieras en Madrid ......

3. ¿Si vivieras en una casa de campo ......
4. ¿Aunque tuvieras roulote ......
5. ¿Si estuvierais cansados ......
6. ¿Aunque tuvieran una filmadora ......
7. ¿Si no tuviera a su madre enferma ......
8. ¿Aunque tuvieras buena vista ......
9. ¿Si no hicieras tanto deporte ......
10. ¿Aunque granizara ......

**81.** **Transforme las frases siguientes en una subordinada dependiente de los verbos** PENSAR, CREER, ESTAR SEGURO, SABER, DECIR, **etc., según el ejemplo:**

Luisa no *llamó* ─────────────→ Ya *sabía* yo que Luisa no *llamaría*.

1. Hablaron de aquel pintor.
2. Le gustó mucho el tajo redondo que le ofrecimos.
3. Dijeron palabras insultantes.
4. Hicieron huelga.
5. Josefina engordó mucho el año pasado.
6. El perro murió en dos horas.
7. Los niños se asustaron por el ruido de los aviones.
8. El cura se escandalizó de lo que le confesó el joven.
9. Fueron a un mitin internacional.
10. Hicieron un negocio formidable.
11. Mi yerno no me llamó por teléfono.
12. Juan no me avisó de su llegada.
13. No me topé con nadie a lo largo de todo el camino.
14. Me ocultaron la verdad.
15. Carlos no quiso hospedarse en mi casa.
16. No ha llovido en todo el verano.
17. No han venido a arreglar el calentador.
18. No se mencionó este asunto.
19. Mis amigos perdieron el tren.
20. Me pidieron dinero.

**82.** **Transforme las frases siguientes, formulando una pregunta de** CORTESÍA:

1. ¡Devuélveme el libro que te presté el año pasado!
2. ¡No fumen!
3. ¡Préstame tu coche!
4. ¡Iros al otro cuarto!

5. ¡No hablen tan alto, que el nene está durmiendo!
6. ¡Dígame qué hora es!
7. ¡Lleva tú al niño a la guardería porque yo no tengo tiempo!
8. ¡No me molesten cuando estoy leyendo!
9. ¡Acompáñame al médico!
10. ¡Lavadme estos pañales del crío!

**83.** **Transforme las frases siguientes con un** POTENCIAL SIMPLE de APROXIMACIÓN **o** PROBABILIDAD**:**

1. Cuando yo le conocí habrá tenido unos cincuenta años.
2. Probablemente se acostó pronto porque tenía sueño.
3. El castillo probablemente se derrumbó a causa del terremoto.
4. Es posible que muriese a causa de la malaria.
5. En el guateque habrá habido un centenar de personas.
6. Es posible que no se presentara a las oposiciones porque no tenía enchufe.
7. Probablemente se ha largado de casa porque ha peleado con su padre.
8. Probablemente se vertió el agua porque dejó el grifo de la bañera abierto.
9. Es probable que haya llegado tarde porque no conocía el camino.
10. Habrán sido las ocho cuando ocurrió el accidente.

**84.** **Sustituya la forma perifrástica por el infinitivo de la misma en su debido tiempo verbal:**

1. Juan dijo que usted iba a venir.
2. Le preguntó a la azafata si el avión iba a hacer escala en Palma.
3. Dijeron que Luis iba a disculparse.
4. Nos recordó que el timbre iba a sonar pronto.
5. El niño cayó al pozo artesiano de donde los espeleólogos iban a rescatarlo sano y salvo.
6. Te anuncié que ibas a toparte con él.
7. Dijiste que ibas a conformarte con lo que te dieran.
8. El pasajero se informó de si el autocar iba a salir con retraso.
9. Te dije que ibas a asustarte.
10. Ya os advertí que los chiquillos iban a marearos.
11. Se fueron al restaurante chino donde iban a comer rollos primavera.
12. Mi marido me aseguró que iba a comprarme un abrigo de pieles.
13. Ya te avisé que iba a llamarte por el portero electrónico.
14. Suponíamos que algunos puntos de la vieja constitución no iban a sufrir en el futuro modificación alguna.
15. El Papa anunció que iba a visitar a los enfermos del hospital.

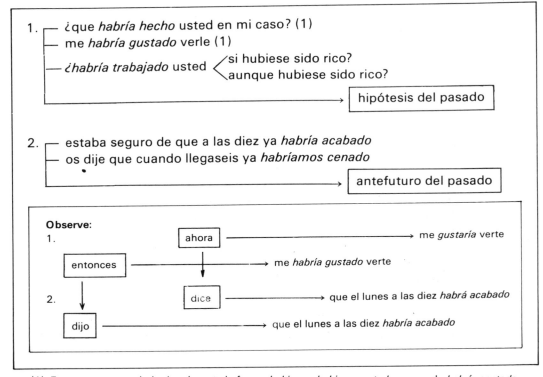

1.
— ¿que *habría hecho* usted en mi caso? (1)
— me *habría gustado* verle (1)
— ¿*habría trabajado* usted ⟨ si hubiese sido rico?
aunque hubiese sido rico?

→ hipótesis del pasado

2.
— estaba seguro de que a las diez ya *habría acabado*
— os dije que cuando llegaseis ya *habríamos cenado*

→ antefuturo del pasado

**Observe:**
1.
ahora ———————————→ me *gustaría* verte
entonces ————————→ me *habría gustado* verte

2.
dice ———————————→ que el lunes a las diez *habrá acabado*
dijo ———————————→ que el lunes a las diez *habría acabado*

(1) En este caso se admite igualmente la forma *hubiera* o *hubiese cantado* en vez de *habría cantado*.

## EJERCICIOS

**85.** **Ponga en el PASADO las frases siguientes:**

1. Me gustaría ir de vacaciones a Grecia.
2. El profesor asegura que antes de empezar las clases ya habrá dado las calificaciones de los exámenes trimestrales.
3. ¿Iría usted al Everest sin tener experiencia de escalador?
4. ¿A quién acudiría si le entraran los atracadores en la joyería?
5. El hijo promete a sus padres que antes del domingo habrá vuelto de su vacaciones.

6. No querría ir a América por todo el oro del mundo.
7. ¿Te comerías esa hamburguesa aunque sepa a cebolla?
8. ¿Entraría usted en aquel jardín aunque haya un perro muy peligroso?
9. No temería enfrentarme con el ladrón si yo tuviera un revólver.
10. No llevarías la ropa a la lavandería si tuvieras la lavadora en casa.
11. No me haría sacar la muela si no me doliera tanto.
12. Pasaría a máquina el ejercicio aunque tuviera una buena letra.

## 86. Transforme las frases siguientes con un POTENCIAL SIMPLE (cantaría) o COMPUESTO (habría cantado):

1. El doctor me advirtió que iba a sentir dolor.
2. Se habrá metido en la cama porque probablemente tenía la gripe.
3. Cuando yo le conocí probablemente tenía cuarenta años.
4. Me hubiera gustado ir de vacaciones contigo, pero no tenía bastante dinero.
5. Cuando le vi correr de aquel modo, estaba seguro de que iba a ocurrir un accidente.
6. Los malhechores encerraron a los rehenes en un cuarto trastero, donde los dejaron dos días.
7. El servicio meteorológico anunció que iba a llover.
8. Se puso otro jersey porque probablemente sentía frío.
9. Con la vida que llevaba, nadie dudaba que iba a caer enfermo.
10. Me hubiera encantado estudiar* el ruso si hubiera tenido la posibilidad de ir a Moscú.
11. A juzgar por las ventanas, que estaban cerradas, probablemente no habrá habido nadie en casa.
12. Pensé que ibas a enfrentarte con enormes dificultades.
13. Probablemente se sentían ridículos con aquellas vestimentas.
14. Probablemente notaste que se puso colorado al reprocharle su conducta.
15. Le anunciaron que iba a ser nombrado presidente de la junta.
16. Probablemente se habrá roto un hueso.

---
\* Forma muy usada, pero no aconsejada por la RAE.

## 87. Conjugue el verbo entre paréntesis en POTENCIAL SIMPLE (cantaría) o COMPUESTO (habría cantado):

1. Mis amigos españoles me escribieron que ...... (ellos, venir) en cuanto les dieran el visado.
2. Le confirmé que para el día siguiente ...... (yo, entregar, a él) los ejemplares.

3. Colón trató a los indígenas de un modo distinto del que en adelante ...... (adoptar) los demás conquistadores.
4. Si hubiera tenido tiempo, ...... (gustar, a mí) hacer un poco de yoga.
5. Los albañiles aseguraron que antes del lunes ...... (ellos, acabar) las obras.
6. Si no hubiese tenido razón, ¿...... (usted, discutir) con tanto ahínco?
7. Antes de que se fuese a Alemania, ...... (yo, desear) verle.
8. Probablemente ...... (él, levantarse) muy de madrugada porque ...... (él, tener) algo muy urgente que hacer.
9. ¿...... (importar, a ti) acercarme aquel cenicero?
10. Contrajo una enfermedad de la que ya no ..... (librarse) en toda su vida.
11. A todo el mundo ...... (gustar, a él) tener mucho dinero.
12. El archivo prestó un código valioso que en el futuro no ...... (volver) a recuperarse.

# USO DEL INDICATIVO Y DEL SUBJUNTIVO

## INDICATIVO-SUBJUNTIVO

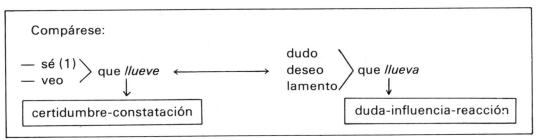

(1) El verbo *ignorar* o *no saber,* así como *no ignorar,* generalmente se consideran en español verbos de certidumbre: él no sabe que *hemos estado* aquí; ignoro lo que *trama* con sus amigos; nadie ignora que *está traficando* con drogas.

## VERBOS QUE RIGEN EL MODO SUBJUNTIVO

Verbos de *duda, influencia* y *reacción* (2):

| | |
|---|---|
| TEMER* | • temo que *venga* de un momento a otro |
| ESPERAR* | • espero que me *ayude a* resolver este problema |
| confiar | confiamos en que nos *dé* una mano |
| DESEAR | • desea que *vayas* a verle cuanto antes |
| PREFERIR | • prefiero que *venga* usted a hacerme la limpieza los lunes |

(2) Recuerde que muchos de estos verbos, en determinadas ocasiones, pueden construirse con la subordinada en infinitivo (cfr. INFINITIVO, C, págs. 41-42).

\* *Proyectado en el futuro,* dicho verbo admite en la secundaria el futuro de indicativo (temo que *vendrá* de un momento a otro; espero que me *ayudará* a resolver este problema), y al pasado el potencial simple (temí que *vendría* de un momento a otro).

| GUSTAR | • me gusta que te lo *pases* lo mejor posible |
| placer | me place que *estés* contento |
| alegrar | me alegra que *hayas aprobado* los exámenes |

| DOLER | • nos duele mucho que *haya muerto* tu padre |
| sentir | siento que *hayas llegado* tan tarde |
| lamentar | lamento que *estés pasando* este disgusto |

| CONSEGUIR | • el maestro no consigue que los niños *aprendan* la división |
| lograr | la policía logra que los detenidos *hablen* |

| EXTRAÑAR | • me extraña mucho que te *haya acusado* |
| sorprender | me sorprende que *despilfarre* de este modo |

| HACER | • ese retraso hizo que *llegáramos* tarde |
| ser causa | ese retraso fue causa de que *llegáramos* tarde |

| ROGAR | • les ruego me *digan* la verdad de lo ocurrido |
| pedir | le pedimos nos *disculpase* |
| suplicar | le suplicaron *tuviera* piedad para con ellos |

| MANDAR | • me mandó que *fuera* al Banco |
| permitir | les permito que *entren* |
| prohibir | nos prohibió que *fumáramos* |
| dejar | les dejé que *expusieran* sus pareceres |
| consentir | no consiente que sus hijos le *contradigan* |

| NECESITAR | • necesito que me *ayudes* |
| hacer falta | si quieres pasar el examen, hace falta que *estudies* |
| convenir | conviene que *tomes* este medicamento |
| importar | si quieres que te ayude, importa que me *digas* la verdad |
| valer más | más vale que lo *digas* a la policía |

| SER + |  |
| estupendo | • es estupendo que *hayas ganado* el premio |
| horrible | es horrible que le *hayan matado* |
| necesario | es necesario que me *prestes* dinero |
| oportuno | es oportuno que *vayas* en seguida |
| etc. |  |

# VERBOS QUE *GENERALMENTE* RIGEN EL MODO INDICATIVO CUANDO SON POSITIVOS Y RIGEN EL SUBJUNTIVO O AMBOS MODOS CUANDO SON NEGATIVOS (1)

CREER (2)
- creo que Juan está en casa
  *no creo* que Juan *esté* en casa

PENSAR (2)
- pienso que está muy bien de salud
  *no pienso* que *esté* muy bien de salud

VER
- veo que estás muy en forma
  *no veo* que *esté* muy en forma

OÍR
- oigo que está afónico
  *no oigo* que *esté* afónico

NOTAR/ OBSERVAR
- noto que te llevas muy bien con ellos
  *no noto* que *te lleves* muy bien con ellos

DECIR
- digo que está lloviendo
  *no digo* que *tenga* razón

PARECER (3)
- parece que Juan tiene ganas de trabajar
  *no parece* que Juan *tenga* ganas de trabajar

SER
- es que no estudia
  *no es* que no *estudie*

RESULTAR
- resulta que es un sinvergüenza
  según todos los indicios, *no resulta* que *sea* el asesino

\* \* \*

SOSPECHAR
- sospecho que lleva malas intenciones
  ⌈ *nadie* sospecha que *está* mintiendo
  ⌊ *nadie* sospecha que *esté* mintiendo

RECORDAR
- recuerdo que ha venido esta mañana
  ⌈ *no recuerda* que *hemos vivido* aquí
  ⌊ *no recuerda* que *hayamos vivido* aquí

OLVIDAR
- han olvidado que les he ayudado mucho
  ⌈ *nadie* olvida que él solo *es* el héroe
  ⌊ *nadie* olvida que él solo *sea* el héroe

(1) A menudo, con el imperativo en la principal, se usa el *indicativo* en la secundaria: no digo que *estudie* ⟷ no digas que *estudia*.

(2) Asimismo, otros verbos de *pensamiento* u *opinión*, como *considerar, encontrar, imaginar, suponer*, etcétera.

(3) El mismo verbo *parecer*, seguido de un adjetivo, rige normalmente el *subjuntivo*: me *parece extraño* que se *haya* levantado a las siete; *parece sorprendente* que haya mejorado tanto; *parece increíble* que en agosto llueva tanto; nos *parece* poco *oportuno* que él intervenga.

# OBSERVACIONES

**A.**

En muchos casos, estos mismos verbos que *en el presente* rigen el indicativo o ambos modos, *en el pasado* aceptan indistintamente tanto el indicativo como el subjuntivo en sus respectivos tiempos del pasado. Observe:

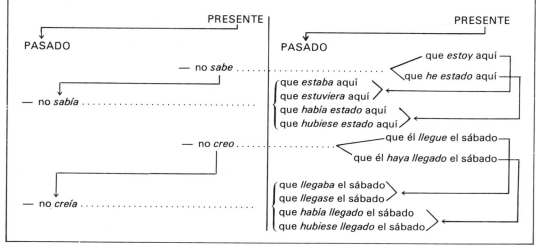

**B.**

En ocasiones, el imperfecto de subjuntivo en *-ra* (*amara*) sustituye al condicional simple en oraciones como las siguientes:

1.
   — me pregunto . . . . . . . . . . . . . . . . . . . . dónde me *ejecutarán*

— me preguntaba . . . . . . . . . . . . . . . . . . . . . . . . . dónde $\begin{cases} \text{me } \textit{ejecutarían} \\ \text{me } \textit{ejecutaran} \end{cases}$

2. — se quejan de que no se puede enseñar como se $\begin{cases} \textit{debería} \\ \textit{debiera} \end{cases}$

**C.**

El pluscuamperfecto de subjuntivo (*hubiera amado*) con los verbos *deber, poder, tener que,* fluctúa a menudo con otras formas compuestas igualmente correctas:

1. — *¡podrías haberme* avisado!
    — *¡hubiera* (o *habrías*) *podido* avisarme al menos!
    — *¡podías haberme* avisado al menos!

2. — ha hecho algo que hace un año $\begin{cases} \textit{hubiera podido} \text{ parecer imposible} \\ \textit{habría podido} \text{ parecer imposible} \\ \textit{pudiera} \text{ parecer imposible} \\ \textit{podía} \text{ parecer imposible} \end{cases}$

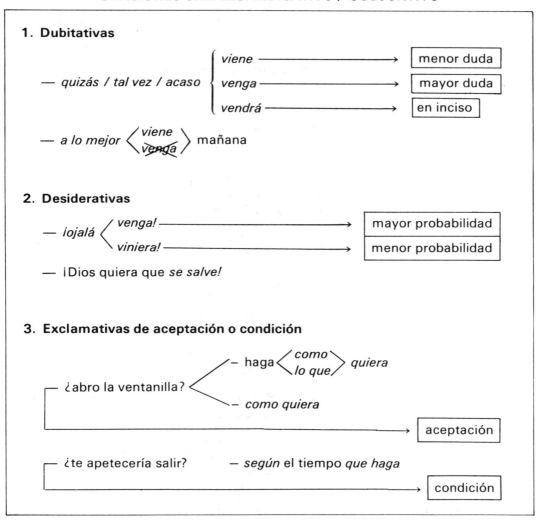

**1. Dubitativas**

— *quizás / tal vez / acaso*
- *viene* ──────────→ menor duda
- *venga* ──────────→ mayor duda
- *vendrá* ──────────→ en inciso

— *a lo mejor* ⟨ *viene* / ~~*venga*~~ ⟩ mañana

**2. Desiderativas**

— *¡ojalá* ⟨ *venga!* ──────────→ mayor probabilidad / *viniera!* ──────────→ menor probabilidad ⟩

— ¡Dios quiera que *se salve!*

**3. Exclamativas de aceptación o condición**

— ¿abro la ventanilla?
- haga ⟨ *como* / *lo que* ⟩ quiera
- *como quiera*
──────────→ aceptación

— ¿te apetecería salir? — *según* el tiempo *que haga*
──────────→ condición

93

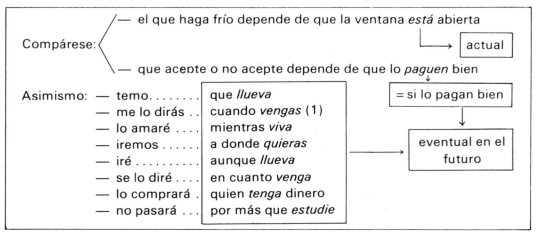

Compárese:
— el que haga frío depende de que la ventana *está* abierta → actual
— que acepte o no acepte depende de que lo *paguen* bien

Asimismo:
— temo . . . . . . . . | que *llueva*
— me lo dirás . . | cuando *vengas* (1)
— lo amaré . . . . | mientras *viva*
— iremos . . . . . . | a donde *quieras*
— iré . . . . . . . . . | aunque *llueva*
— se lo diré . . . . | en cuanto *venga*
— lo comprará . | quien *tenga* dinero
— no pasará . . . | por más que *estudie*

= si lo pagan bien

eventual en el futuro

(1) Recuerde que si la oración con *cuando* no es una subordinada de tiempo, sino un complemento directo, se emplea el *futuro* (o el presente con valor de futuro):

— dime
— ya sé ⟩ cuándo ⟨ *vendrás* / *vienes* / *vas a venir*

Así pues, dichas oraciones, trasladadas al pasado, siguen la regla general de concordancia:

— me dijo
— ya sabía ⟩ cuándo ⟨ *vendría* / *venía* / *iba a venir*

## 1. Causales

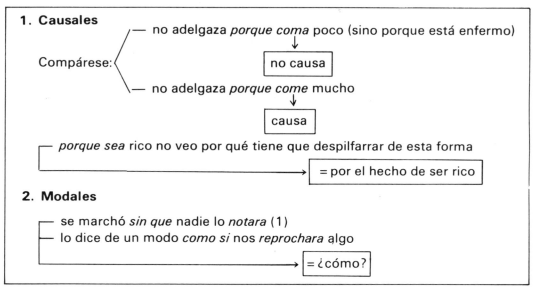

Compárese:
— no adelgaza *porque coma* poco (sino porque está enfermo) → no causa
— no adelgaza *porque come* mucho → causa

— *porque sea* rico no veo por qué tiene que despilfarrar de esta forma → = por el hecho de ser rico

## 2. Modales

— se marchó *sin que* nadie lo *notara* (1)
— lo dice de un modo *como si* nos *reprochara* algo → = ¿cómo?

(1) Observe que los sujetos son distintos. Cfr INFINITIVO, B.2., pág. 39.

## 3. Temporales

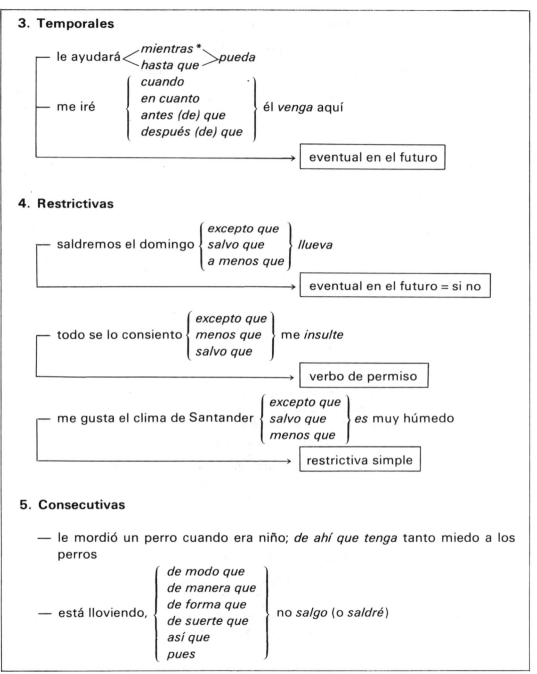

— le ayudará *mientras* * / *hasta que* *pueda*

— me iré
{ *cuando*
*en cuanto*
*antes (de) que*
*después (de) que* }
él *venga* aquí

→ eventual en el futuro

## 4. Restrictivas

— saldremos el domingo
{ *excepto que*
*salvo que*
*a menos que* }
*llueva*

→ eventual en el futuro = si no

— todo se lo consiento
{ *excepto que*
*menos que*
*salvo que* }
me *insulte*

→ verbo de permiso

— me gusta el clima de Santander
{ *excepto que*
*salvo que*
*menos que* }
*es* muy húmedo

→ restrictiva simple

## 5. Consecutivas

— le mordió un perro cuando era niño; *de ahí que tenga* tanto miedo a los perros

— está lloviendo,
{ *de modo que*
*de manera que*
*de forma que*
*de suerte que*
*así que*
*pues* }
no *salgo* (o *saldré*)

* *Mientras* puede ir seguido de un futuro: mientras *estará* tan delicado de salud, será mejor que no se esfuerce demasiado.

95

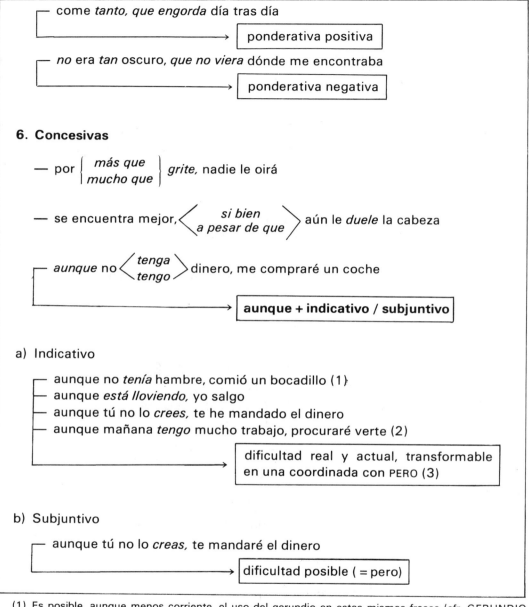

come *tanto, que engorda* día tras día

→ ponderativa positiva

*no* era *tan* oscuro, *que no viera* dónde me encontraba

→ ponderativa negativa

## 6. Concesivas

— por $\left\{\begin{array}{l} más\ que \\ mucho\ que \end{array}\right\}$ *grite,* nadie le oirá

— se encuentra mejor, $\left\langle\begin{array}{l} si\ bien \\ a\ pesar\ de\ que \end{array}\right\rangle$ aún le *duele* la cabeza

*aunque* no $\left\langle\begin{array}{l} tenga \\ tengo \end{array}\right\rangle$ dinero, me compraré un coche

→ **aunque + indicativo / subjuntivo**

a) Indicativo

— aunque no *tenía* hambre, comió un bocadillo (1)
— aunque *está lloviendo,* yo salgo
— aunque tú no lo *crees,* te he mandado el dinero
— aunque mañana *tengo* mucho trabajo, procuraré verte (2)

→ dificultad real y actual, transformable en una coordinada con PERO (3)

b) Subjuntivo

— aunque tú no lo *creas,* te mandaré el dinero

→ dificultad posible ( = pero)

(1) Es posible, aunque menos corriente, el uso del gerundio en estas mismas frases (cfr. GERUNDIO ADVERBIAL, 4, pág. 34); es asimismo frecuente el uso del *subjuntivo:* aunque no *tuviera* hambre, comió un bocadillo.

(2) Referido al futuro, siendo una absoluta certeza, además del subjuntivo puede usarse el *futuro:* aunque mañana *tendré* mucho trabajo, procuraré verte.

(3) En efecto: no tenía hambre, *pero* comió un bocadillo; y lo mismo: está lloviendo, *pero* yo salgo; tú no lo crees, *pero* te he mandado el dinero; mañana tengo mucho trabajo, *pero* procuraré verte.

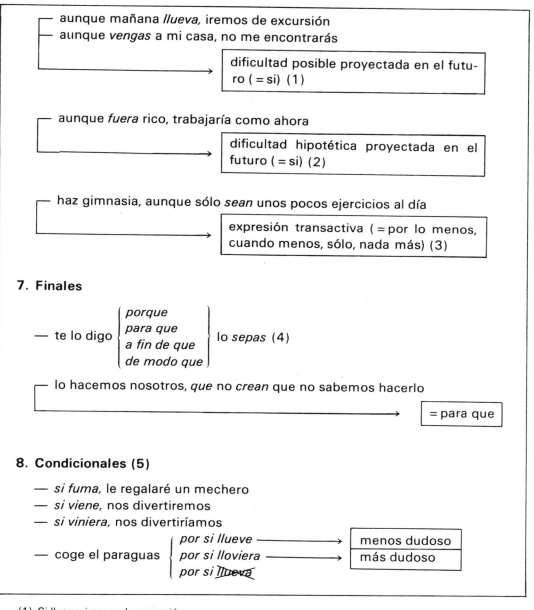

— aunque mañana *llueva,* iremos de excursión
— aunque *vengas* a mi casa, no me encontrarás

→ dificultad posible proyectada en el futuro ( = si) (1)

— aunque *fuera* rico, trabajaría como ahora

→ dificultad hipotética proyectada en el futuro ( = si) (2)

— haz gimnasia, aunque sólo *sean* unos pocos ejercicios al día

→ expresión transactiva ( = por lo menos, cuando menos, sólo, nada más) (3)

## 7. Finales

— te lo digo { *porque / para que / a fin de que / de modo que* } lo *sepas* (4)

— lo hacemos nosotros, *que* no *crean* que no sabemos hacerlo

→ = para que

## 8. Condicionales (5)

— *si fuma,* le regalaré un mechero
— *si viene,* nos divertiremos
— *si viniera,* nos divertiríamos
— coge el paraguas { *por si llueve* → menos dudoso / *por si lloviera* → más dudoso / *por si ~~lloverá~~* }

(1) Si llueve, iremos de excursión.
(2) Si fuera rico trabajaría. Observe que la estructura es idéntica a la de la oración condicional (cfr. CONCORDANCIA TEMPORAL, E, págs. 102-103).
(3) Haz gimnasia, por lo menos (cuando menos / sólo sean / nada más sean) unos pocos ejercicios al día.
(4) Observe que los sujetos son distintos. Cfr. INFINITIVO, B, 5, pág. 40.
(5) Cfr. CONCORDANCIA TEMPORAL (cuadro), E (págs. 102-103).

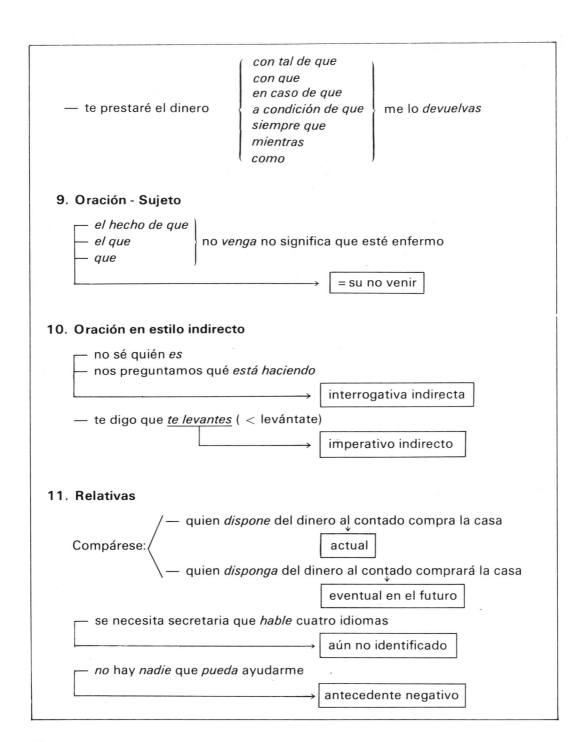

— te prestaré el dinero

$\left\{\begin{array}{l}\textit{con tal de que}\\\textit{con que}\\\textit{en caso de que}\\\textit{a condición de que}\\\textit{siempre que}\\\textit{mientras}\\\textit{como}\end{array}\right\}$ me lo *devuelvas*

## 9. Oración - Sujeto

$\left.\begin{array}{l}\textit{el hecho de que}\\\textit{el que}\\\textit{que}\end{array}\right\}$ no *venga* no significa que esté enfermo

⟶ = su no venir

## 10. Oración en estilo indirecto

— no sé quién *es*
— nos preguntamos qué *está haciendo*

⟶ interrogativa indirecta

— te digo que *te levantes* ( < levántate)

⟶ imperativo indirecto

## 11. Relativas

Compárese:
— quien *dispone* del dinero al contado compra la casa

actual

— quien *disponga* del dinero al contado comprará la casa

eventual en el futuro

— se necesita secretaria que *hable* cuatro idiomas

⟶ aún no identificado

— *no* hay *nadie* que *pueda* ayudarme

⟶ antecedente negativo

es el hombre *más* inteligente que *he* conocido

$\longrightarrow$ comparativa absoluta positiva

*no* he conocido *jamás* una persona que *sea* tan inteligente

$\longrightarrow$ comparativa absoluta negativa

es *más* / *menos* astuto de lo que *parece*

$\longrightarrow$ comparativa de desigualdad

## 12. Reiterativas de indiferencia

— *llame quien llame,* no contestes a nadie
— *quienquiera que llame,* dile que no estoy
— *dondequiera que vaya,* se encontrará mejor que aquí
— *venga o no venga,* la reunión se hará igualmente
— *lo diga o no lo diga,* su idea es ésa

# SUBJUNTIVO

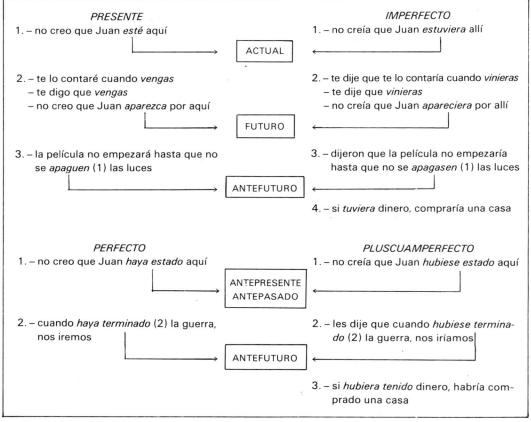

*PRESENTE*

1. – no creo que Juan *esté* aquí

        ⟶ ACTUAL ⟵

*IMPERFECTO*

1. – no creía que Juan *estuviera* allí

2. – te lo contaré cuando *vengas*
   – te digo que *vengas*
   – no creo que Juan *aparezca* por aquí

        ⟶ FUTURO ⟵

2. – te dije que te lo contaría cuando *vinieras*
   – te dije que *vinieras*
   – no creía que Juan *apareciera* por allí

3. – la película no empezará hasta que no
   se *apaguen* (1) las luces

        ⟶ ANTEFUTURO ⟵

3. – dijeron que la película no empezaría
   hasta que no se *apagasen* (1) las luces

4. – si *tuviera* dinero, compraría una casa

*PERFECTO*

1. – no creo que Juan *haya estado* aquí

        ⟶ ANTEPRESENTE / ANTEPASADO ⟵

*PLUSCUAMPERFECTO*

1. – no creía que Juan *hubiese estado* aquí

2. – cuando *haya terminado* (2) la guerra,
   nos iremos

        ⟶ ANTEFUTURO ⟵

2. – les dije que cuando *hubiese terminado* (2) la guerra, nos iríamos

3. – si *hubiera tenido* dinero, habría comprado una casa

(1) Forma comúnmente usada; con la respectiva forma compuesta, igualmente correcta, se subrayaría la perfección del acto.

(2) Con esta forma se subraya la perfección del acto; podría usarse simplemente la forma simple.

# CONCORDANCIA TEMPORAL

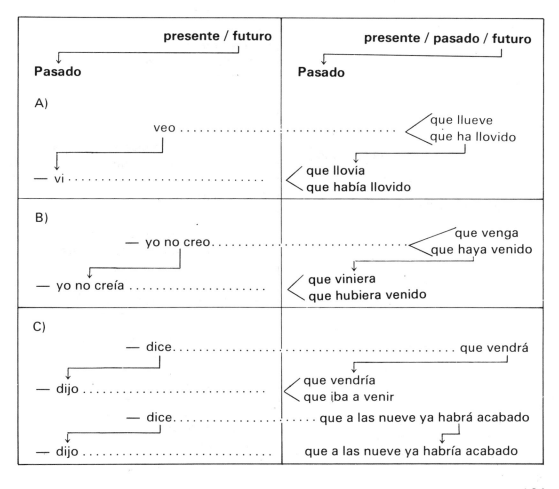

|  | presente / futuro | | presente / pasado / futuro |
|---|---|---|---|
| **Pasado** | | **Pasado** | |

A)

veo . . . . . . . . . . . . . . . . . . . . . . . . . . . . . . . . . . . . . . . . . . < que llueve / que ha llovido

— vi . . . . . . . . . . . . . . . . . . . . . . . . . . . . . . < que llovía / que había llovido

B)

— yo no creo . . . . . . . . . . . . . . . . . . . . . . . . . . < que venga / que haya venido

— yo no creía . . . . . . . . . . . . . . . . . . < que viniera / que hubiera venido

C)

— dice . . . . . . . . . . . . . . . . . . . . . . . . . . . . . . . . . . . . . . . . . que vendrá

— dijo . . . . . . . . . . . . . . . . . . . . . . . . . . . . . . < que vendría / que iba a venir

— dice . . . . . . . . . . . . . . . . . . . . . . . . . . que a las nueve ya habrá acabado

— dijo . . . . . . . . . . . . . . . . . . . . . . . . que a las nueve ya habría acabado

101

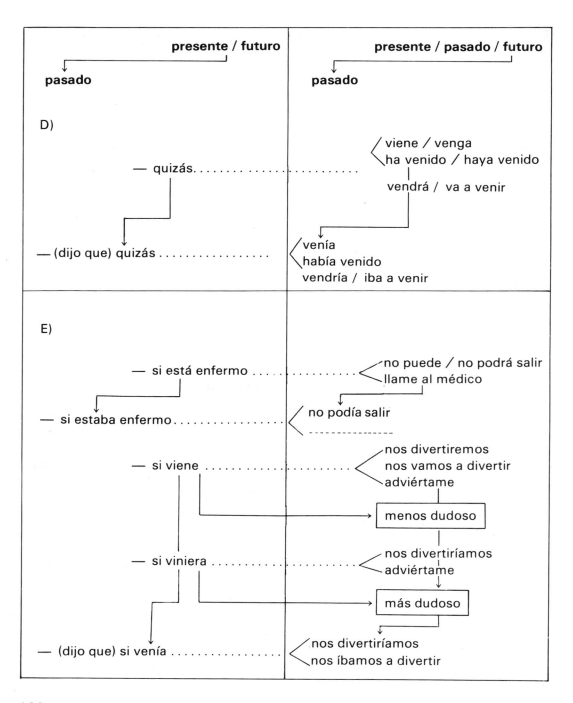

| presente / futuro | presente / pasado / futuro |
|---|---|
| pasado | pasado |

D)

— quizás. . . . . . . . . . . . . . . . . . . . .

viene / venga
ha venido / haya venido

vendrá / va a venir

— (dijo que) quizás . . . . . . . . . . . . . . .

venía
había venido
vendría / iba a venir

E)

— si está enfermo . . . . . . . . . . . . . . .

no puede / no podrá salir
llame al médico

— si estaba enfermo. . . . . . . . . . . . . . .

no podía salir
- - - - - - - - - - - - - - - -

— si viene . . . . . . . . . . . . . . . . . . . . . .

nos divertiremos
nos vamos a divertir
adviértame

menos dudoso

— si viniera . . . . . . . . . . . . . . . . . . . .

nos divertiríamos
adviértame

más dudoso

— (dijo que) si venía . . . . . . . . . . . . . . .

nos divertiríamos
nos íbamos a divertir

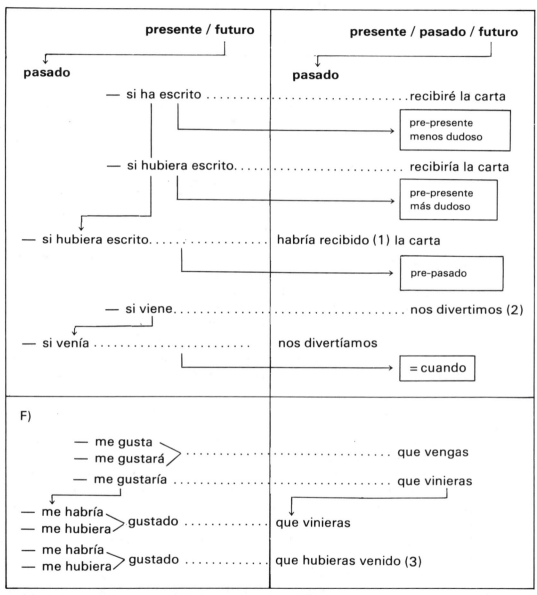

|  | presente / futuro | | presente / pasado / futuro |
|---|---|---|---|

pasado

    pasado

— si ha escrito . . . . . . . . . . . . . . . . . . . . . . . . . .recibiré la carta

> pre-presente
> menos dudoso

— si hubiera escrito. . . . . . . . . . . . . . . . . . . recibiría la carta

> pre-presente
> más dudoso

— si hubiera escrito. . . . . . . . . . . . . . . habría recibido (1) la carta

> pre-pasado

— si viene. . . . . . . . . . . . . . . . . . . . . . . . . . . . . . nos divertimos (2)

— si venía . . . . . . . . . . . . . . . . . . . . . . nos divertíamos

> = cuando

F)

— me gusta
— me gustará   . . . . . . . . . . . . . . . . . . . . . . . . . . que vengas

— me gustaría . . . . . . . . . . . . . . . . . . . . . . . que vinieras

— me habría
— me hubiera  gustado . . . . . . . . . . . que vinieras

— me habría
— me hubiera  gustado . . . . . . . . . . . que hubieras venido (3)

(1) Equivale a decir: pero no escribió, por esto no he recibido la carta.
(2) Equivale a decir: cuando viene nos divertimos, pero cuando no viene, no nos divertimos.
(3) Equivale a decir: pero no viniste.

**Observe** que en una oración constituida por *varias subordinadas,* cada una de ellas depende *solamente* de *una* principal:

— digo     que te daré     todo lo que quieras

En consecuencia:

— te dije     que vinieras porque creí     que te gustaría

— creo y me sorprende que no ~~haya llamado~~ ⟶ creo que no ha llamado y me sorprende

## EJERCICIOS

**88.** **Conjugue en el tiempo adecuado del** SUBJUNTIVO **los verbos entre paréntesis:**

1. Les rogué que me ...... (permitir) el paso.
2. Nos sorprendería mucho que ...... (ganar) aquel caballo purasangre.
3. No te muevas de aquí hasta que tus padres ...... (venir) a buscarte.
4. ¿Si ...... (llover) mucho, te habrías puesto las katiuskas?
5. Le desagradó que ...... (vosotros, marcharse) sin despediros.
6. Aquel momento de distracción hizo que el campeón ...... (perder) la partida de ajedrez.
7. Se indignará mucho en cuanto ...... (saber) que no podrá participar en la vuelta de Francia.
8. El oculista le aconsejó que cuando ...... (él, ver) la televisión, no ...... (él, ponerse) demasiado cerca de la pantalla.
9. El conductor no imaginaba que en la autopista ...... (haber) tantos baches.
10. Le agradó mucho que le ...... (ellas, bordar) las iniciales en la lencería.
11. A las autoridades no les resultaba que aquellos gitanos ...... (vivir) en chabolas.
12. Nadie imaginaba que ...... (ellos, conseguir) reservar una habitación con tanta facilidad.
13. No acabarán de rodar aquella película por más que ...... (esforzarse).
14. No nos dejaron que ...... (nosotros, construir) el chalet sin que antes ...... (obtener) el visto bueno del Ayuntamiento.
15. El Ministro de Sanidad advirtió a la población que no ...... (ella, comer) marisco.
16. Parecía imposible que hasta entonces nunca ...... (él, salir) de su pueblo.

## 89. Como el ejercicio anterior:

1. Le dijimos que nos ...... (él, revelar) el carrete de fotos antes de que ...... (él, cerrar) la tienda por vacaciones.
2. Te aseguro que aunque ...... (tú, estar) presente en la reunión de ayer, no te habrían cedido la palabra.
3. La tormenta de anoche fue causa de que ...... (cortarse) la electricidad en todo el pueblo.
4. Todo el mundo temió que ...... (él, hablar) más de lo debido.
5. Confiábamos en que la sala no ...... (estar) abarrotada de gente.
6. No es que ...... (armarse) el desmadre, pero hubo igualmente gran confusión.
7. Era increíble que hasta aquel momento no ...... (ellos, encontrar) ni una sola pieza de interés en las excavaciones.
8. El doctor me aconsejó que ...... (yo, seguir) usando aquel champú hasta que no ...... (yo, ver) alguna mejoría.
9. No consiguió que le ...... (ellos, hacer) un descuento sobre el precio del tocadiscos.
10. Nadie pensaba que el carterista ...... (dar) una puñalada a su víctima.
11. Perseverarán en su intento hasta que no ...... (ellos, conseguir) lo que tanto desean.
12. Prometió que se retiraría del juego en cuanto ...... (notar) que alguien hacía trampa.
13. Nos pidió que ...... (nosotros, ir) a su casa para pasar la Nochevieja con ellos.
14. No consentirán que los extraños ...... (asistir) al entierro.
15. A su madre le parecía imposible que a su edad sólo ...... (él, leer) tebeos.
16. No creí nunca que ...... (ellos, tener) la desfachatez de alojarse en mi casa tanto tiempo.

## 90. Traslade al pasado, según el esquema CONCORDANCIA TEMPORAL, las frases siguientes:

1. Se prevé que habrá un aumento de precios.
2. Dice que la próxima semana irá a cazar.
3. Dicen que este invierno pasaremos mucho frío.
4. Nos promete que la próxima vez comeremos mejor.
5. Él nos asegura que ganaremos.
6. El parte meteorológico advierte que mañana el tiempo será lluvioso.
7. El revisor asegura que el tranvía pasará dentro de pocos minutos.
8. El portero advierte a los inquilinos que cortarán la electricidad.

9. El zapatero me dice que los tacones estarán listos para el próximo lunes.
10. La agencia de viajes nos comunica que tendrá los billetes mañana.


**91.** **Transforme las frases siguientes, según el ejemplo:**

En la aduana *me exigen mostrar* el pasaporte
En la aduana *exigen que muestre* el pasaporte

1. El portero le permite esperar en el vestíbulo.
2. El profesor os deja consultar el diccionario.
3. Los vecinos nos impiden hacer funcionar la lavadora por la noche.
4. El urbano prohíbe a los coches girar por la izquierda.
5. El camarero te pide abonar la cuenta.
6. Las ordenanzas municipales no permiten a los ciudadanos pisar los parterres.
7. El tendero os sugiere entrar por la otra puerta.
8. El campesino me aconseja dejar descansar el vino unos días antes de embotellarlo.
9. La cocinera te ordena no entrar en la cocina.
10. Durante el juicio, no permiten intervenir a los extraños.
11. No dejan entrar en las iglesias a los turistas no vestidos con decencia.
12. En los cines prohíben fumar a los espectadores.


**92.** **Traslade al pasado, según el esquema CONCORDANCIA TEMPORAL, las mismas frases ya transformadas.**


**93.** **Conjugue los verbos entre paréntesis en INDICATIVO o SUBJUNTIVO, según convenga:**

1. No puedo recordar dónde ...... (yo, meter) los guantes.
2. Me alegro muchísimo de que tu madre ...... (estar) mejor.
3. Hace falta que ...... (usted, traer) todos los análisis para que el médico ...... (poder) hacer un diagnóstico exacto.
4. Se pregunta por qué motivo no le ...... (llamar) Juan por teléfono.
5. No me parece que Luis ...... (tener) muchas ganas de irse al Japón.
6. Me parece extraño que ...... (él, ir) allí sin advertírmelo antes.
7. Nadie piensa que ...... (yo, tener) una fortuna en América.
8. El detective nunca ha dicho que el asesino ...... (ser) el hermano de la víctima.

9. Yo digo sólo que ...... (él, ser) una persona insegura.
10. Ignoro lo que mi padre ...... (estar) haciendo en este momento, pero supongo que ...... (él, estar) durmiendo.
11. Me parece poco probable que ...... (ella, dar, a ti) una cantidad de dinero así.
12. Es necesario que ...... (tú, trabajar) por la noche si quieres ganar más dinero.
13. La tormenta nos obliga a que ...... (nosotros, quedarse) a dormir a medic camino.
14. Ellos no saben qué ...... (hacer) su hijo los domingos.
15. Yo prefiero que ...... (tú, hacer, a mí) ese favor cuanto antes.
16. No nos resulta que ...... (ellos, vivir) en Alemania.
17. Yo creo que sus familiares ...... (ser) muy pobres.
18. Me gusta que ...... (tú, divertirse), pero quiero que ...... (tú, trabajar) cuando es hora de trabajar.
19. Nos duele mucho que nuestro tío ...... (pasar) tantos disgustos.
20. Si quieres curarte, hace falta que ...... (tú, hacer) todo lo que te dice el médico.
21. Me extraña mucho que ...... (él, pedir, a ti) ese favor.
22. Yo no digo que ...... (ella, tener) razón; digo sólo que ...... (haber) que escucharla.
23. No estamos seguros de que todos los documentos ...... (estar) en regla.
24. Él piensa siempre que yo ...... (burlarse) de él.
25. No se ve que el gobierno ...... (estar) renovando la cúpula militar.
26. Noto que la circulación de la ciudad ...... (mejorar) mucho.


**94.** Traslade al pasado, según el esquema CONCORDANCIA TEMPORAL, las mismas frases.


**95.** Complete las frases siguientes con una subordinada con QUE y conjugue los verbos entre paréntesis en INDICATIVO O SUBJUNTIVO, según convenga:

1. Nos dicen ...... (nosotros, organizar) la expedición.
2. Estoy convencido de ...... (tú, hacer, eso) muy bien.
3. Me parecía imposible ...... (ellos, pasar) los exámenes, siendo tan tontos.
4. Deseo ...... (no suceder, a ti) lo que me pasó a mí en la manifestación.
5. Mi padre sabe ...... (yo, ser) muy estudioso.
6. Me parece ...... (él, llevar) malas intenciones.
7. ¿Os pareció extraordinrio ...... (él, tener) valor de enfrentarse con el ladrón?
8. Desconfío ...... (mi tía, venir) puntual.

9. Nos parece poco probable ...... (mañana, nevar).
10. La policía pidió ...... (nosotros, enseñar) el carnet de identidad.
11. Creemos ...... (tú, ser) una buena chica.
12. ¿Te propusieron ...... (tú, devolver) lo que te habían regalado?
13. Prohibimos a los niños ...... (ellos, correr) por los pasillos.
14. Es posible ...... (el fotógrafo, revelar) ayer las fotos.
15. Rogué ...... (mis vecinos, dejar, a mí) en paz.
16. ¿Te parece curioso ...... (él, hablar) ayer en ese tono?
17. Pensamos ...... (tú, estar haciendo) un buen trabajo.
18. Es probable ...... (el avión, aterrizar) la semana pasada en otro aeropuerto.
19. Sospecho ...... (él, llevar) algo entre manos.
20. Parece imposible ...... (yo, atreverse) tanto con él.
21. No veo ...... (la mecanógrafa, ir) a la velocidad requerida.
22. No estoy seguro de ...... (tú, entender, a mí).
23. El señor Granados me ha encargado ...... (yo, dar, a usted) ese recado.
24. Recuérdele ...... (él, traer, a mí) el libro que le presté.
25. No considero ...... (haber necesidad) de medidas monetarias tan drásticas.
26. ¿Encuentra usted ...... (el delantero centro, marcar) bien los goles?

**96.** **Transforme libremente las frases siguientes, usando un futuro simple en la principal y** ANTES DE QUE + SUBJUNTIVO **en la secundaria, según el ejemplo:**

Todavía no llueve ————————→ Me iré *antes de que llueva.*

1. Todavía no ha venido el cartero.
2. Todavía no les han detenido.
3. Todavía no me han escrito mis amigos.
4. Todavía no habéis comprado las entradas.
5. La criada todavía no ha preparado los aperitivos.
6. El médico todavía no ha vacunado a los pasajeros.
7. Yo todavía no me he ido de vacaciones.
8. Todavía no has hablado con el gestor.
9. Todavía no has apagado la luz.
10. Todavía no me he quitado los zapatos.

**97.** **Transforme libremente las frases siguientes, usando** TODAVÍA FALTA... PARA QUE + SUBJUNTIVO, **según el ejemplo:**

El mes próximo se casa mi hermano ————————
*Todavía falta* un mes *para que se case* mi hermano ←————

1. Dentro de media hora terminará la clase.
2. El barco saldrá dentro de tres horas.
3. Dentro de pocos años España entrará en el Mercado Común.
4. Mis amigos vendrán a mi casa por la tarde.
5. Pasado mañana el jardinero cortará el césped.
6. La semana próxima llevaremos la ropa de invierno a la tintorería.
7. Dentro de unos días me entregarán el carné de conducir.
8. Dentro de unos segundos se oirán las campanas.
9. El médico asegura que dentro de unos días me dará de baja.
10. Las rosas florecerán en mayo.

**98.** Traslade al pasado, según el esquema CORCORDANCIA TEMPORAL, las mismas frases ya transformadas.

**99.** Complete libremente las frases siguientes:

1. Si fuera rico, ......
2. Si fuéramos andando, ......
3. Si estuvieran menos gordos, ......
4. Si corriera más, ......
5. Si fueseis menos impacientes, ......
6. Si fuese más elegante, ......
7. Si tuviera menos sed, ......
8. Si llevarais el paraguas, ......
9. Si tuviera el traje de baño, ......
10. Si fuera más inteligente, ......
11. Si supiéramos ir en bicicleta, ......
12. Si fueses más prudente, ......

**100.** Traslade al pasado, según el esquema CONCORDANCIA TEMPORAL, las mismas frases.

**101.** Conjugue el verbo entre paréntesis en INDICATIVO o SUBJUNTIVO, según convenga:

1. Yo conozco a más de un jorobado, aunque no ...... (yo, reírse) de él.
2. Nunca me llevé bien con mis padres, aunque tampoco ...... (yo, guardar, a ellos) rencor alguno.

3. El tiempo pasaba, y aunque a veces ...... (yo, volver) a mi pueblo, nunca fui a ver a mis parientes.
4. La casa se hará como él quiera, aunque su proyecto originario no ...... (llegar) nunca a cumplirse del todo.
5. Aunque mañana ...... (haber) bancos de niebla, la carrera automovilística no será anulada.
6. En aquella ciudad suelen protestar contra aquel célebre director de orquesta, aunque en el extranjero ...... (aplaudir, a él) unánimemente.
7. El infeliz nunca supo quién había sido su padre, aunque la gente ...... (suponer) quién era.
8. Todos tenían una gran amistad con el cura, aunque ninguno de aquellos hombres ...... (ir) a misa.
9. Manuel solía tener salidas cómicas, aunque en el pueblo ...... (tener, a él) por tonto.
10. Me han colgado el sambenito de gitano, aunque no ...... (yo, ser, eso).
11. Aunque ...... (ser) muy tarde, todavía llegaron otros invitados a la verbena.
12. Aunque ...... (él, tener) la tarjeta de crédito, pagaría al contado.

## 102. Como el ejercicio anterior:

1. Cuando sus amigos organicen una fiesta, él también irá aunque no ...... (ellos, llamar, a él).
2. Se puso a pelear él solo contra todos, aunque no ...... (poderse) decir que estuviera ni mucho menos en lo mejor de su fuerza.
3. Salió de la habitación cojeando, aunque ...... (él, intentar) disimular.
4. El caballo no quería arrancar y el jinete tuvo que usar el látigo, aunque no ...... (él, soler) pegarle.
5. La novela de aquel escritor tuvo gran éxito entre el público, aunque ...... (ella, ser) un poco cruda.
6. Estaba bien convencido de que aprobaría las oposiciones, aunque ...... (presentarse) muchos candidatos.
7. Desde la habitación se oían unos ruidos, aunque no ...... (verse) a nadie.
8. Aunque ...... (ser) muy tarde, no tengo ganas de acostarme.
9. Compraremos aquel terreno aunque sólo ...... (ser) para invertir dinero.
10. Aunque ...... (yo, tener) varias ediciones del Quijote, la que más me gusta es la que ha publicado recientemente la Real Academia.
11. Creo que, a veces, es necesario pegarles a los niños, aunque ...... (yo, ser) enemigo de cualquier forma de violencia.
12. Este pasaje quedará muy feo aunque ...... (ellos, cambiar) el enlosado.

**103.** Transforme libremente las frases siguientes, usando PARECER IMPOSIBLE / EXTRAÑO / POCO PROBABLE / RIDÍCULO... QUE + SUBJUNTIVO, según el ejemplo:

Jorge se enfada por nada —————————————————

Me *parece imposible que* Jorge *se enfade* por nada ←—————

1. Venderán la casa.
2. Leen a todas horas.
3. Todas las noches se emborracha.
4. Ven la televisión todo el día.
5. Ustedes desconfían de nosotros.
6. La planta se aclimatará a este frío.
7. Fuma dos paquetes de cigarrillos al día.
8. Decidirá matarse.
9. Dará la vuelta a Europa en bicicleta.
10. Amador tiene un dolor de muelas terrible.
11. Pintará él solo toda la casa.
12. El ascensor se estropea cada dos por tres.
13. Va a casarse con un millonario.
14. Traducirá al francés la obra de Delibes.

**104.** Traslade al pasado, según el esquema CONCORDANCIA TEMPORAL, las mismas frases ya transformadas.

**105.** Conteste a las preguntas siguientes usando OJALÁ + SUBJUNTIVO, según el ejemplo:

¿Se salvará Julio? ————————————→ ¡Ojalá se < *salve!* / *salvase!*

1. ¿Detendrán al asesino?
2. ¿Vendrá al fontanero a desatascarme la cañería?
3. ¿Llegaremos a la cumbre del Everest?
4. ¿Confesará la verdad de lo ocurrido?
5. ¿Encontrarán entradas?
6. ¿Ganará algún español en la Olimpiada?
7. ¿Llegará por fin el verano?
8. ¿Encontrarán los hombres de ciencia el remedio contra el cáncer?
9. ¿Se pondrán de acuerdo los dirigentes?
10. ¿Solucionarán los gobiernos el problema de la crisis energética?
11. ¿Ganará el premio Nobel nuestro escritor?

12. ¿Consentirá tu hijo en ponerse las gafas?
13. ¿Encontrarán petróleo en tierras de España?
14. ¿Saldrá bien esta tarta?

**106.** **Traslade al pasado, según el esquema** CONCORDANCIA TEMPORAL, **las mismas frases, según el ejemplo:**

¿Se *habrá salvado* Julio? ⟶ ¡Ojalá se $\begin{cases} \textit{haya salvado!} \\ \textit{hubiese salvado!} \end{cases}$

**107.** **Transforme las frases siguientes, usando** MIENTRAS + INDICATIVO / SUBJUNTIVO, **según convenga:**

1. Al mismo tiempo que yo dicto, tú escribes.
2. Julio no se decidirá a hablar si vosotros no os calláis.
3. Cuando está dando clase, los alumnos escuchan con atención.
4. Yo sólo me enfadaré si tú reincides.
5. No saldrán los periódicos si los periodistas no cesan la huelga.
6. El profesor no le suspenderá si hace un examen pasable.
7. Si no tomas este jarabe no se te pasará la tos.
8. No puedes fumar si antes no acabas de comer.
9. A medida que lee, va tomando nota.
10. Si llueve tanto, los niños no podrán bajar al patio.
11. Si sigues comiendo tantos dulces, no adelgazarás.
12. No podremos llevarle a la casa de socorro si no llega la ambulancia.

**108.** **Transforme las frases siguientes, usando** HASTA QUE + INDICATIVO / SUBJUNTIVO, **según convenga:**

1. Por las mañanas hago gimnasia y termino cuando me canso.
2. No haré funcionar la lavadora si no tengo ropa suficiente.
3. No estará contento si no gana el primer premio.
4. Fumó tanto que le entró dolor de garganta.
5. Si no te restableces del todo me quedaré contigo para curarte.
6. Estudió tanto que se le irritaron los ojos.
7. No quiso comer nada porque antes quería acabar el trabajo.
8. El nene no dejará de llorar si no le das el chupete.
9. No pondremos los visillos nuevos en casa si antes no nos pintan las ventanas.

10. No puedes conducir si antes no resuelves el problema de la vista.
11. Si no le das la razón seguirá dándote la lata.
12. Gritó tanto que perdió la voz.


**109.** Cuando sea posible, traslade al pasado, según el esquema CONCORDANCIA TEMPORAL, las mismas frases ya transformadas, anteponiendo, si es necesario, una principal del tipo DIJO QUE.


**110.** Transforme las frases siguientes, usando AUNQUE + INDICATIVO / SUBJUNTIVO, según convenga:

1. Es muy tarde, pero todavía hace sol.
2. Si fuera millonario, gastaría poco igualmente.
3. Es posible que tú no lo creas, pero yo te he querido siempre.
4. Cómprale algo a tu madre, cuando menos un pañuelo de cuello.
5. Me molesta el humo, pero te permito fumar.
6. Estudiaré los verbos, por lo menos un par al día.
7. Mañana darán por televisión dibujos animados, pero no se los dejaré ver.
8. Viene de buena familia, pero es un maleducado.
9. Da miedo, pero es un perro muy dócil.
10. Tendremos representantes en el Parlamento, sólo sean tres escaños.
11. Tiene muchos vestidos, pero no se los pone nunca.
12. Es muy pobre, pero anda siempre vestido con decoro.
13. Te levantarás pronto, pero no harás nada igualmente.
14. Déle al mendigo algo, sólo sean unas perras.


**111.** Sustituya las frases siguientes por otras equivalentes en FUTURO, según el ejemplo:

Tiene todo lo que quiere. ⟶ *Tendrá* todo lo que *quiera.*

1. Jorge hace todo lo que le da la gana.
2. El niño se come todo lo que le dan.
3. Compro todos los vestidos que me gustan.
4. Veo todos los programas que echan por televisión.
5. Los guardias controlan todos los coches que llevan matrícula extranjera.
6. El obispo bendice a todos los fieles que están en la plaza.
7. Mi padre se compra todos los libros que hablan de mecánica.
8. El ladrón roba todas las joyas que están en el escaparate.

9. El técnico arregla todos los teléfonos que están averiados.
10. Lavo todos los platos que están sucios.
11. Voy al cine todas las veces que quiero.
12. Se emociona todas las veces que oye el serial.

**112.** **Traslade al pasado, según el esquema** CONCORDANCIA TEMPORAL, **las mismas frases ya transformadas, anteponiéndoles una principal del tipo:** TE DIJE / ADVERTÍ / AVISÉ / ACONSEJÉ... QUE.

**113.** **Conjugue los verbos entre paréntesis en el modo y tiempo necesarios:**

1. Es la persona más curiosa que ...... (yo, conocer) en mi vida.
2. Por más que tú ...... (dar vueltas) al asunto, no encontrarás la solución.
3. Cuando ...... (suceder, a ti) un accidente, llama a la casa de seguros.
4. Quiero saludar al cantante aunque ...... (él, ser, a mí) antipático.
5. Me aseguraron que me traerían todo lo que ...... (ellos, encontrar).
6. Llámenme en cuanto ...... (ustedes, salir) de casa.
7. Ojalá ...... (usted, superar) esa crisis cardiaca.
8. El problema de la economía oculta es más complejo de lo que ...... (pensarse).
9. Por más píldoras que ...... (él, tomar), no puede conciliar el sueño.
10. El avión tenía que despegar a las siete; quizá ya ...... (él, despegar).
11. Cuando ...... (tú, tener) más de veinte años, te compraré una moto.
12. No pararé de repetírselo hasta que ...... (ustedes, aprender) eso.
13. Por más que ...... (yo, trabajar), no consigo acabar la traducción.
14. Puedes hablar con él, aunque ...... (él, estar) de mal humor.
15. Quiso ir al cine aunque ...... (ella, estar) cansada.
16. No recuerda dónde ...... (él, meter) las lentillas.

**114.** **Como el ejercicio anterior:**

1. Se retiró de las elecciones sin que nadie ...... (saber) por qué ...... (él, hacer, eso).
2. Escríbelo a máquina por si no ...... (ellos, entender) tu letra.
3. Está nevando, así que ...... (yo, ponerse) las botas de goma.
4. −¿Iréis a la playa este verano? −Depende del tiempo que ...... (hacer).
5. Os llamo urgentemente para que ...... (vosotros, saber) que llegaré mañana.

6. Le maltrataron cuando era niño; de ahí que ...... (él, desconfiar) de todos.
7. Confiaban en que sus suegros ...... (llegar) a tiempo para el empalme con el tren de Huesca.
8. Más vale que ...... (cambiar) vosotros mismos la fregadera.
9. Comprendo muy bien lo que ustedes ...... (querer) decir: no crean que ...... (yo, ser) tonto.
10. Me gusta María, salvo que ...... (ella, ser) demasiado tímida.
11. Todavía no sabemos lo que ha dicho el médico: ¡ojalá no ...... (haber que) operarle!
12. Tengo miedo de que la mercancía ...... (llegar) demasiado tarde.
13. Suiza es uno de los países más limpios que ...... (yo, ver).
14. ¡Que ...... (pasar) ustedes unas felices Navidades!
15. Habla tanto que ...... (ella, aturdir, a nosotros) a todos.
16. Le dije que ...... (él, beber) a sorbos.

## 115. Como el ejercicio anterior:

1. Se necesita jefe de producto que ...... (él, estar) dispuesto a viajar.
2. Yo encuentro que esta película ...... (ella, ser) una chorrada.
3. A pesar de que ...... (él, ser) un buen boxeador, por poco le mataban.
4. Llámalos antes de que ...... (ellos, salir) de casa.
5. Búscase agente técnico de ventas que ...... (él, poseer) experiencia.
6. Nadie suponía que ...... (haber) un pronunciamiento militar.
7. No hay ninguna biblioteca que ...... (prestar) libros por más de un mes.
8. Encuentro que este traje le ...... (rejuvenecer) mucho.
9. Se prohíbe el uso del ascensor a los niños que no ...... (haber) superado los diez años.
10. Te lo confío con que no ...... (ello, salir) de aquí.
11. No existe ninguna loción que ...... (resolver) el problema de la calvicie.
12. No considero que el agravio ...... (tener) esta gravedad.
13. Podrán ustedes esquiar sólo después de que ...... (pasar) la máquina pisa-pistas.
14. No noto que esta telecabina ...... (ser) tan segura como dicen.
15. El que ...... (estar) de acuerdo con aumentar el sueldo de los funcionarios, que ...... (dar) su voto.
16. Me es igual que ...... (usted, dar, a mí) un jerez seco o dulce, con que ...... (él, ser) de calidad.

**116.** **Como el ejercicio anterior:**

1. El médico de cabecera le aconsejó que no ...... (él, levantarse) de la cama hasta que no ...... (desaparecer) la fiebre del todo.
2. Porque ...... (yo, ser) la chacha, no tienen que maltratarme así.
3. –¿Quiere usted una limonada o un helado? –Como usted ...... (querer).
4. Se ha presentado a oposiciones de cátedra: lo veo muy difícil, pero ¡ojalá ...... (él, ganar, ellas)!
5. Si ...... (él, llamar), dígale que vuelvo a casa para la cena.
6. Será mejor que ...... (tú, llevarse) una hoja de papel por si ...... (tú, tener que) tomar nota.
7. Que ...... (él, decir, eso), no quiere decir que lo piense.
8. Están talando los árboles para que ...... (brotar) mejor en primavera.
9. Que la vida es fácil, sólo lo afirman quienes ...... (ser) inconscientes o ...... (tener) suerte.
10. ...... (él, confesar, eso) o no, le da rabia no haber sacado el primer premio.
11. Tolero cualquier cosa menos que ...... (ellos, decir, a mí) que he obrado de mala fe.
12. No es tan hábil que no ...... (nosotros, ver) claramente sus maniobras.
13. Se ha muerto la madre de Felipe: ¡que Dios ...... (tener, a ella) en su gloria!
14. Es un asesino infame: ¡ojalá ...... (condenar, a él)!
15. Dice tantas bobadas que produce risa a quienes ...... (escuchar, a él).
16. La reforma fiscal da buenos resultados, si bien todavía ...... (quedar) mucho por hacer.


**117.** **Como el ejercicio anterior:**

1. El enfermero le puso un poco de alcohol para que no ...... (infectarse, a él) la herida.
2. Si ...... (ellos, decir) algo, no les contestéis.
3. Porque ...... (hacer) calor no tienes por qué ir medio desnudo.
4. Aunque ...... (doler, a él) mucho las manos, dice que seguirá tocando el piano.
5. –¿Me perjudica el tabaco, doctor? –Según los cigarrillos que ...... (usted, fumar).
6. Os oigo perfectamente; no creáis que ...... (yo, ser) sordo.
7. El joven ciclista se ha presentado en las Olimpiadas, pero no ganará ni una medalla por más que ...... (él, esforzarse).
8. –¿Os preparo una sopa o una ensalada? –Lo que te ...... (resultar) más cómodo.

9. Iremos a buscarles a la estación, a menos que no ...... (ellos, llamar, a nosotros) cuando ...... (ellos, llegar).
10. Lo ...... (decir) quien lo ...... (decir), eso es una estupidez.
11. Regresaron a casa en cuanto ...... (ponerse) el sol.
12. Las fuerzas socialistas luchan porque ...... (verificarse) una nivelación de todos los estamentos.
13. Lo aguanto todo menos que ...... (ellos, tener, a mí) sin noticias.
14. Están haciendo diversos estudios para vencer la leucemia: ¡ojalá ...... (ellos, conseguir, eso)!
15. Que no ...... (él, hablar) no significa que esté de acuerdo.
16. El incendio fue muy grave aunque ...... (poder) ser peor.

## 118. Como el ejercicio anterior:

1. Pondremos la mesa antes de que ...... (venir) los invitados.
2. Le atropellaron mientras cruzaba la calle; de ahí que ahora ...... (él, andar) con tanto cuidado.
3. Esas cumbres no son tan altas que no ...... (poder) alcanzarlas alpinistas expertos.
4. Cogeremos el metro a menos que ...... (ellos, declarar) huelga.
5. Niños, ¡poneos en pie siempre que ...... (entrar) el señor director!
6. Saco el agua del fuego para que no ...... (evaporarse) demasiado.
7. Se fue del pueblo sin que ...... (él, decir) a dónde iba.
8. Si ...... (ellos, tener) un poco de modales, se disculparían.
9. Polemiza tanto que ...... (él, estar enemistándose) con todo el mundo.
10. Espero que ...... (ir, a ustedes) todo como ustedes ...... (desear).
11. Les llamaré esta noche, siempre que ...... (ustedes, estar) en casa.
12. Temo que la playa no ...... (probar, a ella) nada.
13. Será mejor tener un arma en casa por si ...... (entrar) ladrones.
14. Te habríamos invitado si ...... (nosotros, tener) tu dirección.
15. Pasaré por la farmacia salvo que ...... (ser) demasiado tarde y ...... (yo, encontrar, a ella) ya cerrada.
16. No se comprende cómo ...... (él, llegar) a gerente de la empresa.

## 119. Como el ejercicio anterior:

1. Vete directamente a casa cuando ...... (tú, salir) de la academia.
2. Estuvo en el colegio mayor hasta que ...... (él, terminar) la carrera.
3. Quería enviarle un obsequio, aunque sólo ...... (ser) unas flores.

4. Por más que tú ...... (poner cuidado), no podrás evitar que el traje ...... (desteñirse).
5. No hemos podido vernos hoy; quizá ...... (nosotros, verse) mañana.
6. Aunque él ...... (decir, a mí) eso, yo no me ofendí.
7. Cuando ...... (tú, casarse), serás más feliz.
8. Avísenme en cuanto el paquete ...... (llegar) a sus manos.
9. Estoy seguro de que hará cuanto el médico ...... (decir, a él).
10. No podrás entrar en casa hasta que no ...... (tú, encontrar) las llaves.
11. Aunque ...... (tú, hablar) alto, nadie te oirá.
12. Mientras ...... (tú, podar) las rosas, yo riego los geranios.
13. Echaremos el borrador a la papelera en cuanto ...... (nosotros, pasar, eso) todo en limpio.
14. Aunque ...... (ella, llevar) tacones muy altos, sigue pareciendo bajita.
15. Condenarán al terrorista a la cadena perpetua por mucho que él ...... (pedir) la gracia.
16. Aquel filme de ciencia-ficción es más divertido de lo que ...... (decir) los críticos.

## 120. Como el ejercicio anterior:

1. El periódico hoy no ha salido; tal vez ...... (él, salir) mañana.
2. Aunque ...... (ella, ponerse) muchos polvos en la cara, se le ven las arrugas.
3. En cuanto ...... (él, salir) del banco, se gastará el dinero que ha sacado.
4. Mientras ...... (tú, dormir) tanto, estarás siempre medio atontado.
5. En cuanto ...... (él, enterarse) de que su hijo se droga, le dará un patatús.
6. Por más que ...... (él, tratar) de explicarse, no comprendimos ni media palabra de lo que dijo.
7. Los automovilistas respetarán cuanto ...... (ordenar, a ellos) la policía.
8. Cuando ...... (terminarse) las obras, está previsto que ...... (ellos, instalarse) allí.
9. Avisadme en cuanto ...... (vosotros, saber) a qué hora empieza la película.
10. Ojalá el niño ...... (ambientarse) bien en aquella guardería.
11. No irás a dar un paseo hasta que no ...... (tú, terminar) de limpiar las baldosas de la cocina.
12. Por más que ...... (tú, aumentar) la calefacción, en la casa seguirá haciendo frío.
13. Tal vez ...... (ellos, arreglar, a nosotros) el desperfecto antes de mañana.
14. Quise ayudarle, aunque sólo ...... (ser) a hacer las camas.
15. No sé si ...... (ellos, aprobar, a él) de griego; ¡ojalá ...... (ellos, aprobar, a él)!
16. Ese pato es mucho más tierno de lo que ...... (pensarse).

**121.** Como el ejercicio anterior:

1. Cuando ...... (yo, levantarse), caliento el agua para el té.
2. Es el viaje más interesante que ...... (yo, hacer) en estos últimos años.
3. Quiso ir al concierto aunque ...... (él, saber) que se aburriría.
4. En cuanto ...... (yo, curarse), me tomaré unas vacaciones.
5. Cuando ...... (vosotros, ver) al portero, avisadle que no se enciende la luz del ascensor.
6. La secretaria tomará nota de cuanto los accionistas ...... (decir).
7. Aunque ...... (ella, llevar) mucho dinero, no fue suficiente para pagar la cena para todos.
8. En cuanto ...... (salir) las notas, te lo comunicaré.
9. Llevo años sin saber nada de un queridísimo amigo mío: ¡ojalá no ...... (él, morirse)!
10. Quizá ...... (ellos, llegar) antes andando que nosotros en trolebús.
11. Seguiré trabajando hasta que no ...... (yo, estar agotado).
12. Aunque ...... (tú, llamar, a mí) por teléfono, no contestaré.
13. En cuanto ...... (ella, saber) la noticia, se desmayó.
14. Mientras no ...... (tú, venir) a buscarme, no salgo.
15. Haremos cuanto ...... (nosotros, poder) por ayudarle.
16. La policía dijo que no ...... (ellos, tocar) a la víctima mientras no ...... (llegar) el juez.
17. Se ruega a los señores clientes ...... (ellos, anunciar) su salida del hotel antes de mediodía y ...... (ellos, poner) a disposición de la dirección la habitación.

**122.** Conjugue los verbos entre paréntesis, según convenga:

AUNQUE hasta el momento no ...... (decretarse) prisión preventiva alguna, ni —en lo que nuestras noticias alcanzan— ...... (existir) sospechas concretas y formales contra nadie, hemos juzgado interesante para nuestros lectores, adelantándonos quizás a los acontecimientos, ...... (nosotros, entrevistar) en su domicilio a la familia Gómez, cuyos miembros más caracterizados, padre e hija, ...... (ellos, ser) objeto —según se informó a su debido tiempo— de amplio interrogatorio por parte de la policía.

A tal propósito, en horas de la tarde de ayer ...... (nosotros, trasladarse) a la barriada de Altagracia, donde los Gómez ...... (ellos, habitar), sin que ...... (ser difícil, a nosotros) localizar la vivienda ocupada por ellos. Efecto de la notoriedad alcanzada por Candelaria, de quien tanto ...... (venir hablándose) en relación con este apasionante asunto, bastó que ...... (nosotros, mencionar) su nombre para que un enjambre de chiquillos, de la multitud que por allí ...... (pulular), ...... (ellos, desvivirse) por señalarnos a porfía el correspondiente edificio y ...... (ellos, escoltar, a nos- otros) incluso hasta la puerta del departamento, donde todavía a la salida ...... (nosotros, encontrar) algunos de ellos que ...... (esperar, a nosotros).

FRANCISCO AYALA, *EL FONDO DEL VASO*, Madrid, Alianza Editorial, 1970, p. 131.

## 123. Como el ejercicio anterior:

VINIERON a avisarle, por la mañana, de que la sillería ...... (estar) ya tapizada. Dijo que la ...... (ellos, llevar) directamente a su casa. Doña Mariana consideró que le ...... (hacer falta) una alfombra, y mandó que ...... (ellos, bajar) de la bujarda las que ...... (ella, tener) retiradas, para que Carlos ...... (ver) entre ellas si alguna le ...... (ir) bien a la tapicería. Sugirió también la conveniencia de adornar con unas porcelanas la repisa de la chimenea, pero Carlos rechazó el ofrecimiento como una frivolidad.

—Llévate, entonces, algún cuadro o algún grabado. No hay nada más inhóspito que una pared desnuda.

Pero Carlos había visto en su casa cuadros y grabados en buen estado, y se refirió a una serie que, de niño, le ...... (a él, gustar), y que ...... (él, pensar) ahora trasladar a la torre. Doña Mariana se conformó con el regalo de la alfombra.

—¿Cuándo piensas marcharte?

—Cualquier día. Quizá ...... (yo, marcharse) mañana.

Doña Mariana se echó a reír.

—Vives en la luna. No creo que ...... (tú, saber) freír un par de huevos a derechas. Si ...... (tú, hacer) esa vida, ...... (tú, convertirse) en un salvaje.

—¿Por qué un salvaje y no un asceta?

—Para mí es igual. No me opongo a que ...... (tú, irse), si lo ...... (tú, necesitar); pero exijo que ...... (tú, venir) a comer conmigo diariamente, y que ...... (tú, usar) de mi casa para no perder ciertos hábitos civiles, como bañarse. Estás en situación de comprender la importancia moral de un baño caliente. Y ya que ...... (salir) esto, reclamo también el cuidado de tus camisas. No creo que nada de esto ...... (coartar) en lo más mínimo tu libertad.

GONZALO TORRENTE BALLESTER, *EL SEÑOR LLEGA*, Madrid, Alianza Editorial, 1971, pp. 282-283.

# VOZ PASIVA

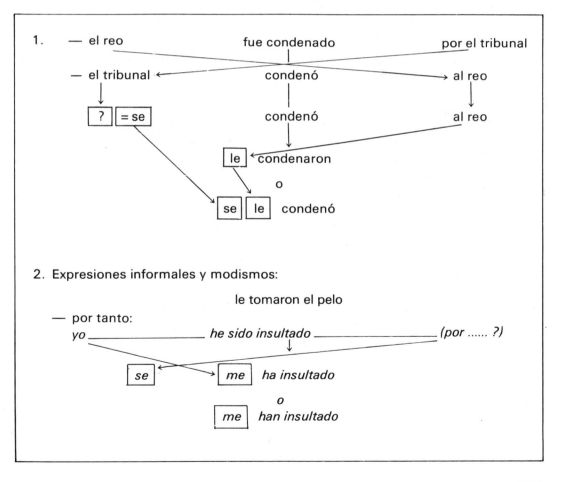

1.　— el reo　　　　　fue condenado　　　　por el tribunal

　　— el tribunal ← 　　　　condenó　　　　　→ al reo

　　　　? ＝se 　　　　　condenó　　　　　al reo

　　　　　　　　le condenaron

　　　　　　　　　　o

　　　　　se le 　condenó

2. Expresiones informales y modismos:

　　　　　　　le tomaron el pelo

　　— por tanto:
　　yo ——————————— he sido insultado ——————————— (por ...... ?)

　　　　　se 　　　　me ha insultado

　　　　　　　　　o
　　　　　　　me han insultado

**Observe** además:

1. — *se ruega* silencio
   — *se venden* botellas ──────────────────→ en vez de: *se vende*
   — *se alquilan* pisos ──────────────────→ en vez de: *se alquila*

2. — estimado *de todos*
   — ahogado *de trabajo*
   — comido *de ratones*
   — rodeado *de enemigos*

## EJERCICIOS

**124. Transforme, cuando lo crea oportuno, cada una de las frases siguientes en una forma alternativa:**

1. Empecé a ser atormentado por una idea fija.
2. Numerosos árboles fueron talados por los leñadores.
3. No se sabe por qué Manuel fue detenido por la policía.
4. La sopa era servida por el ama de casa.
5. Los programas del concierto fueron distribuidos por mí.
6. Ayer fui atropellada por un coche.
7. La amable clientela es rogada que no toque la mercancía.
8. Las tiendas del campamento fueron levantadas por los soldados.
9. Sus palabras serán recordadas por todo el mundo.
10. Yo fui apoderado por un presentimiento atroz.
11. Cuando me marcho de casa, quiero que las puertas sean cerradas a doble llave.
12. Nos fue dada la posibilidad de visitar el museo sin sacar las entradas.
13. Fue llamado a la mesa cuando la comida estuvo lista.
14. Fuimos advertidos por los vecinos que en nuestra casa habían entrado los ladrones.

**125. Como el ejercicio anterior:**

1. Un kilo de heroína fue decomisado por los carabineros.
2. El campo era regado todos los días.

3. La papelera era vaciada todas las mañanas por la secretaria.
4. Durante el registro fueron encontradas algunas armas.
5. Fuisteis puestos en una situación comprometedora.
6. Los novios fueron casados por un cura amigo de la familia.
7. El partido de fútbol fue transmitido por radio.
8. Muerta la madre, el huérfano fue metido en un orfelinato.
9. La cama fue cubierta con una colcha de encaje.
10. Los platos fueron fregados por la hija mayor.
11. El colmado ha sido dejado y vendido por el antiguo propietario.
12. Que fuera una persona normal, nunca era tomado en cuenta.
13. El balón fue lanzado fuera de campo.
14. Después de la Revolución Francesa fue instaurada la República.

# PERÍFRASIS O FRASES VERBALES (1)

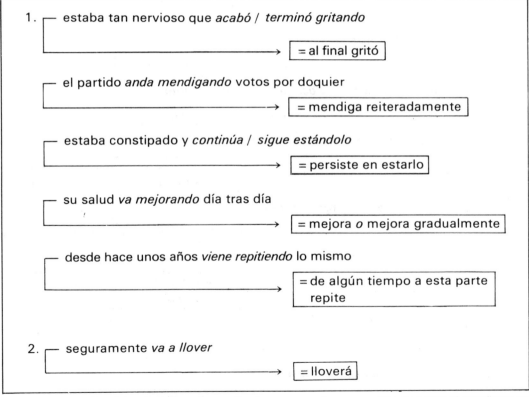

1. ┌─ estaba tan nervioso que *acabó / terminó gritando*

   └──────────────────────→ = al final gritó

   ┌─ el partido *anda mendigando* votos por doquier

   └──────────────────────→ = mendiga reiteradamente

   ┌─ estaba constipado y *continúa / sigue estándolo*

   └──────────────────────→ = persiste en estarlo

   ┌─ su salud *va mejorando* día tras día

   └──────────────────────→ = mejora *o* mejora gradualmente

   ┌─ desde hace unos años *viene repitiendo* lo mismo

   └──────────────────────→ = de algún tiempo a esta parte
                                  repite

2. ┌─ seguramente *va a llover*

   └──────────────────────→ = lloverá

(1) Consideramos únicamente aquellas perífrasis que presentan mayor dificultad para el estudiante extranjero. Por este motivo, incluimos las formas no propiamente perifrásticas ACABAR + gerundio, equivalente a ACABAR / TERMINAR POR + infinitivo, y CONTINUAR / SEGUIR + gerundio. Cfr. PARTICIPIO, 2, pág. 50.

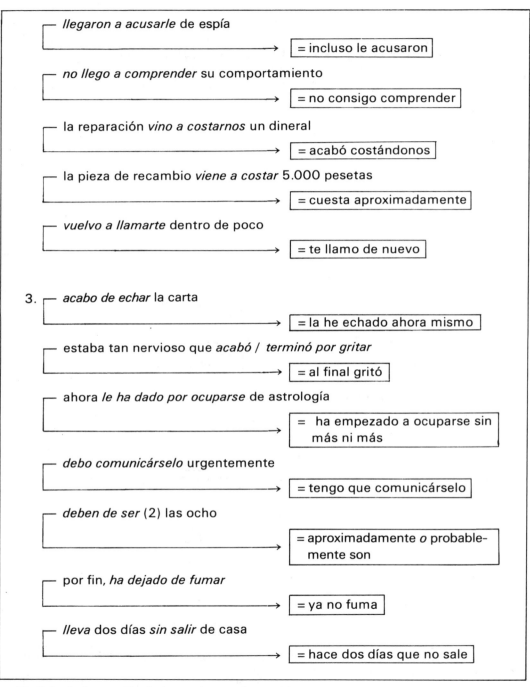

*llegaron a acusarle* de espía
→ = incluso le acusaron

*no llego a comprender* su comportamiento
→ = no consigo comprender

la reparación *vino a costarnos* un dineral
→ = acabó costándonos

la pieza de recambio *viene a costar* 5.000 pesetas
→ = cuesta aproximadamente

*vuelvo a llamarte* dentro de poco
→ = te llamo de nuevo

3. *acabo de echar* la carta
→ = la he echado ahora mismo

estaba tan nervioso que *acabó / terminó por gritar*
→ = al final gritó

ahora *le ha dado por ocuparse* de astrología
→ = ha empezado a ocuparse sin más ni más

*debo comunicárselo* urgentemente
→ = tengo que comunicárselo

*deben de ser* (2) las ocho
→ = aproximadamente *o* probablemente son

por fin, *ha dejado de fumar*
→ = ya no fuma

*lleva* dos días *sin salir* de casa
→ = hace dos días que no sale

(2) *Debe de* viene sustituyéndose cada vez más por *deber*.

## EJERCICIOS

**126.** Transforme las frases siguientes con ACABAR / TERMINAR, ANDAR, CONTINUAR / SEGUIR, IR, VENIR + GERUNDIO:

1. Tuvo mucha paciencia, pero al final estalló.
2. Con el continuo aumento del precio del petróleo, la crisis económica se agrava poco a poco.
3. Desde hace mucho tiempo me acompaña siempre a la universidad en coche.
4. Juan dice repetidamente que se casará con Manuela en cuanto pueda.
5. Me gustan los calamares, pero si como muchos, al final me repugnan.
6. De algún tiempo a aquella parte solicitaba una beca.
7. Las varias radios privadas divulgan continuamente noticias falsas.
8. El profesor dijo: «A medida que yo dicto, ustedes tomen nota».
9. La semana pasada empecé a leer una novela y todavía la leo.
10. Si todavía bebes tanto, terminarás por emborracharte.
11. De un tiempo a esta parte, las calles son escenario de violentos enfrentamientos entre jóvenes y policías.
12. Hace mucho tiempo que les advierto que el examen será difícil.
13. El profesor hace muchos años que sostiene la teoría de Darwin.
14. Con el pasar del tiempo, el entusiasmo decae lentamente.
15. Hace muchos años que trabaja intensamente en la ampliación de la empresa.
16. Primero ofendió a todos los parientes y al final se disculpó.
17. Con ese airecillo seco, la ropa se secará poco a poco.
18. Hace muchos días que llueve.
19. Salgo con él desde hace una semana.
20. A pesar de la condena, todavía sostuvo su herejía.

**127.** Transforme las frases siguientes con IR, LLEGAR, NO LLEGAR, VENIR, VOLVER + A + INFINITIVO:

1. La semana pasada hicieron huelga y esta semana la han hecho de nuevo.
2. El abogado me dijo aproximadamente que de momento era mejor no presentar querella.
3. Cuando menos lo pensemos, saldrá el sol.
4. No alcanzo a comprender el mecanismo del lavavajillas.

5. Mis amigos pasarán aquí la tarde.
6. No estamos dispuestos a vender el utilitario.
7. Ayer soñé contigo; esta noche, también.
8. Saldremos para Madrid mañana por la mañana.
9. Quiero ver de nuevo aquella película tan divertida.
10. Si es difícil el inglés, ¿cómo no ha de serlo el chino?
11. El Ayuntamiento tiene la intención de resolver el problema del alcantarillado.
12. No entendían cómo se podía salir del laberinto.
13. Más o menos le dijimos que era mejor que dejara los estudios.
14. La casa, tras derrumbarse, quedó a ras de suelo.
15. Estaba a punto de salir, pero prefirió quedarse en casa.
16. Le sugestionaron tanto que incluso creyó que había duendes en la casa.

## 128. Como el ejercicio anterior:

1. En su discurso, el Ministro dijo más o menos que era urgente llevar a cabo la reforma fiscal.
2. Si el 37 me va estrecho, ¿cómo no ha de serlo el 35?
3. ¡Apresúrate, que el taxi está para llegar!
4. Las alianzas costaron aproximadamente 5.000 pesetas.
5. Estaba tan deprimido que incluso pensó en suicidarse.
6. Estaban a punto de expulsarle de la oficina por estafa.
7. Me aseguraron que comprarían aquel tocadiscos.
8. Sujetó el bolso porque vio que estaban a punto de robárselo.
9. Mi madre se fracturó el tobillo y este año se lo ha roto de nuevo.
10. El asesino apareció de nuevo en el lugar del delito.
11. Ganó mucho dinero, pero no consiguió enriquecerse.
12. La policía estaba para llegar de un momento a otro.
13. Tuvo la desfachatez de decirme incluso que yo le había robado.
14. Estos guantes me van tan estrechos que no me los pondré jamás.
15. Si Pepita es amable con todo el mundo, ¿cómo no ha de serlo con su amigos?
16. Entre pitos y flautas, el piso acabó costando un riñón.

## 129. Transforme las frases siguientes con ACABAR / TERMINAR POR, DAR POR, ACABAR DE, DEBER, DEBER DE, DEJAR DE, LLEVAR SIN + INFINITIVO, según convenga:

1. Serían aproximadamente las cinco cuando llegó el avión presidencial.
2. La secretaria ha colgado el auricular en este mismo momento.

3. Hace una temporada que a mi padre sólo le interesa la Bolsa.
4. En el siglo pasado se usaban estufas para calentar las casas, pero ahora ya no.
5. Si sigue así, al final se volverá loca y tendrán que internarla.
6. Antes iba en tren, pero ahora ya no.
7. Hace un momento que la criada ha hecho la limpieza de la casa.
8. Probablemente el señor con bigote es el suegro de María.
9. Nunca ha puesto en orden sus libros y ahora, de repente, no hace más que ordenar.
10. –¿Has visto a Pilar? –La he visto hace un instante.
11. A fuerza de vérmelo siempre delante, al final lo he aborrecido.
12. No sé cuánta gente había en el museo, pero habría un centenar.
13. De repente Miguel se interesó por la literatura griega.
14. Probablemente es una persona honesta.
15. Hizo un esfuerzo superior a sus posibilidades, y al final se puso enfermo.
16. Hoy no tengo ganas de salir porque hace demasiado frío.
17. Si tomas demasiados cafés, al final no podrás dormir.
18. Antes me interesaban las novelas policiacas, pero ahora ya no.
19. Al panadero no le apetece abrir la tienda hoy.
20. Antes escuchaba la radio con frecuencia, pero ahora ya no.
21. Hace varios días que no salgo de casa.

## 130. Transforme las frases siguientes con una PERÍFRASIS:

1. Hace dos años que vamos de vacaciones a la playa.
2. Hemos leído de nuevo el Quijote.
3. Serán aproximadamente las cinco de la tarde.
4. De repente a Pablo le entraron ganas de ir en bicicleta.
5. Desde hace muchas horas me repite las mismas cosas.
6. Hacía un momento me habían dado la conferencia internacional que había pedido.
7. Estaba a punto de caerme a la vía del tren cuando un señor me agarró por un brazo.
8. No comprendo cómo se te ha ocurrido pensar eso.
9. Me dijo aproximadamente que yo era un sinvergüenza.
10. Hacía muchos años que no esquiaba.
11. Dijeron que vendrían.
12. Antes la gente visitaba los museos muy frecuentemente, pero ahora ya no.
13. Ramón está contento porque ha encontrado hace muy poco un trabajo interesante.

14. Venecia se hunde poco a poco por el desgaste del mar.
15. Hace mucho tiempo que le estoy observando.
16. Hoy me han entrado ganas de comer gazpacho.
17. Esta mañana me ha contado cómo ha pasado sus vacaciones y todavía me cuenta lo mismo.
18. Salió sin abrigarse bien y al final cogió un resfriado.
19. Su padre tiene aproximadamente setenta años.
20. Probablemente es tu amigo Jorge quien te llama.

## 131. Como el ejercicio anterior:

1. Durante largo tiempo vivió en el extranjero.
2. Si no resolvéis el problema de la pérdida del agua, la mancha se extenderá poco a poco.
3. No alcanzo a comprender cuáles son sus intenciones.
4. Justo poco antes había llamado el Ministerio de Asuntos Exteriores.
5. Mi amiga Carmen me sugirió más o menos que no me pusiera aquel vestido porque me caía muy mal.
6. Cuando menos te lo imagines, te subirán el sueldo.
7. Antes se ocupaba de artículos sanitarios y todavía se ocupa de ellos.
8. Hace cinco años que no veo a mis primos.
9. No sé qué hora sería, pero supongo eran las dos de la madrugada.
10. El año pasado los de la RENFE hicieron una huelga de celo y este año harán otra.
11. Me aseguró que me prestaría su tienda de campaña.
12. A fuerza de trabajar tantas horas con lo mismo, al final no comprendía nada.
13. Esta tarde saldré de compras con mis amigas.
14. Criticaba a todos sus compañeros de trabajo y todavía los critica.
15. Antes le consideraba una persona de mucho valor, pero ahora ya no.
16. No me digáis que ahora os han entrado ganas de fumar puros.
17. De mis abuelos maternos no he conocido a ninguno de los dos porque murieron cuando era muy pequeña.
18. Si cobras el doble de lo que te daban en el otro empleo, ¡cómo no has de vivir mejor!
19. De un tiempo a esta parte le ha entrado la manía de dejarse el bigote.
20. La niña engordaba poco a poco casi sin darse cuenta.

# Capítulo tercero

# OTRAS CUESTIONES GRAMATICALES BÁSICAS

# LAS PREPOSICIONES

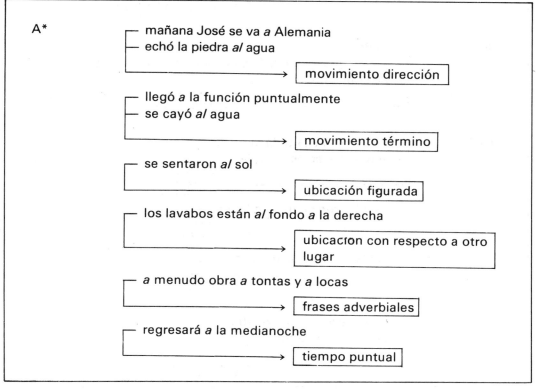

A*

- mañana José se va *a* Alemania
- echó la piedra *al* agua
  → movimiento dirección

- llegó *a* la función puntualmente
- se cayó *al* agua
  → movimiento término

- se sentaron *al* sol
  → ubicación figurada

- los lavabos están *al* fondo *a* la derecha
  → ubicación con respecto a otro lugar

- *a* menudo obra *a* tontas y *a* locas
  → frases adverbiales

- regresará *a* la medianoche
  → tiempo puntual

\* Las preposiciones marcadas con asterisco pueden ir seguidas de infinitivo. Véase, para cada caso, INFINITIVO, B (págs. 39-40).

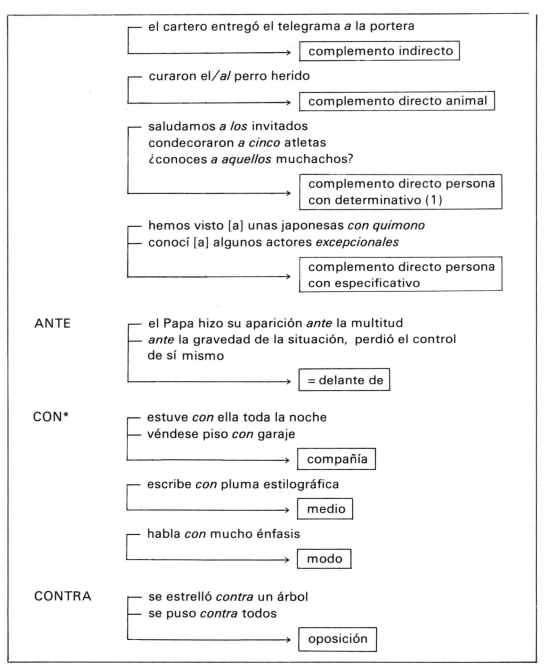

el cartero entregó el telegrama *a* la portera → complemento indirecto

curaron el/*al* perro herido → complemento directo animal

saludamos *a los* invitados
condecoraron *a cinco* atletas
¿conoces *a aquellos* muchachos? → complemento directo persona con determinativo (1)

hemos visto [a] unas japonesas *con quimono*
conocí [a] algunos actores *excepcionales* → complemento directo persona con especificativo

ANTE

el Papa hizo su aparición *ante* la multitud
*ante* la gravedad de la situación, perdió el control de sí mismo → = delante de

CON*

estuve *con* ella toda la noche
véndese piso *con* garaje → compañía

escribe *con* pluma estilográfica → medio

habla *con* mucho énfasis → modo

CONTRA

se estrelló *contra* un árbol
se puso *contra* todos → oposición

(1) Sin dicho determinativo, se omite la preposición: *he conocido pocos extranjeros en mi vida; la empresa busca una mecanógrafa*. Lo mismo vale para el verbo *tener: tiene dos hijos*.

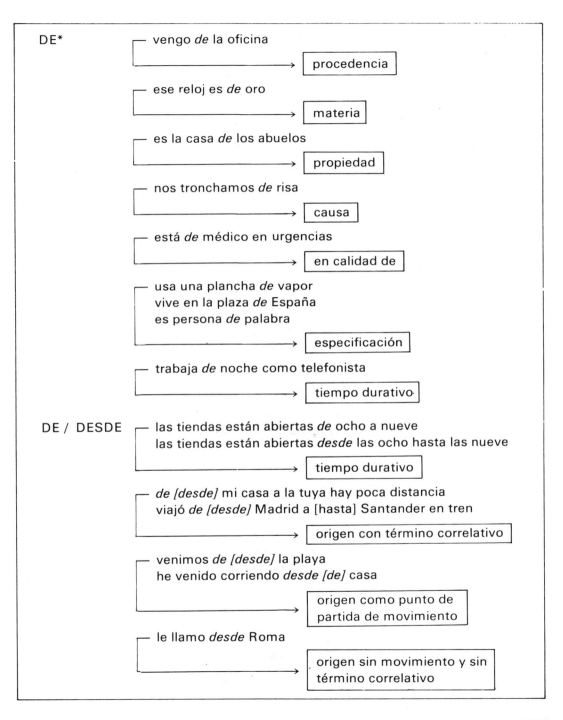

DE*

vengo *de* la oficina
→ procedencia

ese reloj es *de* oro
→ materia

es la casa *de* los abuelos
→ propiedad

nos tronchamos *de* risa
→ causa

está *de* médico en urgencias
→ en calidad de

usa una plancha *de* vapor
vive en la plaza *de* España
es persona *de* palabra
→ especificación

trabaja *de* noche como telefonista
→ tiempo durativo

DE / DESDE

las tiendas están abiertas *de* ocho a nueve
las tiendas están abiertas *desde* las ocho hasta las nueve
→ tiempo durativo

*de [desde]* mi casa a la tuya hay poca distancia
viajó *de [desde]* Madrid a [hasta] Santander en tren
→ origen con término correlativo

venimos *de [desde]* la playa
he venido corriendo *desde [de]* casa
→ origen como punto de partida de movimiento

le llamo *desde* Roma
→ origen sin movimiento y sin término correlativo

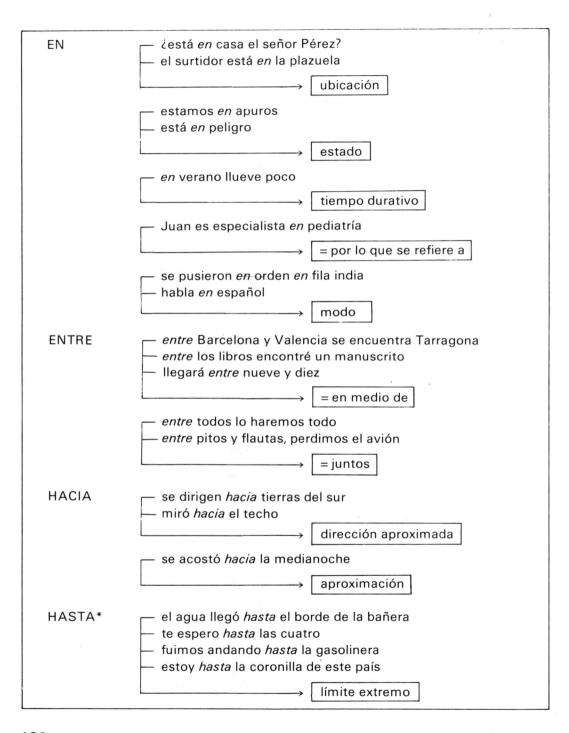

EN

¿está *en* casa el señor Pérez?

el surtidor está *en* la plazuela

→ ubicación

estamos *en* apuros

está *en* peligro

→ estado

*en* verano llueve poco

→ tiempo durativo

Juan es especialista *en* pediatría

→ = por lo que se refiere a

se pusieron *en* orden *en* fila india

habla *en* español

→ modo

ENTRE

*entre* Barcelona y Valencia se encuentra Tarragona

*entre* los libros encontré un manuscrito

llegará *entre* nueve y diez

→ = en medio de

*entre* todos lo haremos todo

*entre* pitos y flautas, perdimos el avión

→ = juntos

HACIA

se dirigen *hacia* tierras del sur

miró *hacia* el techo

→ dirección aproximada

se acostó *hacia* la medianoche

→ aproximación

HASTA*

el agua llegó *hasta* el borde de la bañera

te espero *hasta* las cuatro

fuimos andando *hasta* la gasolinera

estoy *hasta* la coronilla de este país

→ límite extremo

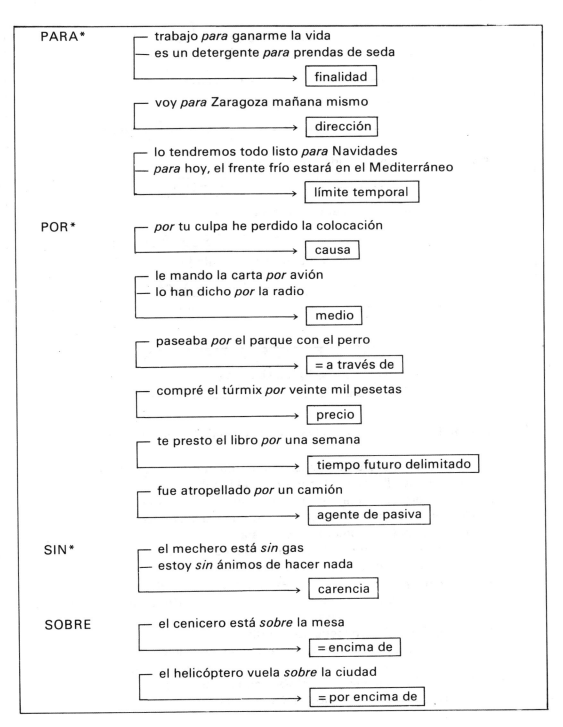

**PARA\***

— trabajo *para* ganarme la vida
— es un detergente *para* prendas de seda
→ finalidad

— voy *para* Zaragoza mañana mismo
→ dirección

— lo tendremos todo listo *para* Navidades
— *para* hoy, el frente frío estará en el Mediterráneo
→ límite temporal

**POR\***

— *por* tu culpa he perdido la colocación
→ causa

— le mando la carta *por* avión
— lo han dicho *por* la radio
→ medio

— paseaba *por* el parque con el perro
→ = a través de

— compré el túrmix *por* veinte mil pesetas
→ precio

— te presto el libro *por* una semana
→ tiempo futuro delimitado

— fue atropellado *por* un camión
→ agente de pasiva

**SIN\***

— el mechero está *sin* gas
— estoy *sin* ánimos de hacer nada
→ carencia

**SOBRE**

— el cenicero está *sobre* la mesa
→ = encima de

— el helicóptero vuela *sobre* la ciudad
→ = por encima de

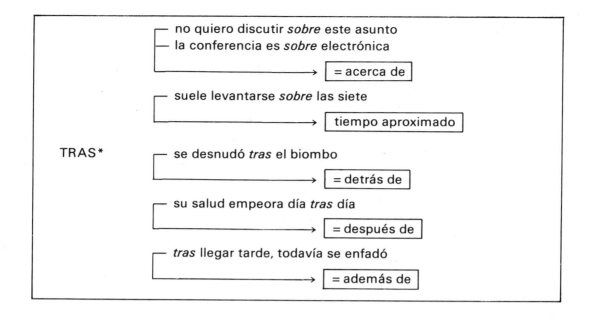

TRAS*

- no quiero discutir *sobre* este asunto
- la conferencia es *sobre* electrónica
  → = acerca de

- suele levantarse *sobre* las siete
  → tiempo aproximado

- se desnudó *tras* el biombo
  → = detrás de

- su salud empeora día *tras* día
  → = después de

- *tras* llegar tarde, todavía se enfadó
  → = además de

## EJERCICIOS

**132.** **Rellene los puntos suspensivos con las preposiciones A o EN:**

1. Yo no estoy acostumbrada ...... comer muy tarde por la noche.
2. Los soldados llevaban el macuto ...... el hombro.
3. Los estudiantes no tardaron ...... reconocer ...... el profesor de historia.
4. Llevaba un sombrero ridículo que terminaba ...... punta.
5. Les ruego hablen ustedes ...... voz baja.
6. El magistrado ha muerto ...... manos de los terroristas.
7. Felipe II sucedió ...... el trono ...... Carlos V.
8. Yo me niego ...... creer que él haya intervenido ...... el fraude.
9. Nos complacemos ...... comunicarles que la apertura del local tendrá lugar el próximo día 7 de octubre.
10. Has hecho mal ...... hacerle esa oferta.
11. Se esfuerza ...... comprenderlo, pero no lo consigue.
12. La visita del presidente italiano ...... España duró una semana.
13. El Santo Padre le invitó ...... el Vaticano ...... almorzar.
14. Hemos quedado ...... vernos mañana ...... las ocho.

15. El herido ha ingresado ...... el dispensario de urgencia.
16. Por la desesperación, se ahorcó ...... una viga del techo.
17. No ha participado jamás ...... una ceremonia semejante.
18. No dudará ...... hacerlo.
19. El campesino está subido ...... la escalera cogiendo aceitunas.
20. Llegaron justo ...... tiempo antes de que cerraran la estafeta.
21. Es una cuestión que hay que examinar ...... fondo.
22. ...... el jubilarse, mi abuelo se retiró ...... el campo.
23. Puso la toalla ...... el balcón para que se secara ...... el sol.
24. ...... este punto será mejor que dejemos la discusión.
25. El buzón está ...... el otro lado de la glorieta.
26. Sírvase pagar la consumición ...... caja.

## 133. Como el ejercicio anterior:

1. He dejado el grifo abierto y el agua, ...... el salirse del lavadero, se ha vertido toda ..... el suelo.
2. Los pájaros volaron ...... el cielo todos juntos.
3. Sus sinfonías están inspiradas ...... la música popular.
4. Para los platos, prefiero el jabón ...... granel.
5. Se obstina ...... negar que conoce ...... el asesino.
6. Te veo interesado ...... seguir escuchando ese cuarteto.
7. El señor Pueyo no tardó ...... hallar ...... su niño, que se había perdido entre la muchedumbre.
8. No acertó ...... decir su nombre porque lo recordaba ...... medias.
9. Uno de los medios para guardarse de los ladrones consiste ...... poner candados ...... puertas y ventanas.
10. Aquel autor todavía no está traducido ...... el español.
11. ...... el niño le gustaba mucho arrojar piedras ...... el río y ver los círculos que formaban ...... el agua.
12. Subió ...... el avión agarrándose ...... la barandilla.
13. Le han persuadido ...... dejar de fumar.
14. Consintió ...... cambiar de sección con tal de que le aumentaran el sueldo.
15. Me esfuerzo ...... escribir este artículo, pero me cuesta muchísimo.
16. ...... aquellos almacenes arreglan los tacones ...... el acto.
17. Preferimos sentarnos ...... la sombra.
18. Siento un molesto zumbido ...... los oídos.
19. Le han convocado ...... la reunión de mañana.
20. Vaciló ...... contestar ...... las preguntas de los reporteros.
21. Pasa todo el día mirándose ...... el espejo.

22. El asado está ...... su punto: quítalo del horno.
23. Se emperró ...... ir como misionero ...... África.
24. Llegamos ...... Sevilla y fuimos directamente ...... un hotel.
25. Está terminantemente prohibido escupir ...... el suelo.
26. Venta ...... exclusiva del producto ...... tiendas más acreditadas.

**134.** **Cuando sea necesario, rellene los puntos suspensivos con la preposición A seguida de complemento directo:**

1. El profesor informó ...... los alumnos de la fecha del examen.
2. A menudo, los políticos adulan ...... el pueblo.
3. El asesino eligió ...... una víctima entre los presentes.
4. Por unos momentos el miedo venció ...... el valor.
5. Mucha gente no ama ...... los animales.
6. Los atracadores amenazaron ...... el cajero con matarle a la menor resistencia.
7. Buscan ...... un testigo válido.
8. No he visto ...... nadie tan desvergonzado.
9. Temo un poco ...... los perros.
10. –¿Ha visto usted ...... alguien? –Sí, he visto ...... un extranjero con el plano de la ciudad en la mano.
11. Conocemos ...... personas que tienen un doble empleo.
12. Acusaron ...... Paco de estafa.
13. Buscamos ...... colaboradora doméstica sólo tardes.
14. En la aduana sólo controlaron ...... pocos viajeros.
15. No conozco ..... ningún japonés con el pelo rubio.
16. Ya tenemos ..... nuevo jefe de Gobierno.
17. Dio a luz ...... un niño en el avión.
18. No puedo reconocer ...... los que están de espaldas.
19. Necesitamos ...... dependiente que sepa inglés y francés.
20. ¿Ustedes tienen ...... muchos amigos españoles y suramericanos?
21. Dejó ...... Francia para vivir en España.
22. Escogieron ...... tres estudiantes como representantes de curso.
23. Habría que ayudar ...... los pobres.
24. Han elegido ...... un Papa extranjero.
25. ¿Cuándo vas a decidirte a presentar ...... tu novio a tus padres?
26. Considero ...... amigos míos ...... los amigos de mis amigos.

**135.** Rellene los puntos suspensivos con las preposiciones DE o DESDE:

1. La relación amorosa venía ...... atrás.
2. ...... aquí no se ve nada.
3. Es mejor ir ...... Barcelona a Madrid con el puente aéreo.
4. ...... las ocho de esta mañana no he comido ni un solo bocado.
5. Este avión viene ...... Málaga.
6. Le lanzó las llaves ...... la ventana.
7. ...... la salida del autobús, ha pasado media hora.
8. La calefacción está encendida ...... noviembre hasta abril.
9. Comentaremos el Quijote ...... el capítulo XX.
10. No ha vuelto a ver a su marido ...... cuando se han separado.
11. Es paralítico ...... nacimiento.
12. Le llamó ...... el pasillo.
13. ...... aquí a mayo tienes tiempo de sobra para entrenarte.
14. Todos tienen que respetar el estatuto, ...... el rector hasta el último de los estudiantes.
15. Es enfermo incurable ...... cuando tuvo el accidente.
16. ...... algunos años a esta parte, ha habido varios terremotos en la cuenca del Mediterráneo.
17. ...... arriba se ve perfectamente toda la ciudad.
18. Esta partida de vaqueros llega ...... los Estados Unidos.
19. ...... que se conocieron se han hecho grandes amigos.
20. Durmió de un tirón ...... las diez de la noche hasta las nueve de la mañana.
21. ...... 1980 no ha habido devaluación de moneda.
22. Nos conocemos ...... toda la vida.
23. ...... el pasado otoño no he vuelto a coger la escopeta.
24. Esto se viene diciendo ...... siempre.
25. Llevo esperando la carta ...... enero.
26. Este perfume viene ...... el invernadero.
27. ...... el punto de vista político, este país es ingobernable.
28. ...... el momento que no hay calefacción, compraremos una estufa.

**136.** Rellene los puntos suspensivos con las preposiciones POR o PARA:

1. Todo complejo industrial de tipo capitalista termina ...... morir.
2. Su poesía se caracteriza ...... la violencia de expresión.
3. Tenía la cara muy desfigurada ...... las cicatrices.
4. El asesinato ha sido perpetuado ...... la madre de la víctima.
5. ¡Ya lo creo que se ha ofendido! Tiene buenos motivos ...... estarlo.

6. Toda su vida se ha jugado la piel ...... defender sus ideas.
7. Lo haré ...... el bien de todos.
8. Estoy impaciente ...... conocerle.
9. Este asunto no le interesa ...... nada.
10. Han demostrado un gran interés ...... conocer el mecanismo del nuevo aparato.
11. Mejor que te lleves otra rueda de recambio ...... si acaso.
12. En el casco antiguo hay unos despachos ...... alquilar.
13. Los transeúntes pasaban ...... delante del palacio real.
14. Me preguntaron ...... ti, pero no supe decirles dónde te habías metido.
15. Aún faltan ...... planchar unas sábanas.
16. Todos me toman ...... mi hermana porque nos parecemos mucho.
17. Brindaron ...... el buen éxito de los exámenes.
18. Hay que darse prisa porque está ...... empezar la trasmisión.
19. Los guardias sujetaron ...... los brazos al preso.
20. Yo abogo ...... la abolición de la caza.
21. Me queda todavía mucho trabajo ...... hacer.
22. Está ensayando mucho ...... presentarse en público.
23. ¡Le llaman ...... teléfono, señor!
24. Estamos muy preocupados ...... su salud mental.
25. He puesto dos cordeles ...... sujetarlo mejor.
26. De esta pareja se puede decir que ha nacido el uno ...... el otro.


**137.** **Como el ejercicio anterior:**

1. He preguntado ...... él ...... saber cómo andaba de salud.
2. No creo que el calentador se haya roto ...... los malos tratos, sino más bien porque es muy viejo.
3. Le han elegido precisamente a él ...... este puesto.
4. Dejad de pelearos, ¡ ...... Dios!
5. ...... lo visto, hoy tiene ganas de salir.
6. Con el calor que hace, daría lo que fuera ...... estar en la playa.
7. Ha opositado ...... jefe de negociado.
8. El incendio se produjo ...... un corto circuito.
9. Lo admiro ...... su entereza.
10. Lo hace únicamente ...... fastidiar al prójimo.
11. Lo dice ...... pura envidia.
12. Necesito hablar con él, ...... eso lo busco.
13. No he venido ...... divertirme, sino ...... resolver esa cuestión.
14. Envíenme sin obligación de compra ...... mi parte un ejemplar.

15. Te aconsejo que apuestes ...... el caballo número 13.
16. Mañana salgo de Bilbao ...... Madrid y pasaré ...... Burgos.
17. Pedro no tenía ninguna gana de estudiar y acabó ...... ir al cine.
18. ...... las buenas o ...... las malas tendrán que hacerlo.
19. Le pagan bien ...... lo poco que hace.
20. Le han autorizado ...... cobrar su jubilación.
21. Se ha demostrado que muchos medicamentos no sirven absolutamente ...... nada.
22. ...... encargo pueden hacerse trajes a medida.
23. ...... fuerza tendrás que vacunarte.
24. ...... poco me atropella un camión esta tarde.
25. El año 1979 ha sido un año muy duro ...... la economía nacional.
26. El alcalde, acusado ...... la prensa, ha presentado querella.

## 138. Como el ejercicio anterior:

1. No hay que medir el progreso sólo ...... la maquinaria que se produce.
2. En muchas ciudades empieza la preocupación ...... el exceso de gases.
3. Me decía ...... mis adentros que aquella situación era insostenible.
4. No quiero estudiar: me da ...... salir de paseo.
5. Estaba ...... cantarle las cuarenta, pero se quedó callado.
6. En las últimas elecciones yo no he votado ...... nadie.
7. ...... limpiar la casa habría que empezar ...... sacar todos los muebles.
8. No me vas a convencer ...... más que te empeñes.
9. ...... fin conseguí enterarme de lo que había pasado.
10. Dice esas cosas adrede ...... zaherirme.
11. Haría cualquier cosa ...... demostrarle que he actuado de buena fe.
12. El pobre está ...... el arrastre.
13. ...... muestra vale un botón.
14. No le gusta que decidan las cosas ...... él.
15. Te lo dejo ...... que lo consultes, no ...... que te lo lleves a casa.
16. ...... postre tengo melocotones en almíbar.
17. ...... mí, puede marcharse cuando le dé la gana.
18. No le han dado el empleo ...... ser extranjero.
19. Con el juego, se ha arruinado ...... toda la vida.
20. ...... lo menos, pásate cinco minutos ...... mi casa.
21. De vez en cuando, ...... consolarme, echo un trago.
22. Si no hacemos nada ...... la colectividad y ...... realizarnos y educarnos, ¿...... qué queremos la cooperativa?
23. ...... lo pequeño que es, ya habla muy bien.

24. He ido a la tienda ...... un kilo de patatas ...... mi madre.
25. Estábamos sin agua y ...... colmo se apagó la luz.
26. A causa de su difícil acceso, algunas playas están ...... estrenar.

**139.** **Rellene los puntos suspensivos con las preposiciones necesarias:**

1. Le hicieron una serie ...... preguntas ...... quemarropa.
2. El Real Madrid y el Zaragoza han empatado 3 ...... 3.
3. Se le nota que está muy disgustado ...... el tono ...... la voz.
4. Es ...... una sinceridad que le brota ...... los ojos.
5. La Ferrari va ...... más ...... 200 kilómetros ...... hora.
6. Podemos enviarlo ...... petición ...... el interesado.
7. Algunos motivos populares se han incorporado ...... la poesía cortesana caballeresca.
8. Las personas que tengan objetos ...... declarar deben pasar ...... la puerta A.
9. Me he decidido ...... estudiar el rumano.
10. ...... cuanto los tenga, te enviaré los documentos ...... correo certificado.
11. Hoy no tengo ganas ...... ir ...... la compra.
12. Si sigues gastando ...... este modo, ...... la larga te quedarás ...... dinero.
13. ...... grado o ...... fuerza tendrán que pagarme el alquiler.
14. El comer ...... deshora perjudica el estómago.
15. Te has puesto la camisa ...... el revés.
16. ...... rigor lo que ha dicho no es nada ...... el otro jueves.
17. Mi padre no tiene ningún miedo ...... la muerte.
18. Hay que abrir la ventana: ese cuarto huele ...... cerrado.
19. ...... estos últimos años está muy ...... boga el agarrado.
20. Luis se ha presentado ...... tres convocatorias y no tiene derecho ...... presentarse otra vez.
21. Casi todos los judíos sucumbieron ...... la masacre hitleriana.
22. Admiro su capacidad ...... hacer dos o tres cosas ...... la vez.
23. La aparición ...... el Volkswagen Golf Diesel revolucionó el mundo ...... los motores movidos ...... gasóleo.
24. Se negaron ...... redondo ...... formar parte ...... la logia masónica.
25. ...... estas fechas ...... invierno el tiempo se prevé que será muy caluroso.
26. Estos chicos se toman los estudios muy ...... chunga.

**140.** **Como el ejercicio anterior:**

1. ...... juzgar ...... su apariencia, nadie diría que está enfermo.
2. Eso no lo haría yo ...... nada ...... el mundo.

144

3. El pescadero tiene que levantarse muy ...... madrugada.
4. Si ves ...... Antonio, pregúntale ...... las llaves ...... el piso ...... arriba.
5. Diríjase ...... la derecha.
6. Siempre debes conducir ...... la derecha.
7. Los bueyes tiran ...... el arado.
8. No se encuentra nada bien y no está ...... bromas.
9. ...... la acera ...... enfrente había un gran alboroto.
10. Salida ...... el exterior ...... la escalera ...... incendios.
11. El acudir ...... la energía solar es sólo un intento ...... terminar ...... la crisis energética.
12. ...... la fuerza tuve que dejarlo que se fuera.
13. El balazo le dio ...... lleno ...... el pecho.
14. Me tomaré, ...... empezar, unos huevos pasados ...... agua.
15. Le llamaban ...... gritos y no se daba ...... aludido.
16. Le indicamos ...... el camarero que queríamos una mesa ...... dos.
17. ¿Has leído la novela ...... Sender «Réquiem ...... un campesino español»?
18. La señora salió ...... el sanatorio apoyada ...... el brazo de su hijo.
19. Si mi padre llega ...... saber lo que he hecho, me echa una bronca ...... aúpa.
20. María es muy aficionada ...... la música.
21. Te has molestado ...... balde porque no necesito tu ayuda.
22. He dado ...... limpiar las mantas ...... seco.
23. Durante estos últimos años la tierra ha sido cultivada ...... el máximo.
24. Tendrán que obedecer ...... las órdenes ...... el coronel ...... la mayor brevedad posible.
25. Cada vez que va ...... el neurológo se encuentra mejor.
26. ¡Cómo no resuelves este crucigrama siendo así ...... sencillo!

## 141. Como el ejercicio anterior:

1. ...... cambio ...... estos libros que me prestas, llévate algunos ...... los míos.
2. ...... la conferencia, algunos hablan ...... sus propias experiencias como ejemplos ...... seguir.
3. Anduvieron ...... buen paso todo el día y ...... la noche llegaron ...... el refugio.
4. Ten ...... seguro que no se presentarán ...... las manos vacías.
5. ...... miras ...... el viaje ...... el extranjero, fuimos ...... la jefatura ...... policía ...... sacar el pasaporte.
6. Esta sopa tiene un sabor ...... ajo que no me gusta nada.
7. ...... milagro no se hizo nada cuando su coche chocó ...... costado ...... el tranvía.
8. Abrió las ventanas ...... par ...... par y ...... pronto el cuarto se llenó ...... el olor ...... las flores.

9. Ha tenido que rendirse ...... la evidencia ...... los acontecimientos.
10. Pasa ...... listo, pero ...... realidad no lo es.
11. El alumno que se examinó ...... matemáticas se sabía ...... carrerilla toda:
las reglas.
12. Hay muchos que posponen el interés ...... la honra.
13. Inserté un anuncio ...... el periódico ...... vender el chalet.
14. Acabado el chiste, todos se echaron ...... reír ...... carcajadas.
15. Mi hijo demuestra gran capacidad ...... el estudio ...... las ciencias.
16. Se fue ...... Roma ...... autostop.
17. La película que estrenan ...... aquel cine no es apta ...... menores.
18. Se ha puesto muy gordo ...... tanto comer embutidos.
19. El pescado es muy rico ...... proteínas.
20. Se conformó ...... viajar ...... litera, ya que el tren no tenía coche-cama.
21. Puedes contar ...... mi ayuda ...... resolver tus problemas.
22. Estaba ...... salir, pero ...... el final prefirió quedarse ...... casa.
23. ...... cierto, esta noche pienso leer un poco este libro que dices.
24. Los Reyes se fueron ...... incógnito ...... pasar su luna ...... miel ...... una isla
...... las Filipinas.
25. Si duermes tanto ...... día, ...... noche no tendrás sueño.
26. El garaje se abre ...... un mando ...... distancia.

## 142. Como el ejercicio anterior:

1. ...... toda seguridad vendrá el lunes.
2. Esa lana inglesa no se puede comparar ...... esa otra: hay un abismo ......
las dos.
3. Estoy seguro ...... que el banquero ha obrado ...... mala fe.
4. Esa es gentuza que especula ...... todo.
5. Aquel talismán le pondría ...... salvo ...... las traiciones ...... el amor.
6. Le interesa todo, pero ...... manera especial las ciencias naturales.
7. Sabe tocar varios instrumentos ...... cuerda.
8. ...... comparación ...... su hermano mayor, Pepe va mucho más adelantado.
9. ...... la hora ...... jugar ...... la salud, nadie se fija ...... el precio ...... la visita
médica.
10. José Antonio se presenta acompañado ...... sus padres.
11. Es una persona muy discreta: no se mete ...... nadie.
12. María es católica ...... el ciento ...... ciento.
13. El país se encuentra sumido ...... el miedo.
14. Avisaron ...... el atentado ...... las autoridades.
15. Nadie duda ...... vincular estos extremistas ...... los grupos ...... extrema
derecha.

16. Habría que sustituir ...... el actual director ...... un joven experto.
17. ...... el momento ...... actuar han prescindido ...... sus consejos.
18. La escena se repite ...... el infinito.
19. No creo que consienta ...... hacer la denuncia.
20. Este caso me parece distinto ...... el que me planteaste la semana pasada.
21. El ingreso ...... España ...... el Mercado Común es inminente.
22. Ha sido el primero ...... atravesar el Océano.
23. Nadie hace caso ...... lo que dicen.
24. Tuvieron que poner ...... contacto ...... el hijo ...... la madre.
25. Le han obligado ...... desalojar la casa ...... mucho que tarde ...... encontrar otra.
26. ...... sólo pulsar esta tecla, cambia usted ...... cadena.

## 143. Como el ejercicio anterior:

1. Han dado ...... conocer los resultados ...... el último referéndum.
2. Lo han metido ...... trabajar ...... una fábrica ...... los catorce años.
3. ...... la frontera le han obligado ...... mostrar lo que llevaba ...... el equipaje.
4. Es ...... desear que llueva porque estamos pasando una temporada ...... sequía atroz.
5. ...... el fin se atrevió ...... pedirle el coche ...... su padre ...... poder salir ...... sus amigos.
6. ...... algunos países se aplica un impuesto especial ...... los perros.
7. ¿Estás hablando ...... serio o ...... broma?
8. Permaneció horas y horas sentado ...... espaldas ...... el sol porque le hacía daño ...... la vista.
9. ...... saber llevar un coche como Dios manda, no basta ...... sacar ...... duras penas el carné ...... conducir.
10. Quien usa ...... la violencia, acabará siempre mal.
11. Se realizó la feliz boda ...... que soñaba mi prima.
12. He tratado ...... explicarte lo que pasó, pero tú no lo entiendes.
13. Han construido una piscina ...... forma ...... corazón.
14. Quedaron pasmados ...... ver a los hinchas gritando ...... aquel modo.
15. Aquel comerciante trata ...... grifería.
16. Acuérdate ...... llevarte el paraguas, ...... si las moscas.
17. Todo país industrializado tiende ...... crecer.
18. No he acabado ...... el todo lo que estoy haciendo.
19. ...... el final, Manolo acertó ...... el número ...... teléfono ...... su amigo.
20. Juan es una persona muy predispuesta ...... los catarros.
21. Me han convidado ...... una copa ...... vermut.

22. ...... esta tienda ...... electrodomésticos venden cocinas ...... gas y televisores ...... color.
23. La firma pasó ...... poder ...... su yerno.
24. Me he pasado toda la noche soñando ...... él.
25. Se oyeron voces ...... la ventana que da ...... el patio.
26. ...... lo que cuesta, merece la pena comprarlo.

## 144. Como el ejercicio anterior:

1. Enviándole el pésame, has cumplido ...... tu deber.
2. Es un chico muy bueno y se contenta ...... muy pocas cosas.
3. Cuando te decidas ...... decírselo, será demasiado tarde.
4. Si sigues así, vas ...... acabar ...... mi paciencia.
5. ...... el calor, el agua se convirtió ...... vapor.
6. Yo tengo un tío ...... América que se interesa ...... asuntos económicos.
7. No quiero que nadie ande ...... mis papeles personales.
8. Lee muchísimo y está ...... todo lo que pasa ...... el mundo.
9. Toda la ciudad resonaba ...... gritos ...... júbilo ...... la victoria ...... su equipo.
10. Su teoría se basa ...... el psicoanálisis.
11. Me has sorprendido ...... esta respuesta.
12. He sostenido ...... razones muy válidas tu tesis.
13. El cirujano salió ...... el quirófano ...... la bata bañada ...... sangre.
14. Rafael no es nada comilón y se sacia ...... poco.
15. Pasa el día entero sentado ...... cuclillas jugando ...... trenes.
16. La policía vigila ...... el bien público ...... defensa ...... los ciudadanos.
17. Los niños se zambullían ...... el agua chillando y riendo.
18. El chico seguía ...... su propósito ...... liar ...... alguna compañera suya.
19. He sembrado el jardín ...... flores exóticas.
20. ...... el darse cuenta ...... que eran las siete, se marchó rápidamente.
21. Esta tarde la dedicaremos ...... ir ...... compras.
22. Estoy ...... acuerdo ...... (tú) sólo ...... algunas cosas.
23. Acuérdate siempre ...... las palabras ...... tu padre.
24. Durante los procesos ...... la Inquisición no todos renegaban ...... su fe y creencias.
25. La única manera ...... acabar ...... la barbarie ...... el país es hacer leyes más severas y fuertes.
26. ...... bromas y veras, le dijo exactamente lo que pensaba ...... él.

**145.** Como el ejercicio anterior:

1. Metieron ...... el niño ...... una guardería porque sus padres no podían cuidarse ...... él.
2. Murió ...... una crisis cardiaca.
3. Están corrigiendo las pruebas ...... imprenta ...... vistas ...... la reimpresión ...... el texto.
4. ...... consecuencia ...... la quiebra, huyeron ...... el país.
5. Estoy orgulloso ...... haber tenido un tío miembro ...... el Senado.
6. Mientras esperaba el nacimiento ...... su hijo, iba todo el tiempo ...... un lado ...... otro.
7. Tuve la impresión ...... que tropezaría ...... él.
8. No le gustaba aquella conversación y el joven quería cambiar ...... tema.
9. No hay duda ...... que la lluvia es muy buena ...... el campo.
10. Escriba los datos ...... máquina o ...... letra ...... imprenta.
11. El novio cogió ...... el brazo ...... la novia y salieron juntos ...... la plaza ...... las palmadas ...... amigos y parientes.
12. Se obstina ...... acostarse tarde jugando ...... póquer ...... los amigos.
13. Fíjense bien ...... el mecanismo ...... la computadora.
14. ...... los precios señalados hacemos el 20 por 100 ...... descuento.
15. Si sigues gastando ...... ese modo, acabarás arruinándote.
16. Anda ...... la farmacia y ...... paso compra una botella ...... leche.
17. Estábamos charlando tan tranquilos cuando ...... buenas ...... primeras empezó ...... insultarnos.
18. Lo sé ...... sobra que lo has hecho ...... ayudarme.
19. Resulta imposible saber ...... antemano cómo va ...... reaccionar ...... una situación semejante.
20. Quiero verte aquí el lunes ...... falta.
21. Si continúa ahorrando, recuperará ...... creces su dinero.
22. Abandonó la competición ...... vista ...... que ya no podía ganarla.
23. La mayoría ...... la gente se ofende ...... nada.
24. Hay que llamar ...... cada cosa ...... su nombre.
25. Colgó la boina ...... el perchero.
26. Aviso ...... los señores pasajeros ...... vuelo 828, destino Sevilla.


**146.** Como el ejercicio anterior:

1. No pude menos ...... pensar que debajo ...... todo aquel asunto había un engaño.
2. Te ruego me dejes ...... paz.

3. El pobre está loco ...... atar.
4. Esto que usted dice suena ..... broma.
5. El humo se levantaba ...... el cigarrillo ...... espiral.
6. Estuve esperándote ...... la esquina una hora.
7. Insistí muchísimo ...... que se atuviera ...... una estricta dieta.
8. Tu manera ...... llevar este asunto no tiene nada ...... lógico.
9. Venta ...... géneros ...... punto ...... el por mayor.
10. Todo lo que ha dicho es completamente descabellado ...... el principio ......
    el fin.
11. El vino italiano compite ...... calidad ...... el francés.
12. No consigo aprender todas estas leyes ...... memoria.
13. ...... Rodesia la Constitución ha sido modificada ...... favor ...... la mayoría
    negra.
14. Se esforzó ...... decírnoslo ...... el modo más diplomático posible, pero lo
    consiguió sólo ...... parte.
15. Colocaron el kiosko ...... el lado ...... el puesto ...... libros.
16. Tus ideas discrepan demasiado ...... las mías.
17. Fue ...... parar ...... un hospital ...... ancianos.
18. Se han instalado ...... un sótano húmedo y lóbrego.
19. ...... las extensas llanuras regadas ...... el Guadalquivir se ven ...... derecha e
    izquierda praderas ...... caballos y toros ...... lidia.
20. Pasamos ...... ...... medio ...... huertos ...... naranjos llenos ...... fruta.
21. ...... pesar ...... que estoy lejos, pienso muchísimo ...... ti.
22. Desató la admiración y el disgusto ...... partes iguales.
23. La habitación estaba enlosada ...... mármol blanco.
24. Todas estas disensiones amenazan ...... romper ...... el partido ...... tres o
    cuatro subpartidos.
25. Hoy día, todo el mundo puede ingresar ...... la universidad.
26. Ha amueblado la casa ...... muebles ...... estilo.

**147.** **Como el ejercicio anterior:**

1. Hay que darle la vuelta ...... el grifo ...... sentido contrario ...... la dirección ......
   las manecillas ...... el reloj.
2. ...... el final decidió dejar ...... lado aquel asunto.
3. El periódico ha informado ...... una reunión ...... la cumbre ...... los tres grupos terroristas.
4. Pedro quedó ...... su amigo ...... venir ...... mi casa esta tarde.
5. Los 6.000 camiones, ...... paro durante tres días, pusieron ...... el borde ...... el
   colapso ...... la zona minera más importante ...... el país.

6. Tropezó ...... una piedra y dio ...... bruces ...... el suelo.
7. Todo el mundo coincide ...... señalar la gestión ...... la empresa como inoperante o incluso inexistente.
8. ...... España los coches extranjeros pierden gran parte ...... su atractivo ...... el elevado precio ...... su venta.
9. El camino se perdía ...... un bosque enorme y espeso.
10. Este sótano recibe la luz ...... una claraboya.
11. No todos son entendidos ...... música.
12. He tratado ...... conectar ...... él llamándole ...... casa y ...... la oficina, pero ha sido ...... vano.
13. Me río ...... su modo tan torpe ...... hablar y gesticular.
14. Nada es, ...... efecto, más remoto ...... la verdad y ...... los hechos.
15. Después ...... la estafa, le removieron ...... su puesto.
16. Está rendido ...... cansancio: ha estado todo el día ...... pie.
17. Me caeré ...... tu casa ...... cuanto pueda.
18. Se precia ...... valiente, aunque todos sabemos que es un cobarde.
19. ...... causa ...... la tormenta, algunos marineros cayeron ...... el mar.
20. ...... apoyo ...... sus pretensiones, aduce el derecho ...... heredero ...... el difunto.
21. Los anárquicos instigaban ...... el pueblo ...... la rebelión.
22. Publicaron la entrevista ...... escondidas ...... el entrevistado.
23. Se encogió ...... hombros y no volvió ...... hablar.
24. Lo eligieron ...... unanimidad.
25. Aumentarán la gasolina ...... un 10 por 100.
26. Han abierto un nuevo instituto ...... expertos ...... agricultura.

**148.** **Cuando se requiera, rellene los puntos suspensivos con las preposiciones necesarias en las expresiones de TIEMPO de las frases siguientes:**

1. El Rey Juan Carlos visitará Canarias ...... la primera quincena ...... diciembre.
2. El Servicio Meteorológico Nacional advirtió que dejaría de llover ...... mediados ...... agosto.
3. ...... esta época las playas suelen estar llenas de gente.
4. ...... hacía unas semanas, la CIA disponía de informaciones de extraordinaria importancia.
5. ...... dos meses de debate, llegaron a un acuerdo.
6. ...... el mes ...... marzo se formó una comisión permanente.
7. ...... 1492 se descubrió América.
8. ...... la puesta del sol los campesinos regresaban a sus casas.
9. Volveremos a vernos dentro ...... unos días.
10. Comerá con nosotros hoy ...... mediodía.

11. Se emborracharon ...... la noche y ...... la mañana siguiente tenían resaca.
12. Llamé un taxi por teléfono y éste llegó ...... los cinco minutos.
13. Las señoras iban llegando ...... la hora del té.
14. ...... (el) invierno se celebrarán los Juegos Olímpicos.
15. La guerra civil española empezó ...... el año 1936.
16. Este año, Pascua de Resurrección cae ...... (el) 15 ...... abril.
17. ...... la media hora que le esperaba, se enfadó y se marchó.
18. Mi cumpleaños es ...... el 9 ...... marzo.
19. Los grillos se oyen ...... el atardecer.
20. Se vieron ...... junio y volvieron a verse ...... el cabo ...... un mes.
21. ...... los albores de la Edad Media, existía sólo una economía agraria.
22. ...... primera vez ...... veinte años, regresaba a su patria.
23. El jefe de familia ...... hace cincuenta años era más autoritario que el de hoy ...... día.
24. Ya ...... los años ...... 1960 empezaba la protesta estudiantil.
25. ...... el mes ...... prueba, le contrataron.
26. ...... hoy, el frente frío estará sobre la vertiente mediterránea.
27. No tienes que devolvérmelo: te lo doy ...... siempre.
28. ...... vísperas ...... elecciones, los debates políticos son muy frecuentes.

## 149. Como el ejercicio anterior:

1. Se casaron ...... el mes pasado.
2. Hoy estamos ...... 21 ...... septiembre.
3. Voy a la peluquería una vez ...... (la) semana.
4. Madrid, 18 ...... julio ...... 1980.
5. Le aseguraron que le entregarían el título ...... el menor tiempo posible.
6. La novia espera tener listo el ajuar ...... un mes.
7. Faltan muy pocos días ...... fin ...... año.
8. ...... el poco de estar allí, ya conocía a medio mundo.
9. He trabajado ...... dos días seguidos y estoy rendido.
10. Estaré con vosotros ...... verano.
11. Pienso pasar aquí ...... el otoño.
12. Le quedan ...... dos días de estar en el hospital.
13. ...... aquí ...... el lunes tendremos ocasión de hacer muchas cosas.
14. La SEAT produce varios tipos de coches ...... (el) año.
15. Tendré que llevar la pierna escayolada ...... dos meses.
16. ...... el amanecer, los pescadores se encuentran ya en alta mar.
17. El accidente tuvo lugar ...... el atardecer del domingo.
18. Volveré a hablar con el gerente de la empresa ...... finales ...... mes.

19. La apertura del nuevo local se prevé ...... Navidad.
20. Le he prestado la máquina de escribir sólo ...... unos días.
21. La restauración de los frescos de la cúpula estará lista ...... el plazo ...... tres meses.
22. No consigo hacer más de 400 kilómetros ...... el día.
23. Es la primera vez que sale al extranjero ...... muchos años.
24. Tenga la amabilidad de esperarme un momento: estoy con usted ...... el minuto.
25. He decidido quedarme aquí ...... quince días.
26. Compre ahora su casa y páguela ...... veinticinco años.
27. ...... última hora tendremos nubosidad variable con algún chubasco aislado.
28. Muchos decidirán su voto ...... el último cuarto de hora.

## SER / ESTAR

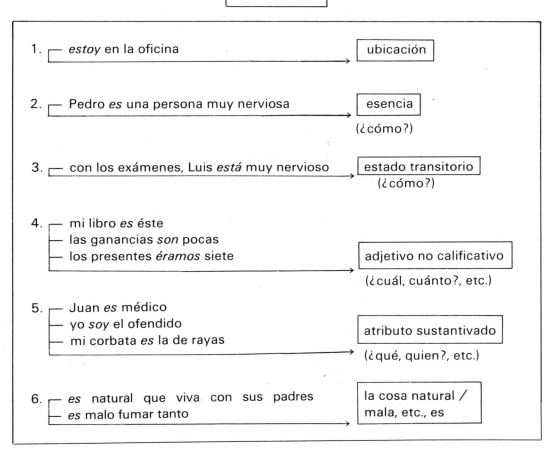

1. ┌─ *estoy* en la oficina ──────────────→ ubicación

2. ┌─ Pedro *es* una persona muy nerviosa ──→ esencia
   (¿cómo?)

3. ┌─ con los exámenes, Luis *está* muy nervioso ──→ estado transitorio
   (¿cómo?)

4. ┌─ mi libro *es* éste
   ├─ las ganancias *son* pocas
   └─ los presentes *éramos* siete ──────→ adjetivo no calificativo

   (¿cuál, cuánto?, etc.)

5. ┌─ Juan *es* médico
   ├─ yo *soy* el ofendido
   └─ mi corbata *es* la de rayas ──────→ atributo sustantivado

   (¿qué, quien?, etc.)

6. ┌─ *es* natural que viva con sus padres
   └─ *es* malo fumar tanto ──────────→ la cosa natural / mala, etc., es

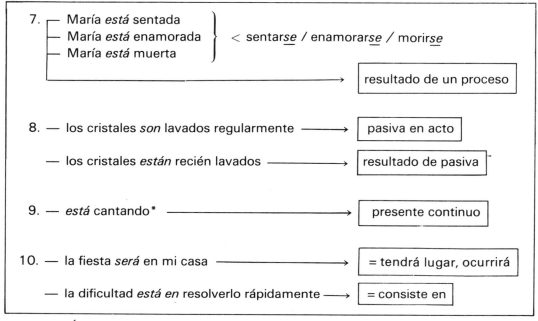

7. ─ María *está* sentada
   ├─ María *está* enamorada  } < sentar*se* / enamorar*se* / morir*se*
   └─ María *está* muerta

   ──────────────────────────→ | resultado de un proceso |

8. ─ los cristales *son* lavados regularmente ──→ | pasiva en acto |

   ─ los cristales *están* recién lavados ──→ | resultado de pasiva |

9. ─ *está* cantando* ──────────────────→ | presente continuo |

10. ─ la fiesta *será* en mi casa ──────────→ | = tendrá lugar, ocurrirá |

   ─ la dificultad *está en* resolverlo rápidamente ──→ | = consiste en |

\* Cfr. PERÍFRASIS VERBALES (págs. 125-126).

## EJERCICIOS

**150.** **Complete las frases siguientes con SER O ESTAR, según los puntos de 1 a 6:**

1. El footing ...... bueno para el corazón.
2. Pérez ...... persona acostumbrada a mandar.
3. En casa yo siempre ...... con la bata.
4. El viajero ...... medio dormido.
5. La asistenta ...... una persona amable.
6. La noche ...... más bien fresquita.
7. Ayer ...... un día muy bochornoso.
8. La farmacia ...... a la derecha de la panadería.
9. Los deportistas ...... acostumbrados a conducir una vida sana.
10. Enciende la luz porque la habitación ...... a oscuras.
11. El pobre ...... tartamudo de nacimiento.
12. Él ...... tan absorto en la lectura que no se dio cuenta de nada.

13. Ahora la vida no ...... como antes.
14. En esta ciudad ...... donde tengo mi casa.
15. ¿...... (tú) listo? ¡Ya ...... hora de marcharse!

## 151. Como el ejercicio anterior:

1. Carolina ...... en Londres para participar en el concurso de Miss Mundo.
2. El paisaje del norte de España ...... muy verde.
3. ...... útil airear de vez en cuando los ambientes cerrados.
4. He trabajado mucho y ...... exhausto.
5. –¿...... usted de Málaga? –No, ...... (yo) de Huelva.
6. Aquel chico ...... muy listo.
7. La cena ...... verdaderamente muy rica.
8. El niño ...... muy cómodo en el cochecito.
9. Les deseo que ...... ustedes muy felices.
10. Durante toda la ceremonia, la chiquilla ...... muy seria.
11. ...... (él) muy furioso de ver que todo el mundo le gana.
12. ...... (yo) una enamorada de la naturaleza.
13. A mediodía los niños ...... seguramente en casa.
14. Me ...... igual ir al cine o al teatro.
15. ...... (él) un juez comprensivo y generoso.

## 152. Como el ejercicio anterior:

1. Tengo un amigo que ...... abogado.
2. Este libro me lo llevo yo porque ...... mío.
3. Cuando le daban el sonajero, el niño ...... muy tranquilo.
4. En esta ciudad ...... (yo) algo desorientado.
5. Traficar en drogas, ¡esto sí que ...... un negocio!
6. ...... curioso que no le hayan advertido con tiempo.
7. ...... (él) el último de los escaladores en llegar a la cumbre.
8. No comas aquel caqui porque todavía no ...... maduro.
9. La escuela ...... un viejo monasterio.
10. Esto ...... un seguro contra incendio.
11. El diccionario ...... en el estante de la derecha.
12. El cielo ...... azul.
13. ...... (yo) harto de repetirte siempre lo mismo.
14. De momento, lo importante ...... desinfectar la herida.
15. Mi primo ...... aparejador.

**153.** Complete las frases siguientes con SER o ESTAR, según los puntos 7 a 10:

1. Cada dos por tres ...... (él) expulsado del colegio.
2. Las cortinas ...... lavadas en seco y debidamente planchadas.
3. El problema ...... en cómo ahorrar energía eléctrica.
4. ...... (ustedes) pasando una mala temporada.
5. La carta no ...... muy bien escrita.
6. Los exámenes ...... en el Aula Magna.
7. Los campeonatos ...... emitidos en Mundovisión.
8. El libro no ...... fechado.
9. Puedo asegurarte que no ...... (él) enfadado contigo.
10. Lo difícil ...... contentar a todos.
11. ¡No entren: ...... desnudo!
12. Después del susto que se ha pegado, la pobre ...... más muerta que viva.
13. Nadie ...... de acuerdo con él.
14. Las clases ...... impartidas por un sustituto.
15. Cuando le vi por primera vez ...... en 1956.

**154.** Como el ejercicio anterior:

1. No ...... verdad que la boda ...... inminente.
2. El peligro ...... en hacer el triple salto mortal sin red.
3. ...... enterrado en un cementerio laico.
4. ...... gravemente herido por una moto y tuvieron que internarle a toda prisa.
5. El frigorífico ...... cerrado herméticamente.
6. El homenaje ...... el día 8 en el Ayuntamiento.
7. Las computadoras ...... controladas periódicamente por los expertos.
8. El pobre parece que ...... destinado a quedarse solo en la vida.
9. No me molesten: en este momento ...... atendiendo un cliente.
10. Estas alcachofas ...... cocidas a vapor y aliñadas con una salsa picante.
11. La corrida ...... en la plaza de toros de Madrid.
12. Para mi gusto, esta chuleta ...... demasiado hecha.
13. Las joyas ...... guardadas en la caja fuerte.
14. ...... (él) habituado a que todo el mundo le obedezca sin rechistar.
15. El documental no ...... emitido el próximo viernes.

**155.** Como el ejercicio anterior:

1. ...... (ellos) construyendo un rascacielos destinado a despachos.
2. La casa ...... rodeada por un césped muy cuidado.

3. Este gorro ...... hecho a mano.
4. Lo divertido ...... que me robaron el bolso, que ...... completamente vacío.
5. El barco ...... pintado de blanco.
6. La dificultad ...... en adelgazar sin pasar hambre.
7. El sitio no ...... mal elegido para un sanatorio.
8. El rodaje de la película del oeste ...... en tierras de España.
9. ...... (ella) mordida por un perro lobo y le ...... inyectado el suero antirrábico.
10. El precio de los carburantes ...... subiendo día tras día.
11. No ...... justo que ...... (él) condenado a muerte por este delito.
12. La operación ...... en el quirófano número 2.
13. No hagáis ruido porque vuestro padre ...... descansando.
14. Ya ...... aprobada la ley del divorcio.
15. Por las mañanas todas las tiendas ...... abiertas.


**156.** Complete las frases siguientes con SER O ESTAR:

1. Hubiera ...... razonable acogerle con mayor pompa.
2. ...... (ella) harta de tanto trajín.
3. Hoy ...... mal día para la pesca.
4. ...... (nosotros) muertos de cansancio.
5. La recogida del algodón ...... en verano.
6. El libro ...... impreso en París y no lleva fecha.
7. No ...... oportuno que las elecciones ...... en plenas vacaciones.
8. –¿...... usted alemán? –No, ...... sueco.
9. ¿Cuál ...... tu color preferido?
10. Estas medicinas ...... destinadas a los países del tercer mundo.
11. Él ...... seguro de que sus razonamientos ...... mucho más agudos que los de cualquier otra persona.
12. Navidad ...... en diciembre.
13. Me niego a ...... sólo sujeto pasivo en la asamblea.
14. ...... (ustedes) impacientes por ver cómo termina el encuentro de boxeo.
15. ...... de noche cuando atracaron la Caja de Ahorros.


**157.** Como el ejercicio anterior:

1. El concierto ...... en la sala de actos públicos.
2. Le ...... indiferente un asiento de platea o de palco.
3. ¿Cuáles ...... sus juegos preferidos?
4. Miguel ...... un buen alumno, pero hoy ...... muy distraído.

5. ...... (ellos) profundamente dormidos y no oyeron el timbre.
6. Este garaje ...... hecho una pocilga.
7. –¿...... suyo este bolso? –No, ...... de la señora que ...... sentada a mi lado.
8. La cafetera que ...... en el estante de arriba ...... estropeada.
9. José ...... aficionado a los libros de arte.
10. No ...... casados por lo civil, sino por la Iglesia.
11. Como ...... lógico, tuvo que ir a la mili.
12. Pablito ...... sordomudo.
13. La cuestión ...... que la policía todavía no posee indicios suficientes.
14. Veo que ...... usted muy pensativo de un tiempo a esta parte.
15. ...... natural que no le hayan dado el permiso de ausentarse.

## 158. Como el ejercicio anterior:

1. ...... (ella) muy deprimida desde que ...... viuda.
2. Todas las miradas ...... fijas en el acusado.
3. La profesora ...... afable y sonriente.
4. Mi cuarto ...... expuesto al norte.
5. ...... (vosotros) demasiado acostumbrados a hacer lo que os da la gana.
6. Lo impresionante ...... ver con qué facilidad lo hace todo.
7. El control ...... efectuado por un equipo de médicos extranjeros.
8. Inglaterra ...... un país lluvioso.
9. En esta agenda ...... (yo) apuntando las fechas de las onomásticas de parientes y amigos.
10. La carretera ...... una continua curva.
11. Esta mañana en clase sólo ...... dos.
12. ...... una nena muy vivaracha.
13. ...... (ellos) inclinados delante de la chimenea.
14. El terreno ...... ondulado y verde.
15. No entendemos nada; esto ...... un galimatías impresionante.

## 159. Como el ejercicio anterior:

1. ...... natural que a su edad coma mucho.
2. Las notas ...... en la última página.
3. Lo difícil ...... conseguir un empleo sin recomendación.
4. ...... malo respirar por la boca.
5. ...... de esperar que el filme se proyecte sin interrupciones ni cortes.
6. Los cursos para posgraduados ...... los sábados en la Universidad.

7. Algunas calles ...... muy desiertas cuando ...... de noche.
8. ...... interesante observar el comportamiento de algunos animales.
9. La gracia ...... en decírselo sin que él se ofenda.
10. La entrega de los premios ...... en Oslo.
11. ¡Esto sí que ...... una ganga!
12. El cielo ...... nuboso.
13. Él ...... uno de los primeros en perfeccionar la lente.
14. El objetivo ...... recoger datos que permitan desarrollar la explotación de la cuenca.
15. Nosotros ...... importadores de calzado.


**160.** **Como el ejercicio anterior:**

1. Él no ...... el responsable del asesoramiento.
2. ¡No me hables: hoy ...... de un humor de perros!
3. Los ingresos anuales ...... del orden de 100.000 pesetas mensuales.
4. Esta novela ...... un tostón.
5. El mercado de valores ...... sufriendo continuas alteraciones.
6. Julián ya ...... mayor de edad.
7. Las aguas de este río ...... muy turbias.
8. El pez aún ...... vivo.
9. A pesar de los años que tiene, este apartamento ...... como recién estrenado.
10. Mi propósito ...... otro.
11. Cuando ...... (nosotros) niños, ya ...... amigos.
12. ...... (ellos) enamorados algunos años.
13. Esto que ves aquí ...... un tractor agrícola.
14. ¡Hija, hoy ...... de un guapo subido!
15. Este muchacho ...... hecho un sinvergüenza.

## NADIE / NADA / ALGUIEN / ALGO / ALGUNO / NINGUNO

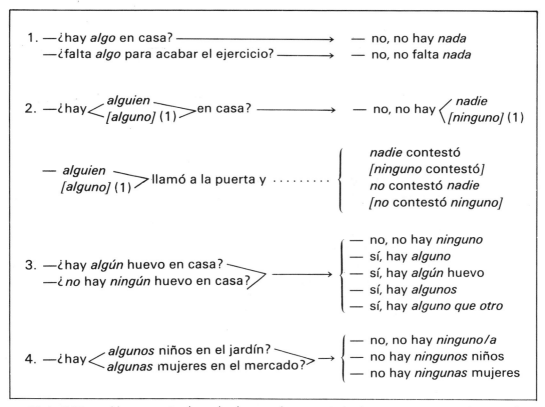

1. —¿hay *algo* en casa? ⟶ — no, no hay *nada*
   —¿falta *algo* para acabar el ejercicio? ⟶ — no, no falta *nada*

2. —¿hay *alguien* / *[alguno]* (1) en casa? ⟶ — no, no hay *nadie* / *[ninguno]* (1)

   — *alguien* / *[alguno]* (1) llamó a la puerta y · · · · · · · ·
   {
   *nadie* contestó
   *[ninguno* contestó]
   *no* contestó *nadie*
   *[no* contestó *ninguno]*
   }

3. —¿hay *algún* huevo en casa?
   —¿*no* hay *ningún* huevo en casa? ⟶
   {
   — no, no hay *ninguno*
   — sí, hay *alguno*
   — sí, hay *algún* huevo
   — sí, hay *algunos*
   — sí, hay *alguno que otro*
   }

4. —¿hay *algunos* niños en el jardín?
   *algunas* mujeres en el mercado? ⟶
   {
   — no, no hay *ninguno/a*
   — no hay *ningunos* niños
   — no hay *ningunas* mujeres
   }

(1) La RAE considera correcto el uso de *alguno* y *ninguno* en todos los casos, pero no suena natural.

5. — *alguna* de  
   — *algunas* de $\Big\rangle$ las personas que conozco me gusta (o me gustan)

   — *algunos* de *nosotros* no tomamos bebidas alcohólicas

   — *ninguno* de los chicos $\Big\rangle$ habla francés  
   — *ninguna* de las chicas

6. —¿has leído *algunos* de estos libros? $\longrightarrow$ —no, *ninguno*  
   —¿está  
   —¿están $\Big\rangle$ *alguna(s)* de las personas que me presentaste? $\longrightarrow$

   — no, no está *ninguna* $\longleftarrow$

7. —este chiste no tiene $\Big\langle$ *ninguna* gracia  
   gracia *alguna / ninguna*

## EJERCICIOS

**161.** **Complete las frases siguientes con un INDEFINIDO adecuado:**

1. He oído decir a ...... que en Canarias siempre hace calor.
2. No encuentro las gafas en ...... parte.
3. La obra de aquel famoso poeta tuvo viva resonancia en ...... poetas jóvenes de entonces.
4. Le conocí ...... tiempo atrás.
5. ...... me preguntó sobre este asunto y recuerdo que no supe contestar ......
6. –¿Tiene ...... ventaja ir al campo en agosto? –Sí, tiene ......
7. –¿Queda ...... espectador en la sala? –No, no queda ......
8. Toqué en la semioscuridad de la habitación ...... que me pareció un tapiz.
9. Los trajes que me enseñaron en la tienda no tenían ...... que ver con lo que yo buscaba realmente.
10. –¿Vendéis muchos pantalones? –No, no vendemos ......
11. Aquel santo sigue teniendo hoy ...... clase de reverencia en ...... aldeas de la sierra.
12. No tolero de ...... modo que me tutee.
13. ..... afirma que sin el amor ...... sería posible.

14. He leído ...... párrafos sabrosísimos del reportaje de fútbol.
15. Todos los dialectos tienen palabras de ...... resonancia lírica.
16. Estando enfermo de ...... gravedad, el presidente no pudo presenciar la asamblea.

## 162. Como el ejercicio anterior:

1. Sin ...... duda, Pérez copió en el examen.
2. –¿Se ha roto ...... del coche durante el accidente? –No, no se ha roto ......
3. De la supuesta delincuencia de ......, la culpable es la sociedad: ...... nace criminal.
4. En la fiesta que organizó el palacio real, ...... mostraba afectación exterior ......
5. –¿Vive ...... extranjero en esta pensión? –No, no vive ......
6. ¿Has tomado marihuana ...... vez?
7. La mujer todavía llevaba luto y no se relacionaba con ......
8. No sé qué añadir a lo ya dicho: ¿a ti se te ocurre ...... más?
9. Me he ganado la vida con el sudor de mi frente y si ...... tengo, ...... me ha costado.
10. En el juego del ajedrez, no me gana ......
11. No quiero pedir ...... a mis vecinas.
12. En ...... parte de la ciudad había un mitin de los obreros en huelga.
13. Salió de la cafetería sin prestar atención a ...... y echó a andar hacia la posada.
14. –¿Conoce usted ...... lengua extranjera? –Sí, conozco ......
15. Este libro no es mío, sino de ...... que estaba a mi lado.

## 163. Como el ejercicio anterior:

1. ...... contestaba a sus palabras, pero al final se oyó una voz salir del grupo.
2. Mi padre no me deja el coche de ...... manera.
3. Para marcharse del pueblo, el joven al menos necesita tener ...... dinero y saber adónde ir y para qué.
4. El ladrón, viendo que no había ...... en las cercanías, subió al coche y se alejó rápidamente.
5. –¿Tienes ...... libro interesante para leer? –Sí, tengo ......
6. Ya sabía yo que anoche iba a pasar ...... desavío grave.
7. No es agradable morirse en ...... parte.
8. Sin duda ......, a estas horas el tren ya habrá llegado.

9. No puede uno vivir sin hacer ......

10. En el cielo se encendieron las estrellas, y en las casas, las luces de ...... que otra ventana.

11. No pasó nunca ...... en el pueblo, pero aquel año sucedió ...... nuevo y extraño.

12. Lo que te ha pasado aquí es ...... que podía sucederte en cualquier parte del mundo.

13. –¿Se le ocurre ...... ? –No, no se me ocurre ......

14. ...... se preocupaba de educar a los campesinos.

15. Antes mi novio tenía ...... interés por la pintura.

16. A mí no me cae muy bien que ...... me tome por extranjera.


## 164. Como el ejercicio anterior:

1. Enfrentarse con los enemigos requiere ...... más que intrepidez.

2. ...... de nosotras iría sola por las calles de noche.

3. Mi tío contó cosas fantásticas acerca de su excursión a la sierra, y ...... debía haber de verdad.

4. En el pueblo se hablaba mucho de los fantasmas y cada cual tenía ...... que contar.

5. Se oían unos ruidos en el armario como si ...... estuviera encerrado allí.

6. Existen fenómenos extraños e incomprensibles que, sin embargo, no representan daño ......

7. Me gustaría ir a la playa a pasar ...... semanas de descanso.

8. En mi juventud, yo componía ...... que quería ser poesía.

9. –¿Quiere ...... más, señora? –No, ...... más.

10. ...... espectáculo me gusta tanto como el de la naturaleza.

11. El castillo que visité ayer me pareció misterioso y digno de ...... buena leyenda medieval.

12. De niños todos hemos querido a ...... animal doméstico.

13. ...... perros ululan a la luna cuando están encerrados.

14. ...... se atrevía a dudar de lo que estaba contando.

15. Eso no lo consiento yo de ...... modo.


## 165. Como el ejercicio anterior:

1. En cuanto a mis suegros, yo no conozco a ...... porque viven en el extranjero.

2. El famoso novelista había tratado el problema de los minusválidos en ...... de sus libros.

3. No teniendo ...... agricultura, aquel pueblo vive simplemente del ganado.

4. Por lo que se refiere a las virtudes, no sé si aquel tío tiene ......
5. En ...... parte del mundo hay tantas obras de arte como en Italia.
6. El individualismo lleva siempre a ...... extremos.
7. –¿Ha ocurrido ...... accidente en la autopista? –No, no ha ocurrido ......
8. –¿Ha pasado ...... ? –No, ......
9. Estaba contando cosas tan descabelladas que ...... creía una palabra de lo que decía.
10. Le presté ...... dinero hace tiempo y todavía no me lo ha devuelto.
11. En el zoo de San Diego hay muchos ejemplares de serpientes, ...... de ellos únicos.
12. ...... de los dos hermanos se parece ni al padre ni a la madre.
13. Si no levantas la voz no se oye ......
14. Lo que te ha pasado durante las vacaciones es ...... extraño.
15. En todo el día no he fumado cigarrillo ......
16. –¿Has sacado ...... provecho de la venta de la casa? –Sí, ......
17. Últimamente no he visto ...... película interesante.
18. ...... señores se quedaron esperando el autobús y otros prefirieron ir andando.
19. –¿Tomaste ...... nota durante la conferencia? –No, ......
20. Me iré de vacaciones sólo por ...... días.

## CUALQUIER / CUALQUIERA / QUIENQUIERA (1)

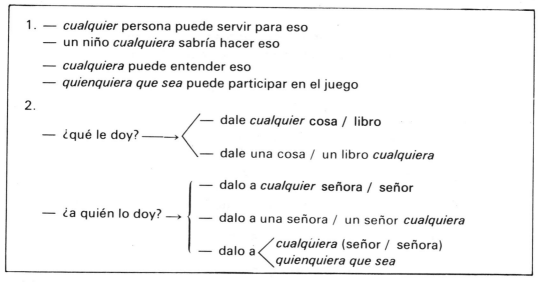

1. — *cualquier* persona puede servir para eso
   — un niño *cualquiera* sabría hacer eso

   — *cualquiera* puede entender eso
   — *quienquiera que sea* puede participar en el juego

2.
   — ¿qué le doy? ⟶
     — dale *cualquier* cosa / libro
     — dale una cosa / un libro *cualquiera*

   — ¿a quién lo doy? ⟶
     — dalo a *cualquier* señora / señor
     — dalo a una señora / un señor *cualquiera*
     — dalo a *cualquiera* (señor / señora)
       *quienquiera que sea*

(1) El plural –*cualesquiera / quienesquiera*– utilizable en todos los casos aquí indicados, se usa raramente, pues el singular tiene ya significado plural.

**166.** Complete las frases siguientes con cualquiera de las formas arriba indicadas:

1. ...... texto que trate de astrología me interesa.
2. ...... que tú seas, no puedes juzgarnos de esta forma.
3. Puede usted pasar a retirar los análisis a ...... hora de la tarde.
4. Yo no uso una pasta dentífrica ......, sino tan sólo las mentoladas.
5. ...... que conozca un poco de latín, no encontrará dificultad en superar el examen de filología románica.
6. Traduzca el informe a ...... de los idiomas que usted conoce.
7. Me aseguró que un día ...... vendría a verme.
8. ...... que sean tus opiniones no me interesan.
9. No prestes tus libros a ...... que te los pida; dáselos tan sólo a tus amigos.
10. La policía detenía a ...... que llevase un arma consigo.
11. ¡...... sabe lo que está tramando este tío!
12. Si te portas bien con tu prójimo, encontrarás amigos en ...... lugar del mundo.

**167.** Como el ejercicio anterior:

1. Ese perro se pone a ladrar todas las veces que oye un ruido ......
2. –¿Qué te gustaría hacer esta noche? –Con que salgamos un rato, ...... cosa me va bien.
3. Al llegar al cruce de carreteras, el viajero tomó una dirección ......
4. ...... que tenga sed –dijo el explorador– puede echar un trago de mi cantimplora.
5. Después de haber estado media hora delante del armario abierto, cogió un traje ...... y se lo puso.
6. ...... chiste que cuente, siempre resulta divertidísimo.
7. ...... que tenga algo que decir, dispone de no más de diez minutos.
8. ...... que sea el papel que interpreta, aquella bailarina es verdaderamente estupenda.
9. Su modo de vestirse era tan extravagante, que resultaba cursi con ...... prenda.
10. Con esa maldita moto, ...... día se romperá la cabeza.
11. En nuestra sociedad la mujer puede hacer ...... trabajo.
12. Cuando hubo el apagón, encedió una bujía ......

## TODO / CADA

1. — *todo* país civilizado posee una asistencia sanitaria eficaz
   └──────────────────────────────────→ = cualquier

2. — *cada* alumno tiene que llevar sus libros
   └──────────────────────────────────→ = cada uno

3. — *todas* las semanas va al médico
   └──────────────────────────────────→ reiterativo

4. — *cada* fin de semana va de excursión a un sitio distinto
   └──────────────────────────────────→ reiterativo con variante

5. — *cada* quince días hace una limpieza a fondo
   └──────────────────────────────────→ grupo de cosas de igual número

**168.** Complete las frases siguientes con TODO o CADA, según convenga:

1. ...... industria alimentaria de conserva requiere expertos en alimentación.
2. Se sale ...... dos por tres con lo del atropello.
3. ...... las noches se acuesta a las once.
4. ...... excursionista lleva su propia mochila.
5. ...... intento de acabar con el terrorismo ha sido inútil.
6. ...... forma de violencia es execrable.
7. Hay que resolver ...... cuestión según lo requiera ...... caso.
8. ...... libro tiene su propia ficha en el fichero.
9. ...... fracaso que sufre la desmoraliza un poco más.
10. ...... pretensión de alterar las leyes de la naturaleza lleva a la destrucción de la misma.
11. La Inquisición hacía quemar ...... libro considerado heterodoxo.
12. En ...... ciudad hay monumentos distintos.
13. ...... forma de concentración del poder conduce a la tiranía.
14. El Ayuntamiento ha decidido derribar ...... edificio abusivo.
15. ...... construcción tiene su propio estilo arquitectónico.
16. ...... los años voy a la playa con mi familia.
17. ...... innovación técnica representa una forma de progreso.
18. ...... día nos viene con una idea nueva y original.
19. La emboscada y la sorpresa impidieron a los guardias civiles ...... defensa.
20. ...... diez kilómetros hay un panel en la autopista que indica la distancia recorrida.

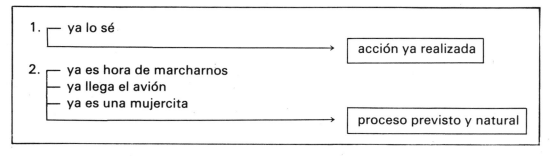

| YA |
| --- |
| EN ORACIONES POSITIVAS |

1. ┌─ ya lo sé → **acción ya realizada**

2. ┌─ ya es hora de marcharnos
   ├─ ya llega el avión
   └─ ya es una mujercita → **proceso previsto y natural**

3. ┌─ cuando lleguéis, ya habremos comido*
   └─ cuando llegué, ya había terminado la fiesta
   ────────────────────────────────────────→ acción anterior a otra

YA + FUTURO    (o presente con valor de futuro)

4. ┌─ ¡ya se arreglará todo!
   ────────────────────────────────────────→ esperanza

5. ┌─ ¡ya te pagaré!
   ────────────────────────────────────────→ promesa

6. ┌─ ¡ya verás, ya, cuando lo sepa él!
   ────────────────────────────────────────→ amenaza

7. ┌─ ¡ya voy!
   ────────────────────────────────────────→ = enseguida

YA + PODER    (presente / imperfecto indicativo)

8. ┌─ ¡ya puedes decirlo, ya!
   └─ ¡ya puedes apresurarte, que es tarde!
   ────────────────────────────────────────→ incitación o aviso (presente)

9. ┌─ ¡ya podías avisarme!
   ────────────────────────────────────────→ queja o censura (imperfecto)

* Observe que *ya* se añade a la oración principal de una oración compuesta, cuya secundaria es posterior a aquélla.

**YA NO**
EN ORACIONES NEGATIVAS

1. ── antes lo veía, ahora ya no ────────→ cese de una acción antes posible

YA NO + FUTURO    (o presente con valor de futuro)

2. ┌─ cuando vayas, ya no estaremos
   ├─ María ya no se casa
   └─ es muy tarde: ya no vendrá
   ────────────────────────────────────────→ acción imposible porque demasiado tarde

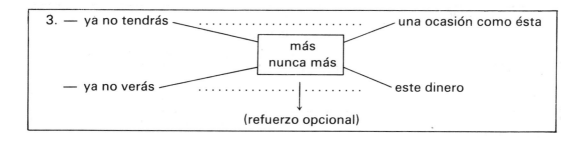

3. — ya no tendrás ........................ una ocasión como ésta

más
nunca más

— ya no verás ................|......... este dinero

(refuerzo opcional)

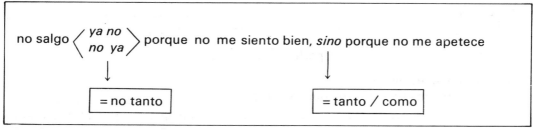

| NO YA ...... SINO | YA NO ...... SINO |

no salgo ⟨ *ya no* / *no ya* ⟩ porque no me siento bien, *sino* porque no me apetece

= no tanto          = tanto / como

**MÁS**

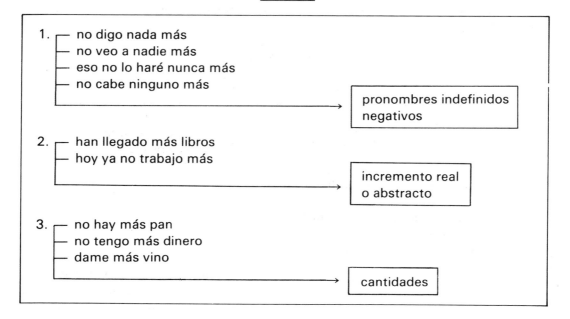

1. — no digo nada más
— no veo a nadie más
— eso no lo haré nunca más
— no cabe ninguno más

→ pronombres indefinidos negativos

2. — han llegado más libros
— hoy ya no trabajo más

→ incremento real o abstracto

3. — no hay más pan
— no tengo más dinero
— dame más vino

→ cantidades

**169.** Según los casos, complete o transforme libremente las frases siguientes con YA, YA NO, YA NO... MÁS / NUNCA MÁS, según el ejemplo:

Fui a buscar a Pepe, pero se había marchado: ————→ *ya no* estaba

1. Mi padre ha llegado muy pronto: ......
2. La criada afirma que trae la comida enseguida: ......
3. Por fin me lo dirá: ......
4. ¡No volverás a ver a ese señor!: ......
5. No volveremos a comer helado después del café: ......
6. El año pasado iba mucho al cine, pero este año he dejado de ir: ......
7. ¿Has dejado de trabajar en aquella oficina?: ......
8. Mi hijo ha crecido mucho en esos últimos tiempos y ha dejado de jugar con sus juguetes: ......
9. He ido a tu casa por la tarde, pero tú habías salido antes: ......
10. Si nos vemos a las nueve en la Plaza Mayor, no encontraremos ninguna tienda abierta: ......
11. Mañana me marcharé para Londres y no podré ver la película que echan esta noche: ......
12. No tendré nunca novia tan simpática como la que dejé: ......
13. Me han robado una sortija preciosa y es imposible encontrar otra igual: ......
14. Has prestado tu libro a un chico que se ha marchado: ......
15. Todavía no ha aparecido el profesor y me había citado para las siete: ......
16. Lleva años diciendo que se va a casar y todavía no lo ha hecho: ......
17. Los huéspedes llevan demasiado retraso: ......
18. No volveré a comer alubias porque me sientan mal: ......
19. Llegué a las ocho y mis padres acababan de comer: ......
20. Él vino muy tarde y no los encontró en casa: ......
21. Hoy es lunes y mi hermana se casó el sábado pasado: ......
22. La trasmisión empezaba a las cinco y ahora son las seis: ......

**170.** Complete libremente las frases siguientes, usando MÁS, según el ejemplo:

Hoy estoy cansado de trabajar: ————→ no trabajo *más*

1. Esta sala de proyecciones está completa: ......
2. ¿Quieres más agua?: ......

3. He roto mis relaciones con aquel chico porque es muy grosero: ......
4. He gastado todo mi dinero: ......
5. Hemos empleado todos los huevos para la tortilla: ......
6. La policía no encuentra a ningún otro terrorista: ......
7. De pronto se calló y no volvió a hablar: ......
8. En el campo me aburro mucho: ......
9. Este libro es muy pesado: ......
10. Aún tiene hambre y querría comer un poco de pan: ......
11. No me gusta relacionarme con esa gentuza: ......
12. Se fue para siempre y dejó su casa: ......

## HACE / HACE... QUE / DESDE

1. ┌ nos conocimos *hace un año*
   └──────────────────────→ = un año atrás

2. ┌ *hace dos meses que* no voy al cine
   ├ *desde hace dos meses* no voy al cine
   └──────────────────────→ llevo dos meses sin ir

3. ┌ no hemos pintado la casa *desde 1970*
   └──────────────────────→ = a partir de 1970

## EJERCICIOS

**171.** Transforme las frases siguientes con una de las tres formas arriba indicadas:

1. Lleva dos meses yendo al dentista.
2. Diez años atrás compramos aquel chalet.
3. A partir de entonces no he vuelto a verle.

4. Se marchó un par de horas atrás.
5. Llevan varias horas tratando de rescatar a los rehenes.
6. Ha empezado a fumar a partir de los tiempos de bachillerato.
7. Este periódico salió unos días atrás.
8. Desde hace dos horas habla sin parar.
9. A partir de los cuatro años, va a un colegio de monjas.
10. Llamaron unos minutos atrás.
11. Lleva quince días sin lavarse el pelo.
12. A partir de cuando se casó, no volvió a poner los pies en el casino.
13. Seis meses atras la editorial hizo suspensión de pagos.
14. Desde hace tres horas, policía y revoltosos tirotean sin cesar.
15. Ha dejado de nevar un día atrás.

## 172. Como el ejercicio anterior:

1. Las mujeres llevan años luchando por la igualdad de derechos.
2. A partir del despegue del avión, estuvo muy intranquila.
3. Estrenaron la película una semana atrás.
4. Lleva varias horas tratando de llamar, pero el teléfono sigue comunicando.
5. Se firmó el contrato un año atrás.
6. Desde hace mucho tiempo no hacen propaganda de este producto.
7. Más de un siglo atrás se inventó la electricidad.
8. A partir de primero de año aumentarán las tarifas hoteleras.
9. Hasta unos años atrás muchos países no habían conseguido su independencia.
10. A partir de 1980 no ha dejado el país.
11. Lleva mucho tiempo sin entrar en una iglesia.
12. Estudió violonchelo a partir de los ocho años.
13. La ambulancia ha llegado pocos minutos atrás.
14. Sabe esquiar muy bien porque lleva muchos años esquiando.
15. A partir de cuando cambiaron al director del periódico, hay mucho malestar en la redacción.

# ORACIONES DE RELATIVO

**O**bserve la diferencia entre las oraciones siguientes:

    ESPECIFICATIVA: — los niños que viven lejos llegaron tarde

    EXPLICATIVA:     — los niños, que viven lejos, llegaron tarde (1)

**Asimismo:**

— aquí está el libro *que* me prestaste  ⟶  esp.

— aquí te devuelvo el libro, *que* no me ha gustado nada  ⟶  exp.

— tiene una casa de campo *que* dista mucho del pueblo
y otra *que* está muy cerca  ⟶  esp.

— tiene una casa en el campo, *en la que* pasan los veranos  ⟶  exp.

## 1. Oraciones de relativo sin antecedente

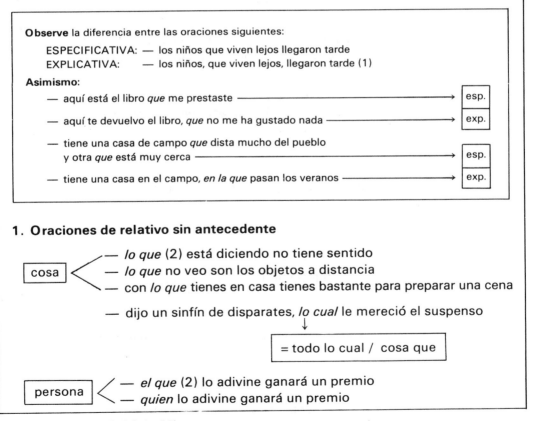

cosa

    — *lo que* (2) está diciendo no tiene sentido
    — *lo que* no veo son los objetos a distancia
    — con *lo que* tienes en casa tienes bastante para preparar una cena

    — dijo un sinfín de disparates, *lo cual* le mereció el suspenso

                      ↓

                    = todo lo cual / cosa que

persona

    — *el que* (2) lo adivine ganará un premio
    — *quien* lo adivine ganará un premio

(1) Cfr. GERUNDIO, 2 (pág. 33).
(2) Cfr. SECUENCIAS COMPARATIVAS (pág. 189).

## 2. Oraciones de relativo con antecedente

### a) RELATIVO-SUJETO

esp. — la casa *que* te interesa está en venta (cosa)
— el hombre *que* está hablando es famoso (persona)

exp. — el libro, { *que* / *el cual* } es muy viejo, es interesante (cosa)
— su hija, { *que* / *la cual* } está en Londres, me llamó (persona)

### b) RELATIVO-COMPLEMENTO DIRECTO

cosa — el libro *que* me prestaste no me ha gustado (esp.)
— este edificio, *que* ha sido restaurado, es del siglo XVIII (exp.)

persona — la señora { *a la que* / *a quien* / *a la cual* } saludaste tiene cincuenta años (esp.)

— tu padre, { *al que* / *a quien* / *al cual* } no conocía, me reconoció enseguida (exp.)

### c) RELATIVO-COMPLEMENTO INDIRECTO (persona)

esp. — el señor { *al que* / *a quien* / *al cual* } escribí me reconoció inmediatamente

exp. — Juan, { *al que* / *a quien* / *al cual* } escribí, me contestó enseguida

## d) RELATIVO PRECEDIDO DE PREPOSICIÓN

**A** (cosa)

esp. — la mesa $\begin{Bmatrix} a\ la\ cual* \\ a\ que \\ a\ la\ que \end{Bmatrix}$ pusiste una falca se ha roto

exp. — la casa, $\begin{Bmatrix} a\ la\ cual \\ a\ la\ que \end{Bmatrix}$ está pegado el establo, está en venta

**EN**

cosa

— ésta es la casa $\begin{Bmatrix} en\ la\ cual* \\ en\ la\ que \\ en\ que \\ donde \end{Bmatrix}$ vivía yo (esp.)

— ésta casa, $\begin{Bmatrix} en\ la\ cual \\ en\ la\ que \\ en\ que \\ donde \end{Bmatrix}$ vivía, está en venta (exp.)

pers.

— éstos son los amigos $\begin{Bmatrix} en\ los\ cuales \\ en\ los\ que \\ en\ quienes \end{Bmatrix}$ confío (esp.)

— este amigo, $\begin{Bmatrix} en\ el\ cual \\ en\ el\ que \\ en\ quien \end{Bmatrix}$ confiaba, me ha traicionado (exp.)

**DE**

cosa

— éste es el libro $\begin{Bmatrix} del\ cual* \\ del\ que \\ (de\ que) \end{Bmatrix}$ saqué aquel párrafo (esp.)

— esta casa, $\begin{Bmatrix} de\ la\ cual \\ de\ la\ que \end{Bmatrix}$ guardo tan mal recuerdo, ha sido vendida (exp.)

* Forma preferida por la RAE.

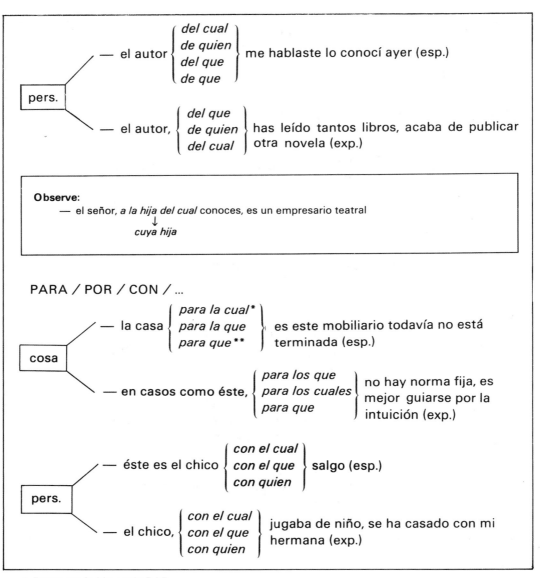

**pers.**

— el autor
$\begin{Bmatrix} del\ cual \\ de\ quien \\ del\ que \\ de\ que \end{Bmatrix}$ me hablaste lo conocí ayer (esp.)

— el autor, $\begin{Bmatrix} del\ que \\ de\ quien \\ del\ cual \end{Bmatrix}$ has leído tantos libros, acaba de publicar otra novela (exp.)

**Observe:**
— el señor, *a la hija del cual* conoces, es un empresario teatral
↓
*cuya hija*

PARA / POR / CON / ...

**cosa**

— la casa $\begin{Bmatrix} para\ la\ cual* \\ para\ la\ que \\ para\ que** \end{Bmatrix}$ es este mobiliario todavía no está terminada (esp.)

— en casos como éste, $\begin{Bmatrix} para\ los\ que \\ para\ los\ cuales \\ para\ que \end{Bmatrix}$ no hay norma fija, es mejor guiarse por la intuición (exp.)

**pers.**

— éste es el chico $\begin{Bmatrix} con\ el\ cual \\ con\ el\ que \\ con\ quien \end{Bmatrix}$ salgo (esp.)

— el chico, $\begin{Bmatrix} con\ el\ cual \\ con\ el\ que \\ con\ quien \end{Bmatrix}$ jugaba de niño, se ha casado con mi hermana (exp.)

\* Forma preferida por la RAE.
\*\* Cfr., por lo que respecta POR QUE (pág. 13).

**173.** Coloque donde hay puntos el PRONOMBRE RELATIVO correspondiente con la respectiva preposición cuando la requiera:

CARTAS (Carta a Don Antonio Ponz)
El autor describe las romerías de Asturias y habla de la llamada *Danza prima*.

DESPUÉS de haber sesteado un rato por los lugares amenos y sombríos de aquel contorno, se empiezan a disponer las danzas, ...... sirven de ocupación al resto de la tarde [...]. Son una especie de coreas a la manera de las danzas de los antiguos pueblos, ...... pueden tener su origen en los tiempos más remotos y anteriores a la invención de la gimnasia. Pero cada sexo tiene su poesía, su canto y sus movimientos peculiares, ...... es preciso dar alguna razón.

Los hombres danzan al son de un romance de ocho sílabas, cantado por alguno de los mozos ...... más se señalan en la comarca por su clara voz y por su buena memoria; y a cada copla o cuarteto del romance responde todo el coro con una especie de estrambote, ...... consta de dos solos versos o media copla. Los romances suelen ser de guapos y valentones, pero los estrambotes contienen siempre alguna deprecación a la Virgen, a Santiago, San Pedro u otro santo famoso, ...... nombre sea asonante con la media rima general del romance [...].

Tampoco sería extraño presumir que estas danzas eclesiásticas, y ...... tienen cierto sabor a los usos y estilos litúrgicos de la media edad, pudieron ser traídas acá por los romeros ...... en ella venían a peregrinar en este país [...].

Pero las danzas de las asturianas ofrecen ciertamente un objeto, si no más raro, a lo menos más agradable y menos fiero que las ...... acabamos de describir. Su poesía se reduce a un solo cuarteto o copla de ocho sílabas, alternado con un largo estrambote, o sea estribillo, en el mismo género de versos, ...... se repite a ciertas y determinadas pausas. Del primer verso de este estrambote ...... empieza:

Hay un galán de esta villa,

vino el nombre ...... se distinguen estas danzas.

El objeto de esta poesía es ordinariamente el amor, o cosa ...... diga relación a él. Tales coplas se dirigen muchas veces contra determinadas personas; pues aunque no siempre se las nombra, se las señala muy claramente y de forma que no pueda dudarse del objeto de la alabanza y de la invectiva. Aquella persona ...... más sobresale en el día de la fiesta por su compostura o por algún caso de sus amores; aquel suceso ...... más reciente es y notable en la comarca; en fin, ...... en aquel día ocupa principalmente los ojos y la atención del concurso, eso es ...... da materia a la poesía de nuestros improvisantes asturianos [...].

Supongo que para estas composiciones no se valen nuestras mozas de ajena habilidad. Ellas son las poetisas, así como las compositoras de los tonos, y en uno y otro género suele su ingenio, aunque rudo y sin cultivo, producir cosas ...... no carecen de numen y de gracia. Pondréle a usted dos ejemplos, entre mil ...... pudiera señalar, y si no entiende el dialecto, tenga paciencia, que otros le entenderán.

En una de estas romerías ...... concurrió cierto amigo mío, se había presentado una fea ......, entre adornos, llevaba una redecilla muy galana y de color muy sobresaliente. Al instante fue notada de las mozas, ...... le pegaron esta banderilla:

Quítate la rede negra
y ponte la colorada,
para que llucia la rede
lo que non llu la to cara.

Era yo bien niño cuando el ilustrísimo señor don Julio Manrique de Lara, obispo entonces de Oviedo, se hallaba en su deliciosa quinta de Contrueces, inmediata a Gijón, el día de San Miguel. Celebrábase allí aquel día una famosa romería, y las mozas, como para festejar a su ilustrísima, formaron su danza debajo de los mismos balcones de palacio. El buen prelado, ...... estaba en conversación con sus amigos, cansado del guirigay y la bulla de las cantiñas, dio orden para que hicieran retirar de allí las danzas: sus capellanes fueron ejecutores del decreto, ...... se obedeció al punto; pero las mozas, mudando de sitio, bien que no tanto que no pudieran ser oídas, armaron de nuevo su danza, cantando y recantando esta nueva letra, ...... su ilustrísima celebró y oyó con gusto desde su balcón gran parte de la tarde.

GASPAR MELCHOR DE JOVELLANOS, en RAMÓN MENÉNDEZ PIDAL, *ANTOLOGÍA DE PROSISTAS ESPAÑOLES,* Madrid, Espasa-Calpe, 1964[8], pp. 234-238.

**174. Como el ejercicio anterior:**

### VIAJE A ITALIA

Fragmento de esta obra póstuma

DEBAJO de Pórtici y Resina está sepultada la ciudad de Herculano; los edificios más considerables de ella ...... hasta ahora se han descubierto, son un foro y un teatro [...].

La cantidad de ceniza y lavas ...... cayeron sobre esta ciudad fue tal, que sus edificios se hallan a sesenta, ochenta y cien pies de profundidad. Esto hace muy difícil la excavación, pues además de la consistencia y grueso de las materias ...... hay que romper a pico, es necesario sostener con postes y estribos las excavaciones, para que todo no se hunda y arruine; y además, ¿cómo es posible taladrar un terreno ...... existen en pie tantos edificios, sin que éstos se resientan? Mientras permanezcan Resina y Pórtici, no se pueden adelantar los descubrimientos de Herculano.

Siguiendo el camino, ...... va siempre inmediato al mar, se hallan después de Resina la Torre del Greco y la de la Anunciata, poblaciones contiguas unas a otras con poca o ninguna interrupción, bien situadas, y alegres, de mucha gente, llenas de casas de campo, con jardines, huertas y abundante cultura. Atraviesa el camino por encima de un gran torrente de lava ...... arrojó el Vesubio en 1760, mezclada con cenizas y enormes piedras; abrasó todo el terreno, destruyó los edificios ...... halló al paso, y bajó hasta el mar con estrago espantoso. A poca distancia se hallan las ruinas de Pompeya, ciudad antigua ...... hasta la mitad de este siglo permaneció tan oculta a la vista humana, que nadie se atrevía a fijar el paraje ...... estuvo. La multitud de cenizas ...... cayeron sobre ella, detenidas de los huecos de sus calles y edificios, formaron una elevación de terreno, ......, haciéndose con el tiempo vegetal y fértil, comenzó a labrarse, y hoy se ve encima de los templos, teatros y sepulcros de Pompeya, enlazarse las parras a los chopos, y segar el labrador mieses abundantes. Las excavaciones ...... se hacen en este sitio cuestan poco trabajo, así porque todo es ceniza ...... hay que romper, como porque es mucho menor la profundidad ...... se encuentran las ruinas que en Herculano. Hasta ahora se han descubierto dos calles, una de ellas con la puerta de la ciudad, y varios sepulcros, un cuartel, un templo de Isis y dos teatros. No es posible caminar por aquel paraje sin una especie de entusiasmo ...... todos aquellos objetos inspiran. Éste era el teatro: aquí se acomodaba el pueblo, allí la nobleza, por allí salían los actores, aquí se oyeron los versos de Terencio [...]. Esta es una calle: empedrada está, como las de Nápoles, con lavas ...... ha vomitado ese volcán vecino; a un lado y otro hay ánditos para que pase el pueblo seguro de los carros: aún se ven las señales de las ruedas. Veis aquí las tiendas; allí se vendieron licores, la insignia ...... está a las puertas, la señal ...... ha dejado el pie de las copas sobre el mostrador, y las hornillas inmediatas para tener caliente la bebida, lo manifiestan. Allí hay otra ...... se vendían príapos: la insignia está esculpida sobre la puerta; allí está el aparador repartido en gradas, ...... se exponían estos dijes a la vista pública. Éstas son casas de gente rica; éste es el pórtico, sostenido en columnas de ladrillo revestidas de estuco, con decoración dórica; allí está el patio con la galería ...... le rodea; estancias pequeñas, altas, con mosaicos en el suelo y pinturas en las paredes, el baño, la estufa, con pared hueca, ...... se comunicaba el calor; el jardín, la fuente, la bodega, con grandes cántaros; la sala de conversación, la de comer, la alcoba, el poyo ...... estaba el lecho; pinturas voluptuosas por todas partes, triunfos de amor. Veis allí los sepulcros ...... erigió la patria agradecida a sus hijos ilustres [...].

Pompeya se descubre ahora, después de haber permanecido largos años oculta bajo las cenizas ...... en ella cayeron; en los jardines del rey y en otras varias partes ...... se han hecho excavaciones profundas, se hallan hasta treinta capas distintas de lava, y éstas seis o siete veces interrumpidas con tierra vegetal y restos confusos de edificios, ...... es decir, treinta veces aquel terreno, ...... ahora habitan los hombres con tal seguridad, ha estado cubierto de torrentes de fuego con el transcurso de los siglos [...].

La montaña de Soma, ...... por el lado de oriente y mediodía rodea al Vesubio, parece ser una parte de él; ambos están sobre una misma base, y parece haberlos desunido algún hundimiento, ...... resultó una abertura lateral, aumentándose después la cima del volcán con las materias mismas ...... arroja. La montaña de Soma, por la parte interior ...... mira al Vesubio, toda está rota y quebrantada, y la opinión de haber sido en otros tiempos estos dos montes uno solo se fortifica, no solamente por la forma de entrambos, sino también por la identidad de las materias ...... se componen. Este volcán tiene, además de la boca principal, varias aberturas, ...... rompen u obstruyen sucesivamente la dimensión de la crátera; se ha encontrado diferente en varias ocasiones también la distancia ...... hay desde sus bordes hasta donde se halla el fuego.

LEANDRO FERNÁNDEZ DE MORATÍN, en RAMÓN MENÉNDEZ PIDAL, *ANTOLOGÍA DE PROSISTAS ESPAÑOLES,* Madrid, Espasa-Calpe, 1964[8], pp. 248-251.

## 175. Como el ejercicio anterior:

### DERROTA DE LOS PEDANTES

LUPERCIO de Argensola, ...... se hallaba cerca, lleno de indignación y dolor por la desgracia de su dulce Laso, agarró seis o siete tomos ...... vio a sus pies, y con no vista fuerza los lanzó al enemigo. No bien llegaron allá los *Comentos* de Góngora, que ésta era la gracia de los tales volúmenes, cuando se conoció el horrible estrago ...... habían hecho en el cuerno izquierdo de los contrarios; ...... advertido por los de Apolo, se adelantaron algunos a querer seguir hacia aquella parte la derrota; pero así que se alejaron de los demás, se vieron rodeados de enemigos y cortado el paso a la escalera; dieron y recibieron golpes crueles, y con no poco trabajo pudieron volverse a incorporar en sus líneas, sufriendo mucho en la retirada, ...... tuvo todas las apariencias de fuga.

LEANDRO FERNÁNDEZ DE MORATÍN, en *Ibíd.*, p. 248.

a) — ¡dame un libro!. . . . . . . . . . . . . . . . . . . . . . . . . . . . . . . . . . — ¿cuál?

    — ¡dime algo!   . . . . . . . . . . . . . . . . . . . . . . . . . . . . . . — ¿qué?

b) — ¿qué libro te interesa?

    — ¿de qué nuevo libro me estás hablando?

c) — ¿cual ————————— es ——————————— el libro que dices?

    — ¿cuáles ——————————— son ——————————— los libros que dices?

## EJERCICIOS

**176. Coloque donde hay puntos los** PRONOMBRES O ADJETIVOS INTERROGATIVOS **que considere necesarios:**

### DEFENSA DE LA JUNTA CENTRAL

EL honor, la conciencia, el respeto a la opinión pública, el amor a nuestro rey y a nuestra patria, y el odio a la tiranía, nos pudieron unir y nos unieron para desempeñar fielmente nuestro deber hasta donde nuestras luces y nuestras fuerzas alcanzaron. ¿ ...... , decid, ...... pudieron ser los motivos que nos uniesen para prostituirle?

Porque siendo constante que los hombres no obran sin que algún impulso mueva o determine su acción, y que este impulso debe ser proporcionado a la grandeza de las acciones que produce, a nuestros enemigos toca señalar ...... pudo ser el que sacándonos de la senda del honor y virtud nos despeñó en tanta vileza y depravación. Sentimientos de odio y de amor, de temor o de interés, suelen mover poderosamente las acciones humanas. Y bien, ¿ ...... de éstos pudo movernos a ser traidores a nuestro rey y a nuestra patria? ¿Será el odio a un rey tan virtuoso y tan desgraciado, o a una patria tan generosa y tan afligida? ¿A un rey que libraba en nosotros la esperanza de recobrar su libertad y su trono, o a una patria que nos había confiado el rescate de su rey y la defensa de su libertad? ¿Sería acaso el amor? Pero, ¿a ...... ? ¿Al monstruo de perfidia que tan vilmente había engañado a nuestro amado e inocente rey, y tan cruelmente estaba ultrajando y oprimiendo a nuestra heroica y querida patria? ¿Sería el temor? Pero, ¿ ...... podían temer los que estaban cubiertos con el escudo de la suprema autoridad y defendidos por todo el poder de una nación tan heroica y valiente? ¿Sería el interés? Pero, ¿ ...... pudo tentar a los que habían abandonado sus empleos, su casa, su fortuna y sus esperanzas para servir y ser fieles a su patria? Ni ¿ ...... interés pudo presentar a nuestra ambición la ruin política del tirano? ¿De mando? ¿ ...... igualaría al que ejercíamos en el seno de nuestra patria? ¿De honores? Y ¿ ...... serían comparables a aquel a que nuestra patria nos había elevado? ¿De otras altas recompensas? Pero, ¿ ...... podría esperar nuestra perfidia de un tirano ofendido y provocado, que no pudiese esperar nuestra fidelidad de una patria generosa y reconocida? No, no; si esto no cabía en nuestro carácter ni en nuestra conciencia, menos cabía en nuestra razón ni en nuestra seguridad.

DON GASPAR MELCHOR DE JOVELLANOS, en RAMÓN MENÉNDEZ PIDAL, *ANTOLOGÍA DE PROSISTAS ESPAÑOLES,* Madrid, Espasa-Calpe, 1964[8], pp. 232-233.

## SECUENCIAS COMPARATIVAS

I.

| cuanto (mientras) > *más* gritas, . . . . . . . . . | [tanto] *menos* te escuchan |
| | [tanto] *más* te odian |
| | [tanto] *peor* te oyen |
| cuanto (mientras) > *mejor* lo hagas, . . . . . . | [tanto] *mayor* será el premio |
| | perderás [tanto] *menos* tiempo |
| | [tanto] *mejor* será para ti |

**177.** **Según ello, complete debidamente las frases siguientes, alterando, si es necesario, el orden de los elementos de las mismas:**

1. ...... ganes, ...... serán los impuestos que tendrás que pagar.
2. ...... comas, ...... engordarás.
3. ...... lo escondas, ...... difícil será que te lo pesquen.
4. ...... pienso en ello, ...... lo comprendo.
5. ...... bebas, ...... será la sed.
6. ...... te esfuerces, ...... será el resultado.
7. ...... trates a tus hijos, ...... te obedecerán.
8. ...... te drogues, ...... podrás prescindir de la droga.
9. ...... aclares la colada, ...... limpia será.
10. ...... despilfarre, ...... será la crisis en que se encuentra.
11. ...... os rasquéis, ...... será el escozor.
12. ...... encuadernen los libros, ...... te va a costar la edición.
13. ...... se pinta, ...... ridícula resulta.
14. ...... hables, ...... será el riesgo de que metas la pata.
15. ...... se afana por resultar simpático, ...... lo es.

16. ...... duermes, ...... vives.

17. ...... se administre el sector público, ...... llevadera será la crisis para todos.

18. ...... escribas, ...... te entenderán la letra.

19. ...... lo hagas, ...... provecho sacarás.

20. ...... corras, ...... gasolina gastarás.

21. El doctor me aseguró que ...... comiese, ...... me sentiría.

22. Es sabido que ...... se bebe, ...... posibilidades tiene uno de contraer úlcera.

23. ...... libros leas, ...... te gustará la literatura.

II.

— prefiero levantarme temprano ⟨ *antes que* / *a* (1) ⟩ desayunar con prisas

— prefiero Luisa ............ *a* ....................... Juana

(1) Es corriente usar *que* en vez de *a*, pero la RAE lo considera incorrecto.

## 178. Según ello, complete debidamente las frases siguientes:

1. Los empresarios actuales prefieren adquirir patentes extranjeras ...... generar tecnología propia.

2. Es preferible el calor ...... el frío.

3. Pronto la gente preferirá un trabajo burocrático ...... dedicarse a la empresa.

4. Para mí es mejor vivir en un país cálido ...... morirme de frío en un país del norte.

5. Hay gente que prefiere robar ...... trabajar todos los días.

6. Prefiero que me digan lo que piensan ...... saberlo todo de segunda mano.

7. Mi padre prefiere mi hermano mayor ...... el menor.

8. Prefiere afrontar los peligros ...... vivir como un cobarde.

9. Este verano prefiero ir a la playa ...... ir a la montaña.

10. Prefiero la carne ...... el pescado.

III.

— prefiero irme a casa ⟶ *mejor voy* a mi casa

## 179. Según ello, transforme las frases siguientes:

1. En vez de estar aquí aburriéndome como una ostra, prefiero echarme una siesta.

2. Antes que estar oyendo las bobadas que dice, más vale que nos larguemos.

3. Esta radio me está dando la lata: prefiero apagarla.
4. Este maldito reloj no funciona: prefiero tirarlo y comprar otro.
5. Estas naranjas se están poniendo viejas: más vale que las comamos.
6. Estas ventanas son enormes: es preferible que llamemos a un operario para que limpie los cristales.
7. Este cocido ha salido fatal: prefiero comer otra cosa.
8. La nevera tiene mucho hielo: más vale que la desenchufemos y la deshelemos.
9. Este maquillaje me produce alergia: más vale cambiarlo.
10. Se están calentando demasiado los ánimos: es mejor que nos vayamos.

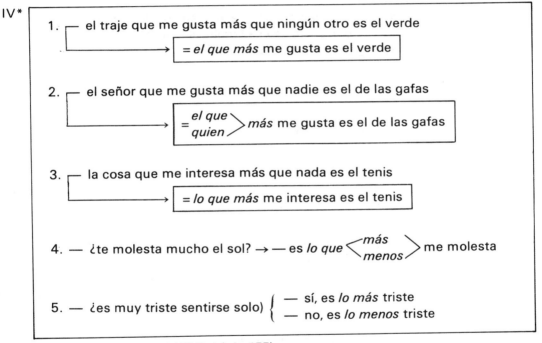

IV*

1. — el traje que me gusta más que ningún otro es el verde
   → = *el que más* me gusta es el verde

2. — el señor que me gusta más que nadie es el de las gafas
   → = *el que / quien* *más* me gusta es el de las gafas

3. — la cosa que me interesa más que nada es el tenis
   → = *lo que más* me interesa es el tenis

4. — ¿te molesta mucho el sol? → — es *lo que* *más / menos* me molesta

5. — ¿es muy triste sentirse solo) { — sí, es *lo más* triste / — no, es *lo menos* triste

* Cfr. ORACIONES DE RELATIVO, 1 (pág. 177).

**180.** **Segun ello, transforme o conteste las frases siguientes:**

1. Marisa era la alumna que más que nadie prestaba atención.
2. —¿Te gusta mucho el chocolate? —Sí, ......
3. El odio movía sus acciones más que nada.
4. —¿Es divertido ver la televisión? —No, ......
5. Más que nada me interesó el aspecto psicológico de la pieza.

6. —¿Son peligrosas para el equilibrio ecológico las centrales nucleares?
   —Sí, ......
7. Más que nadie alborotaban los niños Gómez.
8. —¿Te da mucho miedo el gato montés? —Sí, ......
9. Nadie leía tantos libros como Luisa.
10. —¿Te gusta nadar en la piscina? —Sí, ......
11. Nada detesto tanto como el ruido de los camiones.
12. —¿Le apetece a usted ducharse por la mañana? —No, ......
13. Nadie canta tan divinamente como la Caballé.
14. —¿Es agradable vivir en las afueras? —No, ......
15. No hay quien me irrite más que mi marido.
16. —¿Os fastidia el humo? —Sí, ......
17. No hay nada que le encante más que vivir en absoluto retiro.
18. —¿Te molesta la presencia de esa familia al lado de tu casa? —No, ......
19. El reloj que me gusta más es el Omega.
20. —¿Detestan vivir en el sótano? —Sí, ......

V.

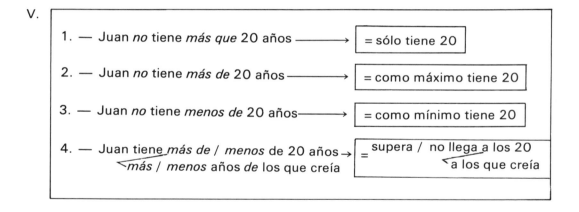

**181.** **Según ello, transforme las frases siguientes:**

1. La oficina de desempleo sólo llega a colocar un 20 por 100 de las personas que buscan trabajo.
2. En el billetero llevo como mínimo 5.000 pesetas.
3. La detención preventiva sólo puede durar lo estrictamente necesario.
4. En la sala de espera del médico sólo había seis personas.
5. En la bodega había apenas 50 botellas de rioja.
6. La biblioteca sólo presta a sus lectores tres libros a la vez.
7. La herencia era superior a lo que pensaban los herederos.

8. La novela ganadora del premio no supera las 100 páginas.
9. Esta revista no rebasa los 1.000 lectores.
10. Mi tío Angel tiene al menos 40 años.
11. A mi abuela apenas si le quedan en la boca cinco dientes.
12. Las preocupaciones que están pasando son superiores a las que normalmente les afligen.
13. En mi casa apenas cabrán 10 personas.
14. Esta botella contiene al menos medio litro de agua.
15. En la estantería sólo caben 60 libros.

**182.** **Complete las frases siguientes usando, donde hay puntos, una de las expresiones siguientes, NO.... MÁS QUE / MÁS DE / MENOS DE O MÁS DE, MENOS DE, precedida del verbo en cursiva:**

1. —¿Cuántos años *tendrá* aquel niño? —No lo sé, pero ...... siete años.
2. —¿Sólo *has encontrado* pescado en el mercado? —Sí, ...... pescado.
3. Mi coche no *gasta* mucha gasolina: ...... siete litros por kilómetro.
4. —¿*Pesa* mucho esta maleta? —Sí, muchísimo; por lo menos ...... 30 kilos.
5. —¿Ha engordado mucho Consuelo? —Sí, ...... lo previsto.
6. —¿Cuántos kilómetros *dista* tu pueblo de Madrid? —No muchos, ...... 10 kilómetros.
7. No *tengo* dinero suficiente para comprarles helado a todos: ...... 300 pesetas.
8. —¿Le *ha perjudicado* mucho la playa? —No, ...... lo que temíamos.
9. La entrada no es libre y no *pueden entrar* todos: sólo los que tienen ...... 18 años.
10. Es un atleta excelente y *corre* estupendamente: ...... 10 metros al segundo.
11. Este coche es muy viejo y no *va* muy de prisa: ...... 50 kilómetros por hora.
12. Estoy enfermo del hígado y no *puedo comer* de todo: ...... hervidos.
13. —¿*Has fumado* muchos cigarrillos hoy? —Sí, ...... los que me había propuesto.

VI.

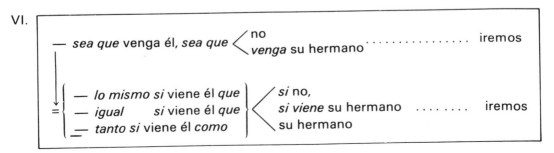

**183.** **Según ello, transforme las frases siguientes, usando una de las tres fórmulas indicadas:**

1. Sea que friegues el suelo de la cocina, sea que friegues el del comedor, usa la fregona.
2. Sea que decidas ir al extranjero, sea que no, es preferible que saques el pasaporte.
3. Sea que vayas en coche, sea que vayas andando, intenta llegar puntual a la cita.
4. Sea que les den el permiso, sea que no, piensan empezar las obras en enero.
5. Sea que vayamos a la playa, sea que vayamos al campo, llevaremos la tienda de campaña.
6. Sea que digas la verdad, sea que no la digas, nadie te va a creer.
7. Sea que hagan la reforma sanitaria, sea que no la hagan, no creo que se resuelva gran cosa.
8. Sea que plantes un nogal, sea que plantes una higuera, tardarás años en verlos crecidos.
9. Sea que le den el premio Nadal de Literatura, sea que no se lo den, él es siempre el mejor novelista español.
10. Sea que alquiles una casa en una urbanización, sea que alquiles un chalet, procura que tenga un poco de jardín.
11. Sea que les condenen, sea que no, tendrán que pasar unos años en la cárcel.
12. Sea que hagan la campaña contra el analfabetismo, sea que no la hagan, la gente no se interesará por el problema.
13. Sea que llueva, sea que no, la cosecha de cebada este año será muy escasa.

## ORACIONES RESTRICTIVAS

I.

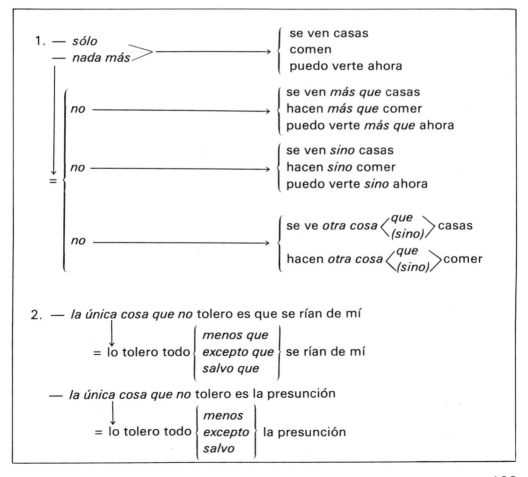

1. — sólo
   — nada más

   se ven casas
   comen
   puedo verte ahora

   = no  →  se ven *más que* casas
            hacen *más que* comer
            puedo verte *más que* ahora

      no  →  se ven *sino* casas
            hacen *sino* comer
            puedo verte *sino* ahora

      no  →  se ve *otra cosa* ⟨*que* / *(sino)*⟩ casas
            hacen *otra cosa* ⟨*que* / *(sino)*⟩ comer

2. — *la única cosa que no* tolero es que se rían de mí

   = lo tolero todo { *menos que* / *excepto que* / *salvo que* } se rían de mí

   — *la única cosa que no* tolero es la presunción

   = lo tolero todo { *menos* / *excepto* / *salvo* } la presunción

## 184. Transforme las frases siguientes con una de las formas indicadas en el punto 1:

1. Sólo me iría a Estados Unidos en avión.
2. Para entrar sólo necesitas esta llave.
3. Sólo tengo un coche pequeño y viejo.
4. Lo único que puedo decir es que te creo inocente.
5. Es raro que haya tenido ocasión de verte sólo ahora.
6. Por ahora, lo único que le interesa es jugar con los amigos.
7. Sólo tengo unos duros para sellos.
8. Esto es sólo un pequeño recuerdo mío.
9. La asistenta sólo tenía que planchar tres pares de pantalones.
10. Después de la guerra, de aquel pueblo sólo quedaron ruinas.
11. Según nos manifestaron, aquel hombre sólo se expresaba en griego.
12. Faltaban sólo cinco minutos.
13. El realismo artístico expresa sólo el racionalismo del mundo burgués.
14. Yo sólo dije que el señor Cañizal estaba ausente.
15. Sólo me da tiempo de contarte un resumen de lo ocurrido.
16. En el pueblo donde yo nací tal vez ahora sólo queden unos pocos viejos.
17. Lo único que me gustaría hacer es echarme a la piscina.
18. Sólo tengo en casa unos pocos libros de ciencias naturales.
19. Tú sólo puedes contar con la amistad de tus amigos.
20. Generalmente los leones sólo matan para comer.

## 185. Transforme las frases negativas siguientes con una de las formas indicadas en el punto 2:

1. Lo único que no puedes tomar es el café.
2. El solo momento que no estaré en el despacho será de siete a ocho.
3. El único día que no iré a tu casa es el lunes.
4. Los únicos que no asistieron al entierro fueron los parientes que vivían en el extranjero.
5. Lo único que no aguanto es que la gente me regatee.
6. El único jabón que no me irrita la piel es el jabón para bebés.

194

7. Con las únicas personas que no me trato son con las que mienten.
8. El único mes en que no llueve es agosto.

II.

— *no* hay $\left\langle\begin{array}{c}otro \\ más\end{array}\right\rangle$ remedio *que* darle razón

— puede beber de todo *sin* $\left\langle\begin{array}{c}otra \\ más\end{array}\right\rangle$ limitación *que* los alcohólicos

**186.** **Según ello, transforme y/o enlace libremente las frases siguientes:**

1. Dado que el ascensor no funcionaba, tuvimos que subir a pie por las escaleras.
2. Puede usted comer de todo: la única limitación son los alimentos reseñados en esta lista.
3. Puede presentarse para este anuncio quienquiera que sea: el único requisito es haber cumplido el servicio militar.
4. En vista de aquel chubasco, se vieron obligados a quedarse en el hotel jugando al póquer.
5. Concuerdo plenamente con lo que usted ha dicho: la única objeción es la señalada al inicio de mi intervención.
6. Los abonados podrán servirse libremente de la energía eléctrica: las únicas limitaciones son las impuestas por las autoridades.
7. Viéndose rodeado por la policía, el atracador tuvo que rendirse.
8. El cirujano dijo que la única solución que veía era amputarle la pierna.
9. Pienso pedirle el dinero: le daré sólo las explicaciones estrictamente necesarias.
10. Sobrevino un vendaval: la única alternativa que vio el alpinista fue refugiarse en una grieta.
11. Preséntese: haga sólo los cumplidos que exige la etiqueta.
12. Dado que el sol le quemaba la piel, se vio obligado a quedarse todo el tiempo bajo la sombrilla.
13. Sírvanse ustedes mismos: la única limitación es la que exige la moderación necesaria.
14. Dado que las oficinas estaban cerradas, tuvieron que volver al día siguiente.
15. Puede usted leer todo el tiempo que quiera: el único límite es el horario establecido.

# Capítulo cuarto

# PUNTUACIÓN

# COMA

1. 
   - en la habitación hay mesas, sillas, sillones y alfombras.
   - el campesino ara el campo, la mujer prepara la comida, y el muchacho amontona las hierbas en un rincón de la era.

   → ELEMENTOS DE UNA SERIE

2. 
   - cierra, *Antonio,* la ventana.
   - la contaminación, *según algunos,* es inevitable.
   - María, *la hermana de mi amiga,* se casará el lunes.
   - este libro, *el libro que acabo de leer,* es interesante.
   - me levantaré, *dijo Carlos,* muy tarde.

   → INCISOS

3. 
   - la vida se ha puesto muy cara, *en efecto.*
   - *asimismo,* no deberías beber tanto.
   - los objetos delicados, *pues,* hay que tratarlos con delicadeza.

   → LOCUCIONES Y ADVERBIOS

4. ⌐ el señor, *cuyo hijo conoces*, es un famoso pediatra.
   ⊢ el niño, *que iba ya al colegio*, tuvo que quedarse en casa.
   ⊢ el fuego, *dando a las llamas el entero palacio*, lo destruyó completamente.

   ⊢ hizo una serie de observaciones absurdas, *cosa que / lo que* produjo un pésimo efecto.

   └───→ ┌────────────────────────────┐
         │ ORACIONES EXPLICATIVAS (1) │
         └────────────────────────────┘

5. ⌐ *hechos los preparativos*, se marcharon.
   ⊢ *para poder leer ese manuscrito*, necesito la lupa.
   ⊢ *si llegas antes que yo*, avísame.

   └───→ ┌──────────────────────────────────────┐
         │ SUBORDINADAS antepuestas a la principal │
         └──────────────────────────────────────┘

6. ⌐ yo trabajo en una fábrica de aceros; *mi hermano, en Correos*.

   └───→ ┌───────────────────┐
         │ OMISIÓN DEL VERBO │
         └───────────────────┘

7. ⌐ las autoridades han decidido reducir el consumo de gasolina, *pues* de otro modo se agrava la crisis ya existente.
   ⊢ el Ayuntamiento reanudó las tareas para resolver el problema de los servicios en el centro, *pero* no mencionó para nada la periferia de la ciudad, *según* informaron voces atendibles.
   ⊢ hablar ahora de estos problemas no sólo es precipitado, *sino* enormemente imprudente.
   ⊢ fue *tan grande* el esfuerzo que hizo para correr el armario, *que* le vino una hernia.

   └───→ ┌───────────────────────┐
         │ CIERTAS SUBORDINADAS │
         └───────────────────────┘

8. ⌐ el señor Pérez tuvo que tomar el autobús en marcha, *arriesgando* su vida.
   ⊢ el nuevo directivo hizo una serie de reformas, *dando* otro rumbo a la empresa.

   └───→ ┌──────────────────────────────────────┐
         │ COORDINADA SIMULTÁNEA               │
         │ o INMEDIATAMENTE POSTERIOR (2)      │
         └──────────────────────────────────────┘

┌──────────────────────────────────────────────────────────────────────┐
│ **Recuerde**: entre sujeto y verbo NUNCA coma, salvo que aquél sea muy largo. │
└──────────────────────────────────────────────────────────────────────┘

(1) Cfr. ORACIONES DE RELATIVO (págs. 177-180) y GERUNDIO, A, 2 (pág. 33).
(2) Cfr. GERUNDIO, b, 5 (pág. 34).

**187.** Coloque COMAS donde sea oportuno:

1. El granizo en efecto produjo graves daños a la cosecha.
2. Manuel acércame por favor aquella taza.
3. La mayoría de los países ha decidido participar en la Olimpiada de Moscú pero muchos otros se han retirado.
4. Si quieres ser feliz tienes que aceptar la vida como viene.
5. Los niños los que viste mientras jugaban en el parque son los hijos del señor Suárez.
6. La mecanógrafa pone el papel en la máquina arregla la cinta y empieza a escribir.
7. El jefe de la expedición iba acortando el paso dejando que los otros le alcanzaran.
8. ¡Niños esperadme antes de cruzar la calle!
9. La Costa Brava se encuentra yendo hacia Barcelona.
10. Mis vecinos me vigilan pero a mí no me importa nada.
11. Este caso por ejemplo lo encuentro poco indicativo.
12. Aunque me hayan asegurado que me llamarían no creo que lo hagan.
13. Su mirada sin embargo tenía una expresión muy triste.
14. Jesús emigró a Sudamérica; su hermano a Australia.
15. Pronunciadas esas palabras bebió unos sorbos de agua.
16. ¿Has ido hoy de compras mamá?
17. En cuanto llegué al colegio me di cuenta de que los profesores estaban en huelga.
18. Para encontrar setas hay que ir andando por el bosque.

**188.** Como el ejercicio anterior:

1. Para mí en cambio es inadmisible su conducta.
2. El perro ladra la oveja bala los pájaros pían y los lobos aúllan.
3. La casa de enfrente está desalquilada.
4. Todo eso no tiene la menor importancia al fin y al cabo.
5. Nos vemos delante del cine Vergara el que está en la Gran Vía.
6. Aquel libro cuyo autor ha muerto hace muy poco es un best-seller.
7. Al llegar los pescadores a la playa la gente iba a comprar pescado.
8. Mi hermano bastante más joven que yo ya es piloto.

9. Naturalmente no es necesario que les hable de un asunto de sobras conocido.

10. Puesto que no quiere tomar bebidas alcohólicas que beba un vaso de leche.

11. Además habría que considerar los restantes aspectos de la cuestión.

12. El teatro que está delante de mi casa está cerrado por reformas.

13. Si has perdido el dinero peor para ti.

14. Seguramente dijo el enfermo no sanaré en pocos días.

15. Durante cuatro largos días trataron de rescatar a las víctimas de los escombros.

16. Le dijeron que no se metiera que eso no era cosa suya.

17. En la ciudad de Pamplona se celebra la fiesta de San Fermín.

18. Era un buen militante pero dejó las armas al casarse.


## 189. Como el ejercicio anterior:

HARRISBURG ha conmovido al mundo. El peligro de una catástrofe nuclear ha sido real. Para la industria de las centrales atómicas una de las más poderosas el incidente marca el fin de una era y el comienzo de otra en la cual gobierno y opinión pública atemorizados exigirán mayores controles y más seguridad. El debate que se había reducido a los grupos antinucleares es ahora general.

La seguridad nuclear ¿existe? La población está convencida en España de que no es así. Lo mismo ocurre en muchos otros lugares del mundo. El miedo que alienta todas las campañas antinucleares está detrás de las marchas populares de los artículos de prensa. Una encuesta hecha por encargo del Fórum Atómico Español durante un año demuestra que la mayor parte de las informaciones de la prensa hispana es adversa a las centrales aunque la derecha las patronales y los diarios no están en manos de empresas izquierdistas.

La izquierda por lo general los ecologistas los regionalistas vascos los murcianos los extremeños los tarraconenses y todos aquellos que tienen cerca uno de esos monstruos silenciosos que son las centrales están contra ellas. La población tiene miedo. Aunque nunca ha muerto nadie aquí debido a la radiactividad ni se ha producido un accidente importante todos están signados por el miedo.

Algunos los más lúcidos los políticos y los intelectuales tienen planteamientos económicos políticos de tipo social y ecológico. Todos ellos quisieran impedir la presencia de las centrales y sustituirlas por centrales solares inofensivas por molinos que aprovechen el aire por carbón etcétera. Pero sobre todo por centrales solares.

Los partidarios del átomo apuntan naturalmente al enorme número de muertos producidos semanalmente por los automovilistas los que causan los incendios las armas de fuego los accidentes aéreos los cables de alta tensión las presas que se rompen etc. «No quiere decir que una central no pueda producir muertos —dice Gallego—. Pero el accidente más grave el de Harrisburg no ha producido uno solo».

En Harrisburg el mundo estuvo ante la posibilidad de una verdadera catástrofe de todos modos. La burbuja de gas que se formó amenazó con causar una explosión de gas hidrógeno que hubiera lanzado un chorro de radiactividad a la atmósfera.

Las primeras conclusiones de los investigadores del gobierno indican que el accidente se debió a «errores humanos inexplicables.»

*EL ÁTOMO SE DEFIENDE,*
«Cambio 16», 15 de abril de 1979.

## 190. Como el ejercicio anterior:

**A**

EL Cordobés inició ayer la parte «seria» de la feria. En realidad es impropio decir «seria» cuando nos referimos a El Cordobés porque tiene eliminada la palabra de su diccionario al menos en lo que se refiere a la autoridad taurina. Lo de El Cordobés es lo de los *charlotes* con cuya afirmación no descubrimos ningún Mediterráneo. Ocurre sin embargo que con su concepto charlotesco del toreo se ha hecho millonario por supuesto sin torear jamás aunque llenaba las plazas. Es decir que El Cordobés torero no era pero taquillero sí. En cambio ahora no tiene ni de lo uno ni de lo otro. Viene a Valencia en plena feria no acompañado de dos más los que fueran como ocurría antes sino arropado por Palomo que tiene su público; por Manzanares figura del toreo que dicen y además gloria de la región y resulta que no llena la plaza.

*EL CORDOBÉS: NI TORERO NI TAQUILLERO,*
«El País», 23 de julio de 1980.

**B**

LAS tarifas del servicio de taxis de Madrid no sufrirán ningún aumento al menos hasta el próximo mes de septiembre según se estimó en la reunión que ayer mantuvieron representantes de la Asociación de Trabajadores Autónomos del Taxi (AMAT) y técnicos del Ayuntamiento.

En el encuentro se decidió retirar la propuesta de aumento de un 10 por 100 sobre el precio actual que estaba ya autorizado en principio por el Ayuntamiento y se encontraba a la espera de la aprobación definitiva por el pleno municipal. Dicho aumento se consideraba insuficiente por parte de los representantes de AMAT. Asimismo se acordó la presentación de un estudio unitario de aumento de tarifas que será entregado en el Ayuntamiento el próximo martes.

El aumento de tarifas no podrá ser efectivo entonces hasta el mes de septiembre pues la aprobación definitiva de éste será tratada en el pleno que el Ayuntamiento de Madrid celebre en el mes de agosto.

*LOS TAXIS NO SUBIRÁN HASTA SEPTIEMBRE,*
*Ibíd.*

# PUNTO Y COMA

**Observe** los siguientes párrafos:

1. — En el patio cargan un carro de mula; unas gallinas pican la tierra y otras escarban en un montón de estiércol; dos niños juegan con unos palitos, y un perro está tumbado, con gesto aburrido, al sol. El viajero no sabe de quién será hoy este palacio.

2. — De la Plaza de la Hora se sale por dos puertas. La de la izquierda, dando la espalda a la fachada del palacio, lleva al barrio morisco del Albaicín; la de la derecha, da paso al barrio cristiano de San Francisco.

CAMILO JOSÉ CELA, *VIAJE A LA ALCARRIA,*
Madrid, Espasa-Calpe, 1967⁵, págs. 154 y 155.

## EJERCICIOS

**191.** Coloque COMAS y PUNTOS Y COMAS en el siguiente fragmento:

EL viajero habla despacio muy despacio consigo mismo en voz baja y casi como si quisiera disimular.

–Sí la Alcarria. Debe de ser un buen sitio para andar un buen país. Luego ya veremos a lo mejor no salgo más depende.

El viajero enciende otro cigarrillo –a

poco más se quema el dedo con el mixto– se sirve otro whisky.

–La Alcarria de Guadalajara. La de Cuenca ya no por Cuenca puede que ande el pinar o la Mancha ¡quién sabe! con sus lentos caminos.

El viajero hace un gesto con la boca.

–Y tampoco importa que me salga un poco si me salgo. Después de todo ¿qué más da? Nadie me obliga a nada nadie me dice: métase por aquí suba por allí camine aquel ribazo esta laderilla esta otra vaguada tierna y de buen andar.

El viajero revuelve entre los papeles de la mesa buscando un doble decí-metro. Lo encuentra se acerca de nuevo a la pared y con el pitillo en la boca y el entrecejo arrugado para que no se le llenen los ojos de humo pasea la regla sobre el mapa.

–Etapas ni cortas ni largas es el secreto. Una legua y una hora de descanso otra legua y otra hora y así hasta el final. Veinte o veinticinco kilómetros al día ya es una buena marcha es pasarse las mañanas en el camino. Después sobre el terreno todos estos proyectos son papel mojado y las cosas salen como pasa siempre por donde pueden.

CAMILO JOSÉ CELA,<br>*Ibíd.,* págs. 16-17.

## 192. Como el ejercicio anterior:

EL viajero va hablando con el del carro que va sentado y con las piernas fuera. El mulo es un mulo de labranza se ve que no está acostumbrado al carro que no le tiene afición y se mete en la cuneta en cuanto el hombre se descuida y tira coces al aire cuando le arrean con la tralla.

–En Budia encontrará usted de todo todos esos pueblos son muy pobres aquí no hay más que para los que estamos y no crea usted que sobra. Budia es un pueblo muy rico allí el que más y el que menos maneja sus cuartos.

–¿Y Cereceda?

–Como nosotros Cereceda es también muy pobre. Queda detrás de estos montes.

El camino va desde la salida de La Puerta con el Solana a la izquierda a la altura de Cereceda que queda detrás de la Peña del Tornero se cruza un puentecillo y el río sigue paralelo hasta que cae en el Tajo dejando a Mantiel al sur a una legua de Cereceda otra de Chillarón del Rey y dos de Alique y de Hontanillas todo por sendas de herradura. El viajero que va caminando por el hocino del Solana no ve ninguno de estos pueblos. Mientras echa un pitillo con el del carro se entera de que a los de Cereceda les llaman pantorrilludos igual que a los de La Puerta a los de Mantiel miserables y rascapieles a los de Chillarón tiñosos a los de Alique tramposos y a los de Hontanillas gamellones porque para no ensuciar el plato comen en el gamellón del puerco.

CAMILO JOSÉ CELA,<br>*Ibíd.,* págs. 103 y 104.

# DOS PUNTOS

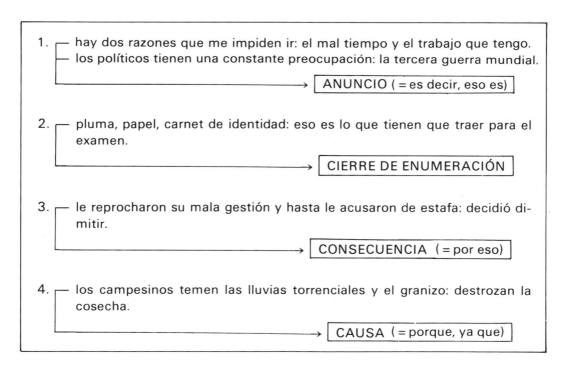

1. ┌─ hay dos razones que me impiden ir: el mal tiempo y el trabajo que tengo.
   ├─ los políticos tienen una constante preocupación: la tercera guerra mundial.
   └──────────────────────────────→ ANUNCIO ( = es decir, eso es)

2. ┌─ pluma, papel, carnet de identidad: eso es lo que tienen que traer para el
   │  examen.
   └──────────────────────────────→ CIERRE DE ENUMERACIÓN

3. ┌─ le reprocharon su mala gestión y hasta le acusaron de estafa: decidió di-
   │  mitir.
   └──────────────────────────────→ CONSECUENCIA  ( = por eso)

4. ┌─ los campesinos temen las lluvias torrenciales y el granizo: destrozan la
   │  cosecha.
   └──────────────────────────────→ CAUSA ( = porque, ya que)

207

**193.** Coloque COMAS y DOS PUNTOS en el siguiente párrafo:

EN su carta a «El País» del 16 de julio el señor Sierra muestra su preocupación ante lo que para él es un grave peligro para el futuro del idioma la *incorrecta* pronunciación castellana de una locutora de Televisión.

Habría que preguntar al señor Sierra qué entiende por pronunciación incorrecta. Nada nos aclara al respecto. Quizá para él la pronunciación más correcta sea la generalizada en Castilla. ¿Debemos considerar incorrecta la de andaluces extremeños etc.? Tal parece ser el caso ya que su crítica va dirigida a una locutora canaria. No se trata de una incorrección sino de un uso distinto de un mismo sistema de lengua.

De seguir su razonamiento ningún español de usos distintos de los de la «fonética correcta castellana» la gran mayoría de los españoles podría tener acceso a los medios de comunicación social. Sin extremar mucho su acceso sería denegado a los centros de enseñanza el efecto sobre los niños —principal preocupación del señor Sierra— sería tanto o más pernicioso que el de la televisión. Nos encontraríamos así con una buena parte de la población sin posibilidad de acceder a determinados puestos de trabajo al igual que los extranjeros hispanohablantes.

*PRONUNCIACIÓN Y HABLA,*
«El País», 23 julio de 1980.

**194.** Puntúe correctamente, poniendo la mayúscula detrás de cada punto y seguido, el siguiente texto:

LA sed insaciable de poder que el hombre y las instituciones por él creadas manifiestan frente a otros hombres y a otras instituciones se hace especialmente ostensible en la Naturaleza.

En la actualidad la abundancia de medios técnicos permite la transformación del mundo a nuestro gusto posibilidad que ha despertado en el hombre una vehemente pasión dominadora el hombre de hoy usa y abusa de la Naturaleza como si hubiera de ser el último inquilino de este desgraciado planeta como si detrás de él no se anunciara un futuro.

La Naturaleza se convierte así en el chivo expiatorio del progreso el biólogo australiano Macfarlane Burnet que con tanta atención observa y analiza la marcha del mundo hace notar en uno de sus libros fundamentales que «siempre que utilicemos nuestros conocimientos para la satisfacción a corto plazo de nuestros deseos de confort seguridad o poder encontraremos a plazo algo más largo que estamos creando una nueva trampa de la que tendremos que librarnos antes o después».

He aquí sabiamente sintetizado el gran error de nuestro tiempo el hombre se complace en montar su propia carrera de obstáculos encandilado por la idea de progreso técnico indefinido no ha querido advertir que éste no puede lograrse sino a costa de algo de ese modo hemos caído en la primera trampa la inmolación de la Naturaleza a la Tecnología esto es de una obviedad concluyente un principio biológico elemental dice que la demanda interminable y progresiva de la industria no puede ser atendida sin detrimento por la Naturaleza cuyos recursos son finitos.

Toda idea de futuro basada en el crecimiento ilimitado conduce pues al desastre paralelamente otro principio básico incuestionable es que todo complejo industrial de tipo capitalista sin expansión ininterrumpida termina por morir consecuentemente con este segundo postulado observamos que todo país industrializado tiende a crecer cifrando su desarrollo en un aumento anual que oscila entre el 2 y el 4 por 100 de su producto nacional bruto entonces si la industria que se nutre de la Naturaleza no cesa de expansionarse día llegará en que ésta no pueda atender las exigencias de aquella ni asumir sus desechos ese día quedará agotada.

La novelista americana Mary McCarthy hace decir a Kant redivivo en una de sus últimas novelas que «la Naturaleza ha muerto» evidentemente la novelista anticipa la defunción pero a juicio de notables naturalistas no en mucho tiempo ya que para los redactores del Manifiesto para la Supervivencia de no alterarse las tendencias del progreso «la destrucción de los sistemas de mantenimiento de la vida en este planeta será inevitable posiblemente a finales de este siglo y con toda seguridad antes de que desaparezca la generación de nuestros hijos».

Para Commoner la década que estamos viviendo la década de los 70 «es un plazo de gracia para corregir las incompatibilidades fundamentales» ya que de no hacerlo así en los tres lustros siguientes la Humanidad sucumbirá a mi juicio no importa tanto la inminencia del drama como la certidumbre que casi nadie cuestiona de que caminamos hacia él Michel Bosquet dice en *Le Nouvel Observateur* que «a la Humanidad que ha necesitado treinta siglos para tomar impulso apenas le quedan treinta años para frenar ante el precipicio».

Como se ve el problema no es baladí lo expuesto no es un relato de ciencia-ficción sino el punto de vista de unos científicos que han dedicado todo su esfuerzo al estudio de esta cuestión la más compleja e importante sin duda que hoy aqueja a la Humanidad.

La Naturaleza ya está hecha es así esto en una era de constantes mutaciones puede parecer una afirmación retrógrada mas si bien se mira únicamente es retrógrada en la apariencia en mi obra *El libro de la caza menor* hago notar que toda pretensión de mudar la Naturaleza es asentar en ella el artificio y por tanto desnaturalizarla hacerla regresar en la Naturaleza apenas cabe el progreso todo cuanto sea conservar el medio es progresar todo lo que signifique alterarlo esencialmente es retroceder.

Empero el hombre se obstina en mejorarla y se inmiscuye en el equilibrio ecológico eliminando mosquitos desecando lagunas o talando el revestimiento vegetal en puridad las relaciones del hombre con la Naturaleza como las relaciones con otros hombres siempre se han establecido a pa-

los la Historia de la Humanidad no ha sido otra cosa hasta hoy en día más que una sucesión incesante de guerras y talas de bosques.

Y ya que inexcusablemente los hombres tenemos que servirnos de la Naturaleza a lo que debemos aspirar es a no dejar huella a que se «nos note» lo menos posible tal aspiración por el momento se aproxima a la pura quimera el hombre contemporáneo está ensoberbecido obstinado en demostrarse a sí mismo su superioridad ni aun en el aspecto demoledor renuncia a su papel de protagonista.

En esta cuestión el hombre-super-técnico armado de todas las armas espoleado por un afán creciente de dominación irrumpe en la Naturaleza y actúa sobre ella en los dos sentidos citados a cual más deplorable y desolador desvalijándola y envileciéndola.

MIGUEL DELIBES, *LA NATURALEZA, CHIVO EXPIATORIO,*
«Cambio 16», 27 de enero de 1980.

## SUSTANTIVOS

**195.** Complete las frases siguientes con el sustantivo deriva͙      verbo entre paréntesis o, si no existe, con un sinónimo, según los ejemplos:

Este año ...... (producir) nacional ha disminuido ————————→ Este año *la producción* nacional ha disminuido.

La sequía de estos últimos meses ha sido ...... (ocasionar) de la escasa cosecha ————————→ La sequía de estos últimos meses ha sido *la causa* de la escasa cosecha.

1. ...... (subir) del precio del papel ha sido ...... (producir) de ...... (cerrar) del periódico.
2. Todavía no he pagado ...... (asegurar) de mi nuevo coche.
3. Los almacenes están cerrados por ...... (ampliar) del local.
4. La población mundial ha registrado ...... (crecer) notable.
5. ...... (nacer) de los movimientos obreros se remonta al siglo XIX.
6. La locutora de radio ha dado ...... (anticipar) de los programas de la próxima semana.
7. Mi amigo Manuel ha ganado una plaza en un Instituto de ...... (enseñar) Superior.
8. General Óptica asegura a sus clientes contra ...... (romper) y ...... (perder) de sus gafas por tres años.
9. El juez pronunció ...... (fallar) al final del proceso.
10. El jefe nos ha dado ...... (anticipar) del sueldo del mes próximo.
11. El médico calificó ...... (quemar) de tercer grado.
12. Para muchos, la tercera guerra mundial es ...... (suceder) posible.

**196.** Como el ejercicio anterior:

1. Generalmente ...... (consumir) se deja influir excesivamente por la propaganda.
2. ...... (hacer falta) de acabar con ...... (contaminar) atmosférica ha obligado a muchas fábricas a instalar ...... (depurar).
3. Las tormentas de verano han venido con un mes de ...... (anticipar).
4. Antes de iniciar una actividad comercial, hay que considerar bien ...... (perder) y ...... (ganar).
5. El color de ...... (pintar) de esta habitación no me gusta nada.
6. Están proyectando «Lo que el viento se llevó» en una sala de ...... (estrenar); ...... (durar) del filme es de más de cuatro horas.
7. Ten mucho cuidado en este ...... (cruzar) porque es muy peligroso.
8. El señor Gómez se distingue por su ...... (faltar) de tacto.
9. Para ...... (elegir), las paredes de la ciudad se llenan de ...... (pintar).
10. ...... (encontrar) con el famoso actor fue ...... (decepcionar).
11. Hay que andar con pies de plomo en ...... (elegir) de los propios ...... (colaborar).
12. José no tiene ningún ...... (conocer) del derecho internacional.

**197.** Como el ejercicio anterior:

1. El problema de ...... (estar sin empleo) tiene ...... (abarcar) mundial.
2. La víbora dio ...... (morder) mortal al excursionista.
3. ...... (instalar) de la luz eléctrica fue instaurada por vez primera en París.
4. Le ruego abonar ...... (contar) a ...... (recibir) del paquete.
5. Me gustaría hacer ...... (suscribir) a una revista española.
6. ...... (enviar) de la mercancía se efectuará en el plazo de diez días.
7. Durante el último golpe de estado, ...... (tomar) del poder ha sido efectuada por los militares.
8. Se está preparando ...... (poner) en escena de una obra de Calderón.
9. El mercado del oro sufre ...... (subir) y ...... (bajar) repentinas.
10. ...... (descender) del Everest fue más dificil que ...... (ascender).
11. Se está pensando en aprovechar de algún modo ...... (desperdiciar) de la ciudad.
12. En el aeropuerto hay un tablón luminoso que anuncia ...... (llegar) y ...... (salir).

**198.** Como el ejercicio anterior:

1. Los expedicionarios se enfrentaron con ...... (nevar) imponentes.
2. No es posible ir en bicicleta en Segovia porque es una ciudad llena de ...... (subir) y ...... (bajar).
3. Tengo mucha ...... (confiar) en lo que hace mi marido.
4. Los análisis bacteriológicos detectan ...... (estar presente) o ...... (estar ausente) de microbios.
5. ...... (recoger) de basuras tiene lugar en las primeras horas de la mañana.
6. El vecino de casa tiene que pagarnos por ...... (dañar) que nos ha ocasionado con ...... (perder) de agua.
7. Sólo me falta ...... (redactar) de la tesis.
8. ...... (aventajar) de vivir en un último piso es que no se oyen los ruidos de la calle.
9. Se dividieron ...... (beneficiarse) entre los socios.
10. Durante la tormenta del otro día, hubo ...... (caer) de tensión en todo el pueblo.
11. ...... (enfadarse) llevó a los dos amigos a ...... (romper).
12. Después de tanto estudiar, le vino ...... (agotar) nervioso.


**199.** Como el ejercicio anterior:

1. Me dijo el médico que ...... (romper) del menisco tardará meses en curarse.
2. Para muchos drogados lo difícil es ...... (adaptarse) a la vida social.
3. Se está estudiando un método para ...... (aprovechar) de las aguas residuales.
4. Presentaron ...... (lamentarse) a la RENFE por la incorrección de un empleado.
5. ...... (avanzar) de las tropas napoleónicas en Rusia se hizo entre miles de dificultades.
6. Mi ...... (proponer) ha sufrido un duro ...... (rechazar) por parte de la mayoría.
7. ...... (adelantar) técnicos más vistosos tuvieron lugar a principios del presente siglo.
8. La industria del automóvil ha sufrido ...... (retroceder) a causa de ...... (competir) extranjera.
9. Expresé mi ...... (pensar) a pesar de que sabía que nadie estaría de acuerdo.
10. La casa saltó a causa de ...... (escaparse) de gas.
11. ...... (escaparse) de los prisioneros se debió a ...... (desatender) de los guardianes.
12. La Constitución establece que ...... (detener) preventiva no puede durar más del tiempo estrictamente necesario.

**200.** Como el ejercicio anterior:

1. Salió de la cárcel tras ...... (cumplir) de la condena.
2. En la autopista hay zonas de ...... (descansar) para ...... (estacionar) de breve ...... (durar).
3. ...... (lanzar) de la bomba atómica desconcertó al mundo entero.
4. Me dio un fuerte ...... (apretar) de manos.
5. Mi amiga Teresa lleva ...... (cortar) de pelo muy moderno.
6. Este coche tiene ...... (arrancar) que no promete nada bueno.
7. El terremoto produjo ...... (derrumbar) de casi todas las casas del pueblo.
8. La filoxera causó ...... (destrozar) irreparable de los viñedos.
9. Había tomado demasiados somníferos y tuvieron que hacerle ...... (lavar) gástrico.
10. Este aparato estereofónico permite ...... (oír) perfecta.
11. Esta noche habrá en el Ateneo ...... (hablar) sobre la poesía de Machado.
12. Aquella niña ha hecho ...... (cambiar) notable durante esos últimos años.


**201.** Como el ejercicio anterior:

1. ...... (tratar de) de acabar con el terrorismo ha sido inútil.
2. En el garaje de enfrente de casa han instalado ...... (lavar) automático.
3. Se están recogiendo ...... (ayudar) para el pueblo de Camboya.
4. Al oír aquellas palabras le entró ...... (arrebatar) de ira.
5. ...... (estallar) de la bomba se oyó a muchos metros de distancia.
6. Tengo muchas ...... (dudar) sobre lo que hay que hacer en esta ocasión.
7. La FAO se ocupa de los países en vías de ...... (desarrollarse).
8. ...... (someter) de los indios de América no fue ...... (emprender) fácil.
9. La muerte de Francisco José provocó ...... (desencadenarse) de la primera guerra mundial.
10. ...... (enfrentarse) entre los partidos de izquierda y de derecha tuvo ...... (durar) mayor de la prevista.
11. Infligieron al acusado ...... (condenar) de cinco años.
12. En esta casa de ...... (comer) no se sirven ...... (beber) alcohólicas.


**202.** Como el ejercicio anterior:

1. ...... (limpiar) de la casa me lleva muchas horas.
2. El tren lleva 50 minutos de ...... (retrasar).
3. Los religiosos hacen un voto de ...... (obedecer).

4. En el «Boletín Oficial del Estado» ha sido publicado ...... (informar) sobre las últimas ...... (decidir) ministeriales.
5. ...... (arreglar) del grifo me ha costado 1.000 pesetas.
6. ...... (diagnosticar) que le hicieron fue que tenía que operarse enseguida.
7. Le han hecho ...... (acusar) falsas.
8. Los médicos han declarado al enfermo de ...... (pronosticar) reservado.
9. Para vivir con él se necesita mucho ...... (aguantar).
10. Tengo ...... (acordarse) estupendo de mis vacaciones en Sevilla.
11. Hay que atacar la enfermedad en sus ...... (empezar).
12. Detrás del asiento encontrarán ustedes ...... (advertir) para ...... (usar) del chaleco salvavidas.

## 203. Como el ejercicio anterior:

1. Llegamos a ...... (citarse) antes de lo convenido.
2. Su ...... (actuar) para con nosotros resulta poco correcta.
3. ...... (actuar) de aquella compañía de teatro mereció numerosos ...... (elogiar).
4. En la cola le dieron ...... (empujar) que le hizo caer al suelo.
5. ...... (asentarse) de los fenicios tuvo lugar en las costas andaluzas.
6. En su juventud tuvo ...... (deslizar) que le costó muy caro.
7. A causa de la lluvia, el coche sufrió ...... (deslizar) que le hizo chocar contra un árbol.
8. Los atletas dedican varias horas diarias a ...... (entrenarse).
9. Las comedias de Plauto reflejan ...... (hablar) del pueblo.
10. He depositado mi dinero en una Caja de ...... (ahorrar).
11. Han sido acusados de ...... (detener) de armas.
12. ...... (dejar) de las tierras causó ...... (empobrecer) de las mismas.

## 204. Como el ejercicio anterior:

1. ...... (faltar/ carecer) de vitaminas le obligó a hacer ...... (tratar) reconstituyente.
2. Las golondrinas son aves de ...... (pasar).
3. He ingresado todo mi dinero en una libreta de ahorros con ...... (vincular) por cinco años.
4. ...... (fallecer) de nuestro malogrado socio fue repentino.
5. ...... (pagar) puede efectuarse con talón bancario.
6. Han salvado esos pocos manuscritos de ...... (quemar).

7. Ha montado una tienda de ...... (comprar) y ...... (vender) de muebles antiguos.
8. En las centrales nucleares se utiliza ...... (bombardear) atómico.
9. La grave enfermedad le causó no pocos ...... (sufrir).
10. Hemos tenido ...... (pincharse) en la carretera y no sabemos dónde está la rueda de ...... (reponer).
11. ...... (luchar) contra la leucemia ha sido intensa, pero ...... (lograr) han sido escasos.
12. ...... (entender) del problema me resulta bastante difícil.

## 205. Como el ejercicio anterior:

1. ...... (acumular) de papel moneda sin ...... (circular) produce ...... (devaluar) del mismo.
2. A pesar de ser un obrero especializado, todavía no ha encontrado ...... (colocar).
3. ...... (conseguir) de sus propósitos le cuesta no pocos esfuerzos.
4. ...... (obtener) de un título universitario cada día resulta más fácil.
5. ...... (invertir) de capital en aquella sociedad resulta completamente inútil.
6. En las autopistas hay un carril de ...... (adelantar).
7. Puedo ayudarte porque tengo muchos ...... (conocer) en la Embajada de España.
8. Tengo ...... (sospechar), mejor, ...... (convencerse), de que este ...... (recibir) del gas no es mío.
9. Nadie preveía que ...... (sacudir) tan leve del terremoto produjera ...... (desplomarse) de la torre.
10. ...... (terminar) de la nueva línea del metro se prevé para Navidad.
11. Los almacenes están cerrados por ...... (mejorar).
12. El enfermo ha notado ...... (mejorar) con el nuevo ...... (medicar).

## 206. Como el ejercicio anterior:

1. Yendo solo a aquellas horas de la noche, has corrido un gran ....... (arriesgar).
2. Hicimos croquetas con ...... (sobrar) del besugo.
3. Di escuetamente lo ocurrido sin más ...... (añadir).
4. Se ruega ...... (devolver) de los adjuntos ...... (imprimir) en caso de ...... (estar ausente) de ...... (interesar).
5. ...... (permanecer) en el extranjero le ha alejado de todos sus amigos.

6. Ha instalado la valla en torno a la casa una empresa de ...... (derribar).
7. ...... (encontrar) de nuevas piezas arqueológicas ha echado luz sobre otros aspectos de la vida de los etruscos.
8. ...... (descubrir) de la electrónica ha sido ...... (hallar) de ...... (repercutir) incalculables.
9. El náufrago llamó ...... (auxiliar) en vano.
10. ...... (llamar) lanzado a todas las partes del mundo para ...... (socorrer) de las víctimas de ...... (inundarse) ha caído en el vacío.
11. Recibe numerosas ...... (llamar) telefónicas al día.
12. ...... (entretenerse) preferido de los italianos es el fútbol.

## 207. Como el ejercicio anterior:

1. Por las noches toman siempre ...... (infundir) de manzanilla.
2. Las operaciones de ...... (despegar) y ...... (aterrizar) son siempre algo delicadas.
3. Tengo que pasar por el Consulado de Hungría para retirar ...... (visar).
4. ...... (manifestar) llevaban una pancarta que decía: «Basta con ...... (atropellar) a ...... (trabajar)».
5. ...... (grabar) del disco tuvo lugar en Radio Nacional.
6. La policía hizo ...... (registrar) minucioso de la casa, pero no encontró nada digno de ...... (interesar).
7. Durante la segunda guerra mundial se hizo una gran ...... (matar) de judíos.
8. ...... (florecer) de las rosas tiene lugar en mayo.
9. Todavía espera ...... (nombrar) oficial como profesor de segunda enseñanza.
10. ...... (plantear) del problema es sumamente confuso.
11. Este año todavía no hemos hecho ...... (renovar) del pasaporte.
12. Cuando se supo de ...... (atentar) en las Cortes, hubo ...... (desplegar) de policía nunca visto.

## 208. Complete las frases siguientes con el sustantivo abstracto derivado del adjetivo entre paréntesis, según el ejemplo:

Carece de ...... (digno) ⟶ Carece de *dignidad.*

1. Hace tiempo que sufro de ...... (ácido) de estómago.
2. Dice que en su ...... (joven) la gente se comportaba de otro modo.
3. ...... (sucio) es causa de frecuentes infecciones.
4. Lo que más nos gusta de la nueva casa es ...... (luminoso).

5. ...... (sordo) no le permite comunicar con los demás.
6. Es una mujer de una gran ...... (bueno).
7. La muerte de su madre le causó ...... (triste) infinita.
8. En el trato comercial lo más importante es ...... (serio).
9. Cuando oyó lo ocurrido, le dio un ataque de ...... (loco).
10. Admiro ...... (claro) de sus escritos.
11. Esta furgoneta se distingue por su ...... (elástico) y ...... (robusto).
12. ...... (negro) de las nubes amenazaba tormenta.


## 209. Como el ejercicio anterior:

1. Este muchacho posee ...... (inteligente) portentosa.
2. Toda la garganta estaba sumida en una gran ...... (oscuro).
3. Es un hombre de gran ...... (caballero) y ...... (cordial).
4. La mayoría de los pueblos aspiran a ...... (unido) nacional.
5. Nos adentramos en ...... (espeso) del bosque.
6. ...... (sincero) y ...... (leal) son indispensables en toda ...... (amigo).
7. Estos discos son de alta ...... (fiel).
8. El día soleado dio ...... (brillante) a la corrida de toros.
9. La torre de este castillo es de ...... (alto) considerable.
10. El error fue debido únicamente a su ...... (estúpido).
11. Todos le aborrecían por su ...... (altivo).
12. Esta tela mide 60 centímetros de ...... (ancho).


## 210. Como el ejercicio anterior:

1. La casa de huéspedes era de ...... (sórdido) espantosa.
2. María es de ...... (sumiso) sin límites.
3. La falta de ejercicio físico aumenta su ...... (gordo).
4. Nos llamó la atención ...... (blanco) de sus dientes.
5. A muchos hombres les mueve únicamente ...... (ávido).
6. Mientras algunos estamentos viven en ...... (estrecho), otros viven en ...... (abundante).
7. ...... (solo) es uno de los mayores problemas de la sociedad actual.
8. ...... (delgado) de este muchacho empieza a ser preocupante.
9. ...... (sabio) a menudo va acompañada de ...... (humilde).
10. Su ...... (ciego) no tiene remedio.
11. Es imposible discutir con él por su ...... (testarudo).
12. Las paredes del sótano se están desconchando a causa de ...... (húmedo).
13. Esta mujer es de ...... (cursi) espantosa.

**211.** Como el ejercicio anterior:

1. El diamante es utilísimo por su ...... (duro).
2. Habla el noruego con ...... (fluido) extraordinaria.
3. Es una señora de una gran ...... (fino).
4. Todo el mundo se aparta de él por ...... (tosco) de su trato.
5. La nueva canguro trata a los niños con mucha ...... (tierno).
6. ...... (mediocre) es lo que más abunda.
7. ...... (seco) de estas tierras no permite sino el cultivo del olivo.
8. En muchas ocasiones habría que alternar ...... (rígido) con ...... (blando).
9. Realiza su trabajo con la máxima ...... (escrupuloso).
10. Lleva un bastón a causa de su ...... (cojo).
11. ...... (nervioso) es la causa de su ...... (tartamudo).
12. Habría que controlar la salud de los ciudadanos desde ...... (niño) hasta ...... (viejo).
13. Le entró ...... (amargo) total por todo lo que le habían hecho.

**212.** Forme con las palabras de cada uno de los grupos siguientes tres columnas de cinco voces que guarden relación entre sí, excluyendo para cada grupo tres palabras que nada tienen que ver con las restantes:

| A. | | |
|---|---|---|
| tejado | granizo | mechero |
| chubasco | solana | alero |
| barandilla | copo | rocío |
| escarcha | tiza | pupitre |
| tarima | cimientos | pizarra |
| meseta | hora de recreo | hilo |

| B. | | |
|---|---|---|
| tobillo | presa | empalme |
| manzana | sobaco | empedrado |
| caracol | enchufe | interruptor |
| farol | acera | codo |
| uña | corriente | alumbrado |
| bombilla | sien | tiesto |

| C. | | |
|---|---|---|
| giro postal | acomodador | estafeta |
| decorados | corral | depósito |
| cuenta corriente | certificado | letra de cambio |
| divisa | bastidores | matasellos |
| póliza | talón | letrina |
| candilejas | telón | cuento |

D.  bisagra        cel·lo         garza
    papelería      tiritas        alfiler
    dedal          bolígrafo      holandesas
    gasa           cremallera     esparadrapo
    cubito         cuartillas     algodón
    imperdible     alcohol        aguja


**213.** **Como el ejercicio anterior:**

A.  cazo                  porche         pajar
    travesía              cría           puchero
    criatura              calzada        parche
    fogón                 establo        escaléxtric
    barbecho              calzado        mortero
    cinturón de ronda     molde          siembra


B.  quirófano      manecilla      camilla
    minutero       auricular      disco
    manilla        esfera         litera
    pabellón       cirujano       péndulo
    ficha          listín         telefónica
    cuadrante      dispensario    cuerda


C.  carroza            bujía          bodegón
    casa de comidas    vía            tope
    matrícula          raíl           departamento
    embargo            tasca          mesón
    bocina             merendero      embrague
    escape             vela           apeadero


D.  grabación      muela          baca
    punta          atracadero     plato
    guantera       aguja          reposacabezas
    muelle         rompeolas      cara
    disco          marcador       escollera
    salpicadero    tinglado       vaca

**214.** Como el ejercicio anterior:

A.

| | | |
|---|---|---|
| carta del día | alicates | puro |
| mechero | cerillas | vid |
| estanco | sopas | clavo |
| cuenta | tabaco rubio | entremés |
| tenazas | postre | destornillador |
| cuento | herramientas | jaqueca |

B.

| | | |
|---|---|---|
| remiendo | veredicto | dobladillo |
| fallo | cosecha | fiscal |
| abrevadero | bordado | cocido |
| borde | zumo | pespunte |
| ganado | abogado | banquillo de los acusados |
| trilladora | zurcido | rebaño |

C.

| | | |
|---|---|---|
| ajo | tijeras | tacones |
| suela | calzador | negocio |
| cuchillería | lazo | mostrador |
| probador | dependiente | remendón |
| cordones | navaja | hoja |
| hoja de afeitar | cajero | escaparate |

D.

| | | |
|---|---|---|
| carril | margen | guadaña |
| lomo | haz | rastrillo |
| aperos de labranza | arcén | encuadernación |
| cabina de peaje | grabado | zona de descanso |
| hoz | adelantamiento | rastrojo |
| portada | cedilla | azada |

**215.** Como el ejercicio anterior:

A.

| | | |
|---|---|---|
| partida | azafata | consigna |
| vagón | fuselaje | plazo |
| tripulación | fusible | coche-cama |
| despegue | abastecimiento | comisión |
| andén | rejilla | acera |
| equipo | pedido | aterrizaje |

B. azotea
   pico
   trastero
   cordero
   otero
   bocacalle

   puerto
   rellano
   sótano
   encañada
   alcantarilla
   caña

   buhardilla
   cordillera
   cántaro
   zona azul
   suburbio
   ciudad satélite

C. camiseta
   arroyo
   decano
   brotadura
   bata
   caudal

   matrícula
   delatante
   camisón
   matrícula de honor
   manantial
   delantal

   cama
   expediente
   medias
   recodo
   rector
   remolino

D. cortado
   jardín de infancia
   zaguán
   rebeca
   sostenes
   zumo

   guardería
   calcetines
   horchata
   granizo
   cazadora
   parvulario

   cazuela
   granizado
   calzoncillos
   colegio
   cigarrillo
   casa-cuna

# ADJETIVOS

**216.** Encuentre un ADJETIVO que exprese lo indicado entre comillas:

1. El paisaje de Castilla tiene un color ...... «oscuro, algo amarillo y rojo».
2. Aquel pintor tiene una clara preferencia por el color ...... «rubio rojizo».
3. Las paredes de la casa estaban tan sucias que eran ...... «de color ceniza».
4. Los bombones están cubiertos de un polvillo ...... «que tira a blanco».
5. A causa de la calefacción, las paredes se han vuelto ...... «de un color que tiende al negro».
6. Con este pintalabios ...... «que tira a rosa» pareces más morena.
7. No me gustas con aquel traje ...... «de color que tira a amarillo».
8. El cutis de aquella chica es ...... «de color de aceituna».
9. En el bar han puesto unas mesitas ...... «de color naranja».
10. De pronto, el cielo se puso completamente ...... «de color de plomo».
11. Sus ojos ...... «de color que tira a gris» tenían unas chispas ...... «que tiran a verde».
12. El cielo del pesebre era un papel ...... «de color azul».

**217.** Diga la forma CONTRARIA de los adjetivos en cursiva:

1. La sopa es completamente *salada*.
2. Este chico es muy *feo*.
3. Estas flores están *frescas*.
4. La cocina está *limpia*.
5. Julián es un muchacho *extrovertido*.
6. La salsa mahonesa me ha salido demasiado *clara*.
7. Este hilo es muy *fino*.

8. La nueva asistenta es muy *cuidadosa.*
9. Este chico es muy *bobo.*
10. El señor González muestra ser una persona muy *ingenua.*
11. Las aguas de este río son *claras.*
12. El señor Gómez es una persona muy *fina.*
13. Este artículo es muy *profundo.*
14. La celebración de la boda fue muy *austera.*
15. Esta habitación es muy *clara.*
16. Fuimos a la feria en coche *público.*
17. Las calles de la pequeña ciudad son *pulcras.*
18. Este paso entre montañas es muy *seguro.*
19. Tiene una piel muy *fina.*
20. Es una chica muy *tímida.*

**218.** **Como el ejercicio anterior:**

1. Es una mujer *ligera.*
2. María es una muchacha muy *modesta.*
3. Esas maletas son *ligeras.*
4. Nuestros amigos son muy *entretenidos.*
5. Hoy me siento muy *diligente.*
6. El autobús tiene paradas *obligatorias.*
7. Es una música muy *variada.*
8. Eres una persona muy *intranquila.*
9. Mi papá es *rápido* en sus cosas.
10. Este nuevo juego de cartas es *sencillo.*
11. Tiene una voz *suave.*
12. Este traje me cae demasiado *estrecho.*
13. Es una película *horrible.*
14. Esta calle es *estrecha.*
15. Esta tabla ha quedado muy *lisa.*
16. Aquel hombre es muy *pródigo.*
17. Mi hermano tiene la nariz *puntiaguda.*
18. Es una persona de trato *suave.*
19. Me gusta dormir en un colchón *duro.*
20. El carnicero me ha dado unas chuletas *duras.*

**219.** Elija para cada frase uno de los siguientes adjetivos:

| | | |
|---|---|---|
| orgulloso | quisquilloso | puntilloso |
| gracioso | chismoso | salado |
| bondadoso | bonachón | travieso |
| arisco | vivaracho | testarudo |

1. Aquel niño es ...... «vivo y alegre en su comportamiento».
2. No seas tan ...... «susceptible».
3. Cuando cuenta las cosas, nuestro amigo Manuel es verdaderamente ...... «que divierte y hace reír».
4. La portera de nuestra vieja casa era ...... «que gusta de entrometerse y criticar».
5. El viejo del pueblo es un hombre solitario y ...... «que rehúye el trato con otros y no es amable».
6. Mi primo Juan es un ...... «bueno y de carácter poco enérgico».
7. Estoy muy ...... «satisfecho de mí mismo» de lo que he hecho.
8. Tengo un niño ...... «inquieto y revoltoso».
9. Aquel actor es ...... «que hace reír».
10. No hay quien le haga cambiar de opinión: es muy ...... «obstinado».
11. Luis es muy ...... «que tiene amor propio exagerado»: no cede aunque vea que no tiene razón.
12. La condesa es muy ...... «buena y amable» con los demás.

**220.** Como el ejercicio anterior:

| | | |
|---|---|---|
| brusco | lozano | mono |
| desaprensivo | ocurrente | formal |
| cursi | tozudo | buenazo |
| lisonjero | entretenido | sosegado |

1. Tengo un perro que es un ...... «bueno y dócil».
2. La hija de mi vecina es una chica de pocas palabras y ...... «falta de suavidad».
3. Lleva un vestido rosa con unos lacitos que resulta muy ...... «afectado y ridículo, pretendiendo ser elegante».
4. El comerciante es un ...... «que obra sin honradez y sin escrúpulos».
5. Aquella campesina es verdaderamente una mujer ...... «que tiene aspecto joven, saludable y fresco».

6. No seas tan ...... «obstinado» y haz lo que te digo.
7. Esa nena es muy ...... «bonita y graciosa».
8. Aunque parece una mujer ligera, en realidad es muy ...... «moralmente seria y que no se divierte con exceso».
9. Es agradable nadar cuando el agua está ...... «tranquila y quieta».
10. Javier es muy alegre y ...... «gracioso y oportuno».
11. Aquel libro es ...... «que hace pasar agradablemente el tiempo».
12. Los resultados de las últimas elecciones son muy ...... «satisfactorios y halagadores» para el partido.

## 221. Encuentre un ADJETIVO que exprese lo indicado entre comillas:

1. El castillo está en una posición ...... «que no se puede defender».
2. Eres una persona ...... «digna de ser abominada».
3. Nuestra profesora tiene un espíritu muy ...... «propio de madre».
4. Eres verdaderamente un trabajador ...... «que no se agota».
5. Aquel escritor es ...... «digno de ser admirado» por cómo ha reaccionado a las acusaciones que le han hecho.
6. Tus excusas no son nada ...... «que se puedan aprobar o admitir».
7. En aquella tienda sólo venden productos ...... «que se pueden comer».
8. Tienen una amistad ...... «íntima y muy afectuosa».
9. Durante una semana se suspendieron las operaciones ...... «de la Bolsa».
10. Mi nieta es muy ...... «dulce y suave en el trato».
11. El incendio de los bosques era tan extenso que los montañeses lo consideraban ...... «imposible de apagar».
12. Su conducta en aquella situación fue verdaderamente ...... «imposible de ser reprochada».
13. Hemos comprado unas sillitas ...... «que se pliegan» para el cámping.
14. Una de las obras de misericordia es dar de beber al ...... «que tiene sed», dar de comer al ...... «que tiene hambre».
15. Para mí el vino de la Rioja es más ...... «que agrada» que el ribeiro.
16. La conducta de aquel chico es ...... «que no se puede perdonar».
17. El aire de las grandes ciudades es ...... «que no se puede respirar».
18. No hay nadie que sea del todo ...... «que no puede ser herido».
19. El alemán que habla este muchacho es ...... «que no se entiende».
20. Las acciones de los terroristas son ...... «dignas de ser reprobadas severamente».
21. Nos conocimos durante los años ...... «de estudiantes».
22. Los guantes de plástico son muy cómodos porque son ...... «que se echan tras el uso».

23. Las obligaciones devengarán un interés anual del 11 por 100 ...... «que puede pagarse» trimestralmente.
24. Es un proyecto ...... «que no se puede realizar».
25. Formaban parte del proyecto superrealista autores ...... «que se comprometen política y socialmente».

## 222. Como el ejercicio anterior:

1. Manuel es muy jovencito; aún es ...... «que no tiene barba».
2. Tu conducta ...... «libre de miedo» te salvó en aquel trance.
3. No me gusta pasar muchas horas ...... «sin hacer nada».
4. Todo el trabajo que hemos hecho esta mañana es completamente ...... «sin utilidad».
5. Fue ...... «que no se puede aplacar» en su venganza.
6. Esta ecuación es ...... «que no se puede resolver».
7. La cumbre de aquella montaña es ...... «no accesible».
8. El bochorno de estos últimos días era ...... «imposible de aguantar».
9. Lo que me estás contando es algo ...... «nunca oído, extraordinario».
10. El examen que hiciste en la última convocatoria es ...... «sin posibilidad de calificación».
11. Esta fabada es ...... «no se puede comer» de salada que está.
12. La enfermedad que padece tu padre es ...... «no se puede curar».
13. Han descubierto un manuscrito ...... «no publicado» de Azorín.
14. Aquel niño es completamente ...... «falto de educación».
15. Lo que estás afirmando son palabras ...... «que carecen de exactitud».
16. Este desodorante es completamente ...... «falto de olor».
17. La mayoría de los ríos de España son ...... «que no se pueden navegar».
18. No me parece una persona ...... «que razona».
19. Es una chica ...... «que no reflexiona».
20. Diciendo esas palabras has llegado a una situación ...... «que no se puede remediar».
21. No uses este comportamiento ...... «falto de respeto» con tus superiores.
22. He comprado un juego de vasos y me han asegurado que son ...... «que no se pueden quebrar».
23. Soy completamente ...... «falto de experiencia» en este campo.
24. El resultado de este experimento farmacéutico ha sido completamente ...... «no bueno para satisfacer».
25. Han hecho publicar unas fotos muy ...... «que comprometen».

**223.** Diga la forma contraria del verbo en cursiva, cambiando o añadiendo la preposición cuando sea necesario:

1. Las aguas del río *crecen* hora tras hora.
2. Este chico *tiene* inteligencia.
3. *Aceptó* la invitación para ir a la boda.
4. Cuando llegues a las mangas tienes que *aumentar.*
5. Hay que *añadir* los gastos de expedición.
6. El rector *continuó* su discurso a las cinco.
7. La policía nos *permitió* pasar.
8. El peluquero me ha puesto un producto para *rizar* el pelo.
9. En esos últimos años se ha *enriquecido* con el juego.
10. Aquella comedia ha *triunfado* en esta temporada.
11. Le *concedieron el cargo* de Virrey de Indias.
12. Consiguieron persuadirle a *abandonar* el cargo.
13. Han *aumentado* el precio de las naranjas.
14. Después de las vacaciones han *engordado* mucho.
15. Aquel traje te *rejuvenece* en extremo.
16. La nueva ley de prensa *amplía* la libertad de expresión.
17. Con tanto deporte, el niño se ha *robustecido.*
18. En la última sesión de las Cortes han *promulgado* una nueva ley.
19. Con el resultado de las elecciones *se excitaron* los ánimos.
20. Las investigaciones de la policía han *oscurecido* aún más el caso.
21. Me he *puesto* los guantes.
22. La secretaria ha *sacado* de su cartera unos documentos.
23. Lavándolo, el jersey *se* me ha *ensanchado.*
24. El hierro puede *dilatarse.*

25. Le han *dado de alta* en una fábrica de géneros de punto.
26. La nieve puede *helarse.*
27. *Criticaron* muchísimo nuestra labor.
28. Le *humillaron* como se merecía.
29. *Amaneció* más pronto de lo usual.
30. Tenemos que *aclarar* un poco el chocolate para ponerlo en el pastel.
31. *Nos acercamos* a la frontera.
32. El acontecimiento sirvió para *distanciar* aún más a las familias.
33. Habrá que *ampliar* el formato de esta foto.
34. Tienes que *alargar* un poco los pantalones.
35. Le *convencimos* de que hiciera una denuncia al juzgado.
36. ¡*Apartad* las sillas de la pared!
37. Nos *alegró* mucho saber que se había ido a Suiza.
38. Hay que *ensanchar* un poco la falda.
39. La agencia ha *facilitado* los trámites para la renovación del pasaporte.
40. Se ha teñido el pelo y lo ha *oscurecido.*

**224.** **Complete las frases siguientes con uno de los verbos indicados:**

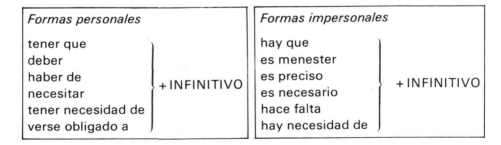

| Formas personales | | Formas impersonales | |
|---|---|---|---|
| tener que<br>deber<br>haber de<br>necesitar<br>tener necesidad de<br>verse obligado a | + INFINITIVO | hay que<br>es menester<br>es preciso<br>es necesario<br>hace falta<br>hay necesidad de | + INFINITIVO |

1. No ...... fiarse de las apariencias.
2. Pablo no ...... acostarse tan tarde.
3. Sé lo que ...... hacer.
4. ...... reconocer que hay gente muy fanática.
5. ¿A quién ...... dirigirse para este subsidio?
6. Hay millones de seres humanos que ...... ser ayudados para sobrevivir.
7. Yo ...... salir cuanto antes.
8. Podría ser que él ...... hacerme confidencias.
9. Todo eso ...... ocurrir fatalmente.
10. Este pobre ciego ...... ser acompañado.
11. A esto ...... añadir los gastos de embalaje y expedición.

12. ...... respetar al prójimo.
13. Yo ...... aconsejarme con una persona competente.
14. La abuela ...... ponerse gafas más fuertes.
15. No ...... contar demasiado con la ayuda ajena.
16. Usted ha trabajado todo el día y ...... descansar.
17. ...... quedarme en casa porque ...... estudiar.
18. ¿Por qué motivo ...... trasladarme allí?
19. ¿Quién sabe cuánto ...... pagar para sacar el billete de ida y vuelta?
20. ...... tomar el suero contra las víboras antes de penetrar en el bosque.
21. Para discutir no ...... pelear.

**225.** Como el ejercicio anterior:

| hacerse<br>ponerse<br>volverse | convertirse en<br>trocarse en |
|---|---|

1. Poniendo unas gotas de limón, la leche ...... yogur.
2. El problema acabó por ...... una pesadilla.
3. Nuestras voces ...... cada vez más débiles.
4. De pronto el cielo ...... nublado.
5. Este trabajo ...... algo monótono.
6. Aquel niño ...... muy obediente respecto al año pasado.
7. A fuerza de trabajar en la fábrica, él ...... una especie de robot.
8. Después del tratamiento a base de vitaminas, la niña ...... un poco más gordita.
9. ¡Qué negro ...... el cielo!
10. Será porque está cansado, pero el chaval ...... muy callado.
11. El aire ...... un poco más fresquito después del chaparrón.
12. La fruta ...... madura.
13. Con la ebullición, el agua ...... vapor.
14. Su padre quiso que ...... del partido comunista.
15. La carretera ...... todavía más estrecha.
16. Con tantos esnobs, el ambiente veraniego ...... insoportable.
17. Después del terremoto, su casa ...... un montón de escombros.
18. ¡Qué alto ...... ese chico!
19. Con las malas compañías ...... un rebelde.
20. Con el correr del tiempo, las circunstancias ...... distintas.
21. Desde que has ganado las oposiciones, ...... muy presumido.

22. Los renacuajos al cabo de unas semanas ...... ranas.
23. Si sigues gritando así, yo ...... loco.
24. Con estos ruidos él ...... sordo.
25. Su amistad ...... odio.
26. Al ver que insultaban a su esposa, él ...... furioso.
27. Con tantos mimos, el niño ...... insoportable.
28. ...... de noche.
29. A medida que nos adentramos en el estudio de las matemáticas, las ecuaciones ...... más difíciles.
30. Con su modo de actuar, José ...... el hazmerreír de toda la pandilla.
31. Siguiendo la voluntad paterna, ella ...... monja.
32. El ...... enfermo sin un motivo aparente.
33. ...... cura por vocación.

**226.** **Como el ejercicio anterior:**

| poner/se | meter/se | introducir/se | colocar |
|---|---|---|---|

1. ...... la corona sobre el ataúd.
2. ¿Dónde te ...... que no te encuentro?
3. El coche ...... en marcha con dificultad.
4. El autor del Lazarillo de Tormes nos ...... sabiamente en el mundo de la picaresca.
5. No puedo ...... este vestido porque está lleno de manchas.
6. Él ...... las manos en los bolsillos y no volvió a sacarlas.
7. ...... que el tren salga con retraso: ¿cómo vas a llegar a tiempo?
8. La criada me ...... en la sala donde se encontraban los señores.
9. Al niño le ...... el nombre de su abuelo.
10. ¿...... (tú) la ropa en la lavadora?
11. Antes de cenar ...... (ellos) en la cama a los niños.
12. ...... una carta falsa en la baraja.
13. ...... (él) la mano delante de los ojos para no ver el horrible espectáculo.
14. Las sillas de mimbre ...... aquí en la terraza se van a mojar todas.
15. ...... (a él) una espina entre la uña y la carne.
16. No ...... (tú) los dedos en la nariz.
17. ...... (tú) el abrigo porque hace frío.
18. Al principio le costó ambientarse, pero luego ...... muy bien en las capas más altas de la sociedad.
19. Es mejor ...... los libros en la librería para que no cojan polvo.
20. Es una persona que ...... en los asuntos que no le competen.

21. Se estaba aburriendo y al final decidió ...... en un local nocturno.
22. Quiso ...... la llave en la cerradura pero no le fue posible.
23. No lograron ...... de acuerdo.
24. Sin razón ...... (a ella) en la cabeza que su hijo fuma el porro.
25. Anda ...... en cuestiones sindicales.


**227.** Como el ejercicio anterior:

| parecer/ se | aparecer |
| --- | --- |

1. Durante la sesión de espiritismo, de pronto ...... un fantasma.
2. Aquel niño no ...... nada a sus padres.
3. Este bicho ...... un gusano.
4. De pronto ...... el sol.
5. ...... que no le gustaba nada de lo que comía.
6. Se marchó de su casa a los 18 años y no volvió a ......
7. Mientras transcribía el manuscrito, ...... un problema de interpretación.
8. El español y el italiano ...... mucho.
9. De repente ...... una vela en el horizonte.
10. ...... (él) a las dos de la madrugada medio borracho.
11. Este vestido tan holgado ...... un camisón.
12. El sol ...... como una bola de fuego.
13. Había perdido mi carnet y ...... (él) en el lugar más inesperado.
14. Don Quijote ...... a todo el mundo como un loco.
15. Con este jersey ...... (tú) un esquimal.


**228.** Como el ejercicio anterior:

| dejar | quedar/ se | permanecer |
| --- | --- | --- |

1. ¿En qué (nosostros)......?: ¿venís vosotros o vamos nosotros?
2. Los últimos rayos del sol ...... largo tiempo en el horizonte.
3. No sé dónde ...... aparcado el coche mi amigo.
4. Vosotros marchaos, que yo ...... con el niño.
5. ...... dos trozos de la tarta de ayer.
6. ...... (yo) todo el día en casa para trabajar.
7. Cópieme estas cartas, y ...... la contabilidad para mañana.
8. Los soldados ...... en la trinchera muchas horas.
9. El viejo volvió a su pueblo para ...... allí para siempre.

10. ¿Dónde ...... (nosotros) en la lectura del Cid?
11. Al final del espectáculo sólo ...... muy poca gente.
12. ...... ustedes advertidos que el restaurante cierra a las dos de la madrugada.
13. ...... claro que yo no me he opuesto a su proyecto.
14. Si sigues peleando con todo el mundo, ...... (tú) completamente solo.
15. Si no hiciera tanto frío, ...... (yo) en la casa de montaña todo el invierno.
16. ...... (él, a mí) mirando como si fuera un bicho raro.
17. Los niños ...... unas horas en el jardín.
18. No guises tantas chuletas porque van a ...... (ellas).
19. ...... (yo) sin un duro.
20. ¿...... (tú) mucho tiempo en el hospital?


**229.** **Como el ejercicio anterior:**

| tomar/ se | coger/ se |
|---|---|

1. Estando en África, ...... (él) el cólera.
2. Hemos llamado al tocólogo y ...... hora para el próximo lunes.
3. El avión que ...... (nosotros) no pudo ...... tierra a causa de la niebla.
4. Le dijimos que aquel chaquetón no le caía bien y ...... (eso) muy mal.
5. A pesar del somnífero que ...... anoche, no pudo ...... el sueño.
6. Después de dos horas que ...... (él) el sol, ...... un baño.
7. La policía les ...... con las manos en la masa.
8. La ventana ...... toda la pared.
9. Al cabo de unos años, ...... (ellos) revancha de la ofensa que habían sufrido.
10. ...... (nosotros) la ocasión para saludarles muy atentamente.
11. El gato trataba de ...... al ratón.
12. ...... (ellos) una decisión irrevocable.
13. ...... (ellos) el tranvía en marcha.
14. Cuando se lo notificaron, ...... (a ella) un ataque de nervios.
15. Tiene un acento muy raro y todo el mundo le ...... por extranjero.


**230.** **Como el ejercicio anterior:**

| exprimir | desarrollar | estallar |
|---|---|---|
| expresar | desempeñar | desencadenar/ se |
| explotar | jugar | ganar |
| surgir | presentar | cobrar |
| aprovechar | disfrutar | abonar |

1. Este problema económico ...... muchas dificultades.
2. Ramón ...... el segundo premio de la lotería nacional.
3. En el campo de la electrónica, ...... continuamente nuevas perspectivas.
4. El actor ...... divinamente el papel del rey.
5. Los veraneantes ...... mucho con el nuevo parque de atracciones.
6. Nosotros ...... el agua de la lluvia en épocas de sequía.
7. En las últimas elecciones, ...... un papel decisivo la abstención de los obreros.
8. La primera guerra mundial ...... en 1914.
9. Sus ojos ...... tristeza.
10. De niños nos hacían estudiar muchas cosas de memoria para ...... (a ella).
11. La decisión de cerrar la fábrica ...... una ola de protestas.
12. Llamé al camarero para ...... la cuenta del almuerzo.
13. Después de andar tanto por el campo, mis piernas ...... mucha más fuerza que antes.
14. Sus poemas ...... el dolor humano.
15. La bomba ...... a la hora convenida.
16. El ...... de una renta fabulosa.
17. Hemos comprado un trastito nuevo para ...... las naranjas.
18. Cuando me bajé del taxi, me di cuenta de que el taxista me ...... más de lo debido.
19. ...... (tú) este retal de cretona para forrar el cojín.
20. Lo ...... todo en el casino y se arruinó para siempre.
21. De repente ...... una tormenta de nieve.
22. Soportó en silencio los insultos, pero al final no pudo aguantarse más y ......
23. Fue muy amable conmigo y yo le ...... mucho cariño.
24. Los colonialistas ...... los países subdesarrollados.
25. Cuando ...... el incendio, ...... el pánico y la histeria.

**231.** Como el ejercicio anterior:

| | | |
|---|---|---|
| guardar | aguantar/ se | ilusionar |
| conservar | padecer | sentir |
| mantener | sufrir | oír/ se |
| contener | caber | escuchar |
| depositar | alegrarse | |

1. Le conozco muy bien: no ...... en él perder los estribos por ningún motivo.
2. Tuve que ...... para no darle un puñetazo.
3. Con las últimas inundaciones, los campos ...... graves daños.

4. El niño todavía no anda, pero ya ...... solito.
5. ...... el toque de las campanas que anunciaba el rosario.
6. ...... una enfermedad incurable.
7. Se ruega a los espectadores ...... silencio.
8. La interferencia no me permite ...... lo que usted está diciendo.
9. No pudieron ...... la sangre que le salía de la nariz.
10. ¿Quieres ...... (a mí) cuando te estoy hablando?
11. No ...... duda de que es un talento excepcional.
12. ...... bien esos papeles: no los vayas a perder.
13. Esta nevera ...... muy bien los alimentos.
14. Esta habitación ...... demasiados muebles.
15. A pesar del peligro, ...... la calma.
16. ...... el sueldo en el banco.
17. Me ...... cierto respeto porque soy mucho más viejo que él.
18. Me gusta mucho ...... la radio mientras plancho.
19. ...... un dolor en los pies que me impide ponerme estos zapatos.
20. No puedo ...... el ruido de las motos.
21. ...... mucho la muerte de tu padre.
22. Cuanto te hagan la radiografía tienes que ...... la respiración.
23. ¡...... (a mí) que tu hijo haya encontrado una colocación tan envidiable!
24. Nos ...... mucho este viaje a Extremo Oriente.
25. No ...... en sí de gozo por el nacimiento de un varón.

**232.** Como el ejercicio anterior:

| | | |
|---|---|---|
| probar | granjearse | conllevar |
| ensayar/ se | enterarse | comunicar |
| concebir | contraer | despedir |
| favorecer | ofrecer | apurar |
| producir | mediar | remediar |

1. Hay que ...... esta plancha terrible de algún modo.
2. La orquesta ...... todas las mañanas.
3. La policía todavía no ...... la verdad sobre el delito.
4. Vivir en el campo ...... la ventaja de respirar aire puro.
5. Durante un viaje a África ...... una enfermedad contagiosa.
6. Este queso ...... un olor nauseabundo.
7. Me alegro de ver que usted ...... nuestras iniciativas.
8. Con su simpatía, ...... la amistad de todo el mundo.
9. La decisión ...... enormes riesgos que hay que sopesar mucho.

10. Entre su casa y la mía ...... varios metros.
11. ...... matrimonio el año pasado.
12. El joven ...... una idea descabellada.
13. Sus palabras ...... una pésima impresión.
14. ¿ ...... (tú) alguna vez el cordero asado? ¡Es riquísimo!
15. Con ese continuo quejarse me está ...... la paciencia.
16. —¿ ...... (tú) de lo que ha ocurrido en Afganistán? —No, no ......
17. Entre tu modo de ver las cosas y el mío ...... un abismo.
18. El ser pariente del alcalde le ...... mucho en el momento de encontrar un empleo.
19. ¿Quién te ...... esta noticia?
20. Si no ...... a hacerlo, no lo aprenderás nunca.
21. Antes de comprar un par de zapatos, hay que ...... (a ellos).
22. ...... (ellos) para el estreno teatral de mañana.

**233.** Como el ejercicio anterior:

| andar | tambalear | temblar |
|-------|-----------|---------|
| trepar | cojear | tropezar |
| deslizar/ se | mecer/ se | flotar |
| arrastrar/ se | patalear | mezclar |
| marchar/ se | resbalar | arrancar |

1. El padre dio una paliza al niño y éste empezó a ......
2. El río ...... entre una vegetación exuberante.
3. Dichas estas palabras, cogió la puerta y ......
4. El perro atropellado ...... muchísimo.
5. La serpiente ...... por el suelo.
6. La hiedra ...... por las paredes.
7. Como hacía sol, ...... (ellos) hasta la plaza de la catedral.
8. El vestido era tan largo que ...... por el suelo.
9. La fuerza de las olas hacía ...... el buque.
10. Al pasar los camiones, los cristales de las ventanas ......
11. El corcho ...... en el agua.
12. Hay que ...... bien los ingredientes para que la mahonesa salga bien.
13. Estaba seguro de que tenía razón, pero me hicieron tantas preguntas y me pusieron tantas zancadillas que al final me hicieron ......
14. El coche se quedó sin gasolina y tuvimos que ...... (a él) hasta la más próxima gasolinera con una cuerda.

15. El barco de vela ...... dulcemente sobre el mar tranquilo.
16. Las cabras ...... por los riscos.
17. ...... con una piedra y dio de bruces en el suelo.
18. El coche ...... con dificultad porque tenía un defecto en el embrague.
19. La abuela ...... al niño en la cuna.
20. Los niños ...... por el tobogán.
21. ...... con una piel de plátano y se cayó.
22. Los soldados ...... marcando bien el paso.
23. Los esquiadores ...... cuesta abajo.

**234.** **Como el ejercicio anterior:**

| | |
|---|---|
| girar | expulsar |
| volver | echar |
| volverse | tirar |
| atravesar | colgar |
| cruzar | ocupar |
| posarse | asentarse |
| arrojar | levantarse |

1. Está ...... un momento económicamente difícil.
2. Los jamones y embutidos ...... del techo.
3. —¿Cómo te va la vida? —Voy ......
4. Se ruega a los señores pasajeros no ...... objetos por las ventanillas del tren.
5. Antes de sacar las almejas del agua, deja que ...... la arena.
6. Los pájaros ...... en las ramas de los árboles.
7. La tesis ...... 300 páginas.
8. Las últimas estadísticas sobre el aumento de la población ...... resultados preocupantes.
9. Ese tresillo ...... demasiado espacio en este salón.
10. Los Reyes Católicos ...... a los moriscos de España.
11. Oyendo que le llamaban, ......, pero no vio a nadie.
12. España ...... uno de los primeros puestos en la producción del aceite.
13. Los tartesios ...... en el sur de la península Ibérica.
14. Es peligroso ...... en este punto de la carretera porque no hay semáforo.
15. ...... la carta directamente en Correos.
16. Hay un disco que indica que está prohibido ...... a la izquierda.
17. En medio del pueblo, ...... el campanario de la iglesia.
18. ...... el abrigo en el perchero de la entrada.

19. Esta noche por televisión ...... una película del oeste.
20. Tus ojos ...... a verde.
21. Antiguamente se ...... a los condenados a muerte en la horca.
22. Cuando llegue a la bocacalle, ...... usted adelante.
23. El pueblecito ...... en medio de un valle.

**235.** Como el ejercicio anterior:

| | |
|---|---|
| retrasar/ se-atrasar/ se | acelerar |
| adelantar/ se | aligerar |
| retardar | apresurar/ se |
| regresar | apretar |
| aplazar | activar |

1. Un buen masaje ...... la circulación de la sangre.
2. ...... (vosotros) de la excursión muy cansados.
3. Su hijo ...... mucho en matemáticas.
4. Hay huelga de trenes: habrá que ...... el viaje.
5. Con la enfermedad, el niño ...... en la escuela.
6. Para el lavado delicado hay que ...... este botón.
7. Le ayudaré a corregir exámenes para ...... (a él) un poco.
8. El coche ...... por la derecha y le echaron una multa.
9. Este reloj ...... cinco minutos diarios.
10. El ciclista tuvo que cambiar la rueda y ...... mucho.
11. Anoche ...... muy tarde a casa, cuando todos estaban durmiendo.
12. A pesar de que estudia tanto, en vez de......, ......
13. El tratamiento médico sólo pudo ...... la muerte.
14. Viendo que se hacía de noche, los soldados ...... el paso.
15. Si quiero pasar en junio, tengo que ...... el griego.
16. Sacaron los libros de la maleta para ...... (a ella) un poco.
17. Todavía estamos en casa y el tren parte dentro de media hora: tenemos que ......
18. Al ver que no pasaba nadie por la calle, el chófer ......
19. Desde que lo hice arreglar, este reloj ...... siempre.
20. El presidente ...... su viaje al extranjero para más adelante.
21. Esos pantalones me ...... demasiado en la cintura.
22. El Ministro de Trabajo dijo que era necesario ...... de algún modo el comercio con el exterior.
23. Si quieres llegar al inicio del espectáculo, tienes que ...... (tú).

## LOCUCIONES, ADVERBIOS, FRASES PREPOSITIVAS VOCES QUE SUELEN CONFUNDIRSE

### INCISOS FRECUENTES EN REDACCIÓN

Al escribir una redacción, especialmente cuando ésta tiene carácter expositivo o argumentativo, se recurre con frecuencia a una serie de frases prepositivas, adverbios, etc., que funcionan a modo de incisos y que sirven para expresar:

1. *ordenación o enumeración*

ante todo
antes de nada
antes que nada
por de pronto
primero de todo
en primer lugar
en segundo, etc., lugar
por último
por fin
finalmente
en cuanto a

respecto a
a este respecto
al respecto
en lo que concierne a
en lo concerniente a
en lo que atañe a
en lo tocante a
por lo que se refiere a
por lo que afecta a
por una parte ... por otra
de un lado ... de otro

2. *demostración*

efectivamente
en efecto
tanto es así (que)
por supuesto
ciertamente

desde luego
lo cierto es que
la verdad es que
sin duda (alguna)

3. *restricción o atenuación*

sin embargo              a [en] fin de cuentas
con todo                 es verdad que
aun así                  verdad es que
a pesar de ello          verdad que
así y todo               ahora bien
al fin y al cabo         en cambio

4. *adición*

además                   es más
asimismo                 cabe añadir / observar, etc.
por otra parte           otro tanto puede decirse de
al mismo tiempo          por el contrario
algo parecido / semejante   en cambio
                    ocurre con

5. *consecuencia*

así pues (o así, pues)   así
pues                     de ahí que
por tanto                por ende
por lo tanto             total que
por consiguiente         de modo que
en consecuencia          de suerte que
consecuentemente

6. *opinión*

en mi (tu ...) opinión   en opinión de
a mi (tu ...) juicio     en opinión general
a mi (tu ...) modo de ver   a mi (tu ...) entender
en mi (tu ...) criterio  a mi (tu ...) parecer
a juicio de los expertos yo (tú ...) creo que
a juicio de muchos       yo (tú ...) opino que
según él (ellos, etc.)

7. *resumen*

en suma                  en resumen
en una palabra           en resumidas cuentas
en fin                   total

**236.** Según ello, escriba una redacción expositiva y argumentativa a un tiempo (usando el mayor número de incisos y expresiones arriba reseñados) sobre uno de los siguientes temas:

1. Igualdad del hombre y de la mujer.
2. Uso y abuso de la televisión.
3. La censura: pros y contras.
4. La pena de muerte.
5. Supersticiones.
6. La sociedad ideal.
7. Libertad y respeto.
8. El progreso: ventajas y peligros.
9. A favor o en contra del feminismo.
10. Elogio del campo y desprecio de la ciudad.

**237.** Complete las frases siguientes con una o más de las locuciones indicadas, recordando que en todos estos casos MODO puede sustituirse por MANERA:

| | |
|---|---|
| a modo de | de todos modos |
| de cualquier modo | de un modo |
| del mismo / de igual modo | qué modo |
| de ningún modo | en cierto modo |
| de (tal) modo que | de otro modo |

1. Es necesario que ustedes vengan a clase con un cuaderno y un bolígrafo; ...... , es indispensable que vengan con un diccionario.
2. Parecía como si toda su familia se hubiera muerto: ¡ ...... de exagerar!
3. Llevaba un vestido ...... túnica.
4. Se portarán contigo ...... que tú te has portado con ellos.
5. Es una mujer muy dejada: lo hace todo ......
6. Me lo dijo ...... que no me gustó nada.
7. Tendré que cambiar de sistema y suspenderles: ...... esos no estudian nada.
8. No te digo que tuviera completamente razón, pero ...... la tenía.

9. Es una situación insoportable: estoy dispuesto a marcharme de casa ......
10. Lo dijo así, ...... excusa.
11. Todavía era temprano y no estábamos cansados; ...... preferimos acostarnos.
12. —¿Te molesto, Luis? —No, ......
13. —¿Cómo quieres que te doble la camisa? —No importa, ......
14. Hoy en día los jóvenes se visten todos ...... : vaqueros y camiseta.
15. Me sentía un bicho raro: ¡me miraban ...... !
16. Escriba ...... todos puedan entender su letra.
17. Todo el mundo hacía un ruido infernal, ...... uno no podía leer y aún menos concentrarse.
18. ...... que ellos me acojan yo les acogeré.

**238.** **Como el ejercicio anterior:**

| | | |
|---|---|---|
| una vez | a su (mi, tu, ...) vez | las veces |
| cada vez que | en vez de | alguna vez |
| una vez que | a veces | alguna que otra vez |
| a la vez | cada vez más | de una vez |
| las más veces | una vez más | de vez en cuando |
| una vez por todas | tal vez | |

1. ...... la ropa esté planchada, ponla en los cajones del armario.
2. Sonaron ...... el timbre de la puerta y del teléfono.
3. No sé cómo tengo que explicárselo para que aprendan los acentos ......
4. Los padres tienen sus derechos, pero los hijos, ...... , tienen los suyos.
5. ...... vienen me traen un ramo de flores.
6. No estamos seguros, pero ...... vengan mañana.
7. Te lo digo ...... : cuando estoy hablando no admito que me interrumpas.
8. ...... oye esas cosas se pone furiosa.
9. En aquella ocasión el señor Hernández hacía ...... del Presidente.
10. ¡No puedo atenderles a todos ...... !: sólo tengo dos manos.
11. Si ...... levantarte a las nueve te hubieras levantado a las ocho, no habrías llegado tarde.
12. Nos vemos sólo ......
13. ¡A ver si acabamos ...... con este maldito trabajo!
14. ...... dejarme el sobre en la portería, será mejor que me lo subas a casa.
15. No siempre, pero ...... su modo de vestir es realmente ridículo.
16. Le agradezco ...... su amabilidad.

17. ...... hayas terminado, avísame.
18. Prefiero hacerlo todo ...... y no pensar más en ello.
19. Él me da clases de sueco y yo, ...... , se las doy de español.
20. Se puso en la boca todas las pastillas ......
21. Vino ella ...... su marido.
22. Díselo ...... y así no volverá a molestarte.
23. ...... haya terminado de hacer las maletas, llame un taxi.
24. Hablen uno a uno, no todos ......
25. ...... son los jóvenes que se matriculan en la Facultad de Medicina.
26. La culpa puede que sea de los demás, pero ...... los responsables somos nosotros mismos.
27. Le vi ...... y no he vuelto a verle nunca más.
28. Este niño se está volviendo ...... impertinente.
29. Ha perdido ...... la bufanda: es la tercera que compramos.
30. ¡Tira ...... estos zapatos tan viejos y remendados!
31. Hicieron el viaje de Barcelona a París todo ......

**239.** **Como el ejercicio anterior:**

| (el) fin | al final (de) | finalmente |
|---|---|---|
| sinfín | a fin de cuentas | al fin y al cabo |
| el final | a fin de / con el fin de | |
| en fin | por fin | |

1. Fue al médico ...... curarse del insomnio.
2. ......: ¿Se puede saber qué quiere con todas esas insinuaciones?
3. ¡...... se ha curado de su manía ese anciano!
4. ...... identificar una fotografía, fui llamado por la policía.
5. Carmen salió, ...... , de su delirio.
6. Señalé todas las páginas del principio a ......
7. No hagas mucho caso de esa fiebre: ...... no es muy alta.
8. Tardamos bastante, pero ...... lo reconocimos.
9. Tengo mucho que hacer, me duele la cabeza y tengo sueño. ...... : no quiero salir.
10. Debes tener cuidado ...... no dejarte arrastrar por tu imaginación.
11. ...... me dieron la razón.
12. ...... el corredor está tu dormitorio.
13. Del trabajo ha hecho ...... de su vida.
14. Me entretuvo contándome un ...... de bobadas.

247

15. Es realmente un chico muy pesado, pero ...... es un buen chico.
16. ¿Por qué no le dejáis tranquilo, pobre hombre? ...... , ¿qué daño os hace?
17. La película era bastante buena, pero ...... era realmente desastroso.
18. En este mundo cada uno de nosotros tiene ...... que merece.
19. Algunas infusiones se toman con ...... medicinales más o menos eficaces.
20. ¿...... qué has decidido?: ¿Vienes al cine con nosotros o no?
21. ...... hay que sacar las conclusiones de lo expuesto anteriormente.

**240.** **Como el ejercicio anterior:**

| | |
|---|---|
| nada | nada más |
| la nada | nada como |
| como si nada | ni nada |
| para nada | nada de nada |
| de nada | por nada |

1. Tiene una facilidad pasmosa para escribir: hizo el artículo en un par de días, ......
2. Le suspendí sin escrúpulo ninguno: no sabía ......
3. —¡Te lo agradezco mucho, Juan! —¡ ...... , hombre!
4. No sé por qué guardas todas esas cosas: no van a servir nunca ......
5. Dios creó el mundo de ......
6. Lástima que hayas venido porque ya lo he hecho: te has molestado ......
7. Está con un agotamiento nervioso evidente: se echa a llorar ......
8. Es muy alto: ...... tiene siete añitos.
9. Ha sido una operación ...... : sólo le han hecho una anestesia local.
10. A mí, ...... oírle hablar, ya me saca de quicio.
11. Con esa lluvia tengo que salir por fuerza: no saldría ahora de casa ......
12. Antes de ...... lavaos las manos.
13. ¡Qué maleducado es el tío éste, oye!: no me saludó ......
14. ¡ ...... beberse una taza de café caliente cuando uno tiene sed!
15. ...... entrar en casa, se quitó los zapatos.
16. Yo hablándote todo el tiempo de nuestro porvenir, y tú ......
17. Su modo de actuar no me gusta ......
18. Fue un accidente ...... : ni siquiera se le abolló la carrocería.

**241.** Como el ejercicio anterior:

| | | |
|---|---|---|
| (un) momento(s) | de tarde en tarde | de momento |
| (un) instante | a un tiempo | de un momento a otro |
| (un) rato / ratito | al mismo tiempo | de un momento |
| a menudo | a cada momento | en el (este, cualquier, |
| de vez en cuando | por momentos | un primer) momento |
| ahora mismo | por el momento | de la noche a la mañana |

1. Estuve esperándote un buen ...... y al cabo de una hora me marché.
2. El niño tiene fiebre: hay que llamar al médico ......
3. Al teatro voy muy ...... , mientras que al cine voy muy ......
4. Es una persona de una rapidez portentosa: lo hace todo en ......
5. Le compadezco pero ...... me da rabia.
6. —¿Cuándo ha llamado el señor Guerra, señorita? — ...... , señor director, hace pocos minutos.
7. ...... se encontró con la casa arrasada al suelo.
8. El niño se puso muy pesado y preguntaba ...... cuándo llegaríamos a casa.
9. Lo encontré ...... en que estaba saliendo del despacho.
10. ¿Desea hablar con el director? Espere ...... : ...... está hablando por telefóno.
11. Lo que más me molesta es que hablen todos ......
12. Ya se lo diré, pero, ......, dada la situación, prefiero no decirle nada.
13. —¡Camarero! ¿Puede hacerme un zumo de pomelo? —Se lo hago ......
14. Tenemos la televisión encendida porque van a dar los resultados de la quiniela ......
15. Voy muy deprisa: sólo puedo quedarme ......
16. Si me esperas ...... , me visto y salgo contigo.
17. Fue cuestión de ...... y la leche se me salió del hervidor.
18. Rayo y trueno tuvieron lugar ...... : teníamos la tormenta encima.
19. María está atravesando ...... difícil.
20. Trabajaba en un taller de maderas, pero ...... estudiaba peritaje.
21. Te agradezco mucho tu ayuda, pero ...... no la necesito.
22. ...... de pagar la factura, me di cuenta de que no llevaba el talonario.
23. ¿Puedes llamarme más tarde?: ...... tengo una visita.
24. ...... que necesites mi ayuda, no tienes más que decírmelo.
25. ...... me pareció Hong-Kong; luego vi que era Río de Janeiro.
26. —¿Está Ramón en casa? —No, pero debería llegar ......
27. A este niño le ocurre algo raro: ...... está pidiendo agua.
28. No nos vemos cada día: sólo ......
29. Me quedo ...... con la abuela para hacerle compañía.

30. ...... es mejor no comprometerse demasiado: hablaremos más adelante.
31. La nieve se derritió en ......
32. En la sesión plenaria, la tensión crecía ......

**242.** **Como el ejercicio anterior:**

| | | |
|---|---|---|
| el caso | en otro caso | ir al caso |
| (la / una) casualidad | en cualquier caso | venir al caso |
| por casualidad | en caso de | poner por caso |
| en todo caso | en caso [de] que | hacer caso |

1. Deja que diga y no te ofendas: no ...... (a él).
2. Lo que usted está diciendo no tiene nada que ver con lo que venimos diciendo: no ......
3. Esta mañana he encontrado a Merche ...... a la salida del metro.
4. Da ...... que mi hermana y la tuya trabajan en la misma oficina.
5. ...... el reloj no le vaya bien, tráigamelo que se lo cambio.
6. Si no hay huelga de trenes, cogeré el Talgo; ...... , iré en coche.
7. ......, llámame para ponernos de acuerdo.
8. Creo que no tengo nada en la nevera; ...... , no más que un poco de queso.
9. ...... necesidad, puedes llamarme a cualquier hora de la noche.
10. Puede ser que llegue a las once: ......, tú espérame hasta las doce.
11. No divaguemos más: ...... (nosotros).
12. ...... (nosotros) que el asesino fuera el chófer: ¿cómo pudo haber entrado sin que nadie le oyera?
13. Fue ...... que nos encontráramos en Madrid sin darnos ni siquiera una cita.
14. El chico es muy desobediente: no ...... de lo que le dicen sus padres.
15. Yo no tenía ni un duro; ...... le hubiera prestado dinero con mucho gusto.
16. ...... es que yo no estaba en casa en aquella ocasión: por eso no sé qué pasó.
17. ...... quiso que el detective encontrara el revólver debajo de un sillón.
18. ...... lo mejor es ser prudente.

**243.** Como el ejercicio anterior:

| pues | mientras que | al cabo de |
|---|---|---|
| después / luego | mientras tanto | en vez de |
| conforme | al revés (de) | en cambio |
| conforme a | el revés | al contrario (de) |
| mientras | dentro de | de lo contrario |

1. ...... él miraba la tele, ella seguía zurciendo calcetines.
2. ...... la democracia se afiance, se irán garantizando las libertades fundamentales.
3. ¿Por qué no te pones a estudiar ...... estar holgazaneando todo el día?
4. Nos veremos ...... unas horas.
5. ...... cinco días de estar en el hospital, se murió.
6. Adoro la langosta; detesto, ...... , los calamares.
7. Me dijo que se marcharía a las cinco; a las seis, ......, estaremos solos.
8. —¿Le molesto si abro la ventanilla? —No, ......
9. Cada uno gasta el dinero ...... lo que gana.
10. ...... pasen las horas, el dolor se le irá calmando.
11. ...... unas semanas, desmontaron el andamio.
12. Tú te pasas el día tumbada al sol ...... yo tengo que trabajar como una negra.
13. ...... unas semanas restaurarán el edificio.
14. Primero saque el polvo y ...... haga las camas.
15. Tendrá que operarle por fuerza; ...... , hay el peligro de que se muera.
16. ...... lo que preveían las estadísticas, las ventas fueron limitadas.
17. Deja que pague yo; ...... me ofendo.
18. Cuando me pongo nervioso lo digo todo ......
19. Antes tomo un aperitivo y ...... me pondré a la mesa.
20. ...... los días luminosos me llenan de alegría, los de lluvia me causan tristeza.
21. Cuando uno hace punto, hace una vuelta del derecho y otra de ......
22. ...... las casas elegantes tienen aire acondicionado, otras carecen hasta de calefacción.
23. Empieza a poner las maletas en el maletero y yo, ......, cierro la casa.
24. Amuebló el piso ...... le aconsejó el decorador.
25. ...... lo que cree la gente, Alfonso no es un avaro.
26. Vicente fuma en pipa; yo ......, fumo pitillos.
27. Cuando se compra una tela de lana hay que mirar bien ......
28. Se ha hecho todo ...... las órdenes del coronel.
29. Se pasan el tiempo haciendo reuniones inútiles, ...... lo mejor sería poner manos a la obra.

30. Me gusta el café con azúcar; el té, ...... , lo prefiero sin.
31. Hay gente que se muere de hambre, ...... hay otra que nada en la abundancia
32. ...... en toda Europa se luchaba por los ideales de la revolución, en España se afianzaba la monarquía.
33. ¿...... fumar tabaco rubio, por qué no fumas negro?
34. ¡Haga lo que digo!: ...... , me veré obligado a multarle.
35. Empezó a jugar a tenis, pero ...... cierto tiempo se cansó y lo dejó.


**244.** **Como el ejercicio anterior:**

| | | |
|---|---|---|
| pronto | aparte | al paso de |
| de pronto | aparte de (que) | al principio |
| por de pronto | de parte de | en principio |
| de golpe | de paso | por principio |

1. Dígale que viene ...... el alcalde y ya verá que le atiende.
2. No es que no quiera ir, pero yo, ......, soy poco amigo de reuniones.
3. ......, sin más, se echó a llorar.
4. La factura de la clínica subió 200.000 pesetas, ...... los medicamentos y los extras.
5. Mi padre, ......, no quiere que volvamos después de las dos de la madrugada.
6. ...... es muy tarde, no tengo ningunas ganas de salir.
7. Te dejo el sobre en la portería: me viene ......
8. El pobre se murió ......
9. ...... acepta esas pesetas; en cuanto cobre el sueldo, te daré lo que falta.
10. ...... no entendía media palabra de lo que estaban diciendo, pero al final me enteré.
11. Mis amigos me aseguraron que ...... vendrían a verme.
12. Parecía la salud en persona, pero ...... cayó enfermo.
13. A la pobre por poco le dio un desmayo porque le dijeron ...... que su hijo había muerto.
14. La industria automovilística crece ...... la demanda de nuevos vehículos.
15. ...... cómete esta sopa y luego veremos.
16. El neumático se reventó ......
17. Cuando vayas a verle, dile, ...... , que tengo que hablarle de un asunto.
18. ...... es poco inteligente, se aplica poco.
19. ...... pon la colada en remojo, luego la lavaremos.
20. Yo, ...... , detesto la violencia.

**245.** Como el ejercicio anterior:

| | | |
|---|---|---|
| de / en pie | de cara | en vista de (que) |
| a pie | de cara a | a la vista |
| al pie de | cara a cara | con vistas a |
| boca abajo / arriba | a la cabeza de | de vista |
| a ojo | de oídas | de oído |

1. Nos sentamos a merendar ...... un roble.
2. Estamos arreglando el cierre de las ventanas ...... el invierno.
3. Le dijimos que se sentara, pero quiso quedarse ......
4. ...... el buen tiempo, decidimos ir de excursión.
5. Nunca he visto al presidente, pero lo conozco ......
6. Los escándalos del Gobierno están ...... de todo el mundo.
7. El viento nos venía ......
8. Preferimos ir ...... en vez de coger el autobús.
9. La SEAT está ...... la producción nacional de coches.
10. Estuvimos ...... más de una hora haciendo cola delante de la taquilla.
11. Están construyendo nuevos dispensarios ...... la reforma sanitaria.
12. ...... el ascensor no funcionaba, subimos por la escalera mecánica.
13. Se tumbó ...... en la hamaca y se echó un sueñecito al fresco.
14. Toca el piano sólo ......
15. Se están tomando medidas extraordinarias ...... el aumento del precio del petróleo.
16. El editor se ha muerto, pero la editorial sigue ......
17. ...... la cordillera corre el Ebro.
18. Las cifras que he dado no son exactas, son sólo ......
19. Será mejor que le hable ...... sin rodeos ni intermediarios.
20. ...... nadie le escuchaba, decidió callarse y retirarse a su puesto.
21. No he hablado nunca con ella, pero la conozco ......
22. Puesto que cuando va en tren se marea, él prefiere ir ......

**246.** Como el ejercicio anterior:

| | |
|---|---|
| a tiempo | un tiempo |
| con tiempo | a su tiempo |
| de tiempo | a un tiempo |

1. ¡Apresúrate, que si no, no llegamos ...... !
2. Se lo ruego: no hablen todos ......

3. Le conozco ......: fuimos al mismo colegio.
4. No le gusta ir con prisas; le gusta hacerlo todo ......
5. Si quieres llegar ...... tienes que salir ...... de casa.
6. Cada cosa ...... y en su lugar.
7. ...... se respetaba más a la Naturaleza que ahora.
8. Los músicos empezaron a tocar todos ......
9. ...... y paciencia se consigue todo.
10. ...... vengo diciendo que no podemos seguir despilfarrando de este modo.
11. Eres muy joven y todavía estás ...... de abrirte camino.

## 247. Como el ejercicio anterior:

| | |
|---|---|
| a la hora (de) / (en que) | de hora en hora |
| a estas horas | (la) enhorabuena |
| a todas horas | ¡a buena hora! |

1. El enfermo está mejorando ......
2. Sé que has tenido un niño: ......
3. ...... todavía no sabe si se marcha en tren o en avión.
4. Todos los años hay cierta tensión ...... presentarse a los exámenes.
5. ¿Que ha sido anulado el vuelo de hoy? ¡ ...... me lo dicen!
6. Parece que tenga que comerse a medio mundo, pero ...... dar la cara, no se le ve el pelo.
7. ...... el avión debe de estar llegando a Las Palmas.
8. Me dio ...... por la obtención del premio.
9. La carrera de coches se está haciendo más interesante ......
10. Está diciéndome ...... que tiene mucho dinero.
11. ...... hay que sacrificarse, todo el mundo se echa atrás.

## 248. Como el ejercicio anterior:

| | | |
|---|---|---|
| bajo | de frente | (de) arriba |
| (de) abajo | frente a frente | sobre |
| (de) debajo | (de) enfrente | (de) encima |
| debajo de | enfrente de | encima de |
| frente a | al frente (de) | |

1. Estamos ...... un grave problema de difícil solución.
2. Hubo una película americana muy famosa que se titulaba «Cantando ...... la lluvia».

3. Te dejo la llave ...... la esterilla de la puerta de casa.
4. Los dos colmados se encuentran el uno ...... el otro.
5. ...... la mesa hay un jarro de flores.
6. Encontrarás la farmacia a unos 100 metros de aquí, pero en la acera ......
7. Allí ...... tienes el Museo Arqueológico.
8. La señora del piso ...... se ha dejado el grifo abierto y se me ha inundado la casa.
9. Vivieron ...... el reinado de Felipe II.
10. No le vi de perfil, sino ......
11. Hay que tener el valor de acometer la situación ......
12. Se cayó escaleras ......
13. No lo pongas debajo, ponlo ......
14. Los estudiantes iban ...... la manifestación.
15. Los dos enemigos se encontraron ...... y hubo un momento de embarazo.
16. Puesto que la puerta no se podía abrir completamente, no pudimos entrar ......, sino de lado.
17. El perro se sentó ...... mi silla.
18. El avión daba vueltas ...... la ciudad.
19. Se vino ...... una avalancha en el momento en que los escaladores subían cuesta ......
20. En la mesa camilla el brasero está ......
21. ...... esta situación, el Gobierno tuvo que usar la fuerza.
22. La tormenta era inminente: se nos venía ......
23. Mientras tendía la ropa, se me cayó una prenda al piso ......
24. ...... la tensión de los acontecimientos, decidieron convocar el Consejo de Seguridad.
25. ¿Puede usted ayudarme a poner las maletas ......?
26. Cuando voy en litera, yo prefiero dormir ......
27. He puesto los recibos de la luz ...... el escritorio.
28. Fue un programa excepcional el dirigido por Argenta ...... la Orquesta Nacional.

**249.** Como el ejercicio anterior:

| | |
|---|---|
| (de) antes | (de) dentro |
| antes de (que) | (de) fuera |
| antes que | (de) afuera |
| (de) después | fuera de |
| después de | |

1. Estas plantas parecen enfermas: ¿por qué no las pones ......?
2. ...... comerme esta sopa nauseabunda, prefiero no probar bocado.
3. ...... comer siempre tomo café.
4. —¿Pongo el queso en la nevera? —No, déjalo ......
5. Dejaron el perro ...... casa.
6. ...... desayunar, me cepillo siempre los dientes.
7. —¿Queréis merendar en el jardín? —No, preferimos merendar ...... porque ...... hace frío.
8. —¿Lavo ahora los platos? —No, mejor que los laves ......
9. ...... salir de casa, prefiero dejarlo todo en orden.
10. —¿Vengo a las siete? —No, mejor si vienes ......
11. ...... hacer el viaje con un pelmazo semejante, mejor ir solo.
12. Riégame las macetas ......, pero no las ......
13. Lo hizo adrede de marcharse ...... llegáramos nosotros.
14. El árbitro pitó porque el balón había ido ...... campo.
15. ...... las novelas policiacas, me gusta leerlo todo.
16. La vida actual es muy frenética; la ...... era más sosegada.
17. Para pasar el examen, ...... hay que hac   ina prueba escrita y ...... una oral.
18. ...... echarme atrás, prefiero el fracaso.
19. El tendero dijo a los gitanos que le habían entrado en la tienda: —¡ ...... !
20. Llegué a París el viernes, pero no fui al Louvre hasta el día ......

**250.** **Como el ejercicio anterior:**

| | |
|---|---|
| ante | tras |
| (de) delante | (de) atrás |
| delante de | (de) detrás |
| adelante | detrás de |
| en adelante | |

1. ...... esta situación, los créditos se vuelven inalcanzables por la poca credibilidad de las empresas.
2. ...... las ventanas hay las persianas.
3. Al principio el camino era estrecho, pero más ...... se ensanchaba.
4. Señora, siéntese ......, se lo ruego; yo me siento ......
5. El conejo tiene las patas ...... más largas que las ......
6. Las cortinas están ...... las ventanas.
7. ...... mí, don Julio Artigas, notario de esta ciudad, don Pedro Gómez, vecino de la misma.

8. En realidad, es ella quien lleva la casa ......
9. ...... unas horas de estudio, quiso hacer un pequeño descanso.
10. ...... las dificultades, nunca se echa ......
11. —¿Puedo entrar? —Sí, ¡ ...... !
12. Este concepto lo vuelve a explicar el mismo autor más ......
13. A los que van sólo ...... el dinero se les llama ávidos.
14. No volveré a decírtelo: ...... pasaré a las obras.
15. ...... haber comido como un cerdo, se echó en la cama y se durmió.
16. La locomotora va ...... y los vagones ......
17. ...... su aspecto sumiso hay mucho orgullo.
18. Encontré a Concha días ...... y la vi muy desmejorada.
19. El doctor me ha dicho que ...... sólo puedo comer hervidos.
20. ...... venir tarde, aún se enfada.
21. Mi reloj va cinco minutos ......
22. En este coche la marcha ...... es muy dura.
23. La enemistad entre ellos venía de muy ......
24. Se escribe el apellido y ......, separado por una coma, el nombre de pila.
25. No vuelvas la vista ......: es un espectáculo espeluznante.
26. Por muchos que sean los peligros, él no se echa nunca ......
27. ¡Cuidado, que viene un coche!: échate para ......
28. Cuando digo que hago una cosa, la hago: yo no me vuelvo nunca ......
29. Desde días ......, las autoridades médicas habían insistido en la necesidad de que todo el mundo se vacunara contra el cólera.
30. Pon al bebé en el asiento ...... y el perro en el asiento ......

# CLAVE DE SOLUCIONES DE LOS EJERCICIOS

El asterisco con que están marcados algunos ejercicios significa que las soluciones propuestas no son las únicas posibles.

# CAPÍTULO PRIMERO

**1.** 1. Milán / óleos; 2. riáis / oír; 3. héroes; 4. sigáis / podréis / tranvías / funcionarán; 5. cuántas / almíbar / queréis; 6. él; 7. mí / hercúleos; 8. huésped / correctísimo; 9. carácter; 10. inútil / teléfono / línea; 11. sólo / sermón; 12. regalé / tío; 13. violín / llegó; 14. Imagínense / cuál; 15. hipótesis / está / podría / ciprés; 16. batallón / kilómetros; 17. está / vacía / algún / más; 18. electrónica / más / útiles / últimos; 19. así / mejoraréis / rápidamente; 20. marchó; 21. sólo; 22. sólo / sí; 23. qué / frío / cuánta; 24. sé; 25. excursión / cuántos / seríais; 26. período (o periodo) / áureo; 27. habitación.

**2.** 1. tiéndete; 2. péinate / así; 3. búho / jardín; 4. reúne; 5. freí / continúa; 6. saludé; 7. más / información / consúltenos / Recepción; 8. guárdate / más / Elías / esfuérzate; 9. próximo / miércoles / iré / cómo; 10. quedó / mohíno / después / policía; 11. último / podré; 12. cafeína / estómago / hígado; 13. Caín; 14. jugáis; 15. —; 16. dejó / áspid; 17. miróla / quedóse; 18. movía / ágilmente; 19. ataúd; 20. automóvil / llegó / increíble; 21. sí; 22. increíble / dé; 23. sé / quién / están / mí; 24. cómo / eléctrico; 25. acabó / fuéronse; 26. estuviéramos / guisaría / riquísimos.

**3.** 1. sé / cuándo / saldré / todavía / sé / adónde; 2. quién / más; 3. cómo / cuándo / Cádiz; 4. cuánto / quién / cuánto / tú; 5. sé / qué / todavía; 6. porqués; 7. empujón / rió; 8. —; 9. sillón / está; 10. —; 11. qué / verás / cómo / tú; 12. película; 13. —; 14. mí / té; 15. indiqué; 16. competición; 17. Pérez; 18. sabías / dirección; 19. —; 20. qué / más / querría; 21. qué; 22. —; 23. qué / cantáis; 24. adónde / dirigía / procesión; 25. tú; 26. telefoneáis / encontraréis; 27. todavía / sé / dónde; 28. háblale / caséis; 29. gustaría / adónde; 30. cafetería / lió.

**4.** 1. podéis; 2. aún / sabía / freír / albóndigas; 3. echó / reír; 4. estáis / árbol; 5. raíz; 6. averigüéis / dónde / revólver / sabréis / quién; 7. traído / río; 8. conocéis / canción / cantádmela; 9. queréis / más / preferiríamos / plátanos; 10. recibís / marroquíes; 11. hacíais / salíais; 12. telefoneéis / después; 13. baúl / llévalo; 14. sé / más; 15. reído / oyéndole; 16. túnel / averió / grúa; 17. siéntate / está / recién; 18. América / maíz.

**5.** 1. reúne / vámonos; 2. cómprame; 3. tintorería / dejó / allí; 4. Ángel Gutiérrez; 5. carácter / difícil; 6. lápiz / fácil; 7. cayóse / rompió / fémur; 8. oído / seudónimo; 9. oliváceo; 10. retráctiles; 11. árboles; 12. elíjase; 13. sé; 14. habíais; 15. línea / más / rápida; 16. rehén / más; 17. mío / aquél; 18. conseguiréis / cuál / dirección.

**6.** *A)* volví / admiración / decía / olía / parecía / leí / química / día / volví / diciéndole / fórmula / científico / metabenzamidosemicarbácidos / había / espátulas / había / sabía / qué / sonriéndome / podía / verás / sí / más / aún / mí / mí / más / él / sabía / más / fórmula / volvió / sonreír / aquí / médicos / así.

*B)* sentábamos / anfitrión / Fígaro / estés / además / íntimas / ofenderán / quítate / Qué / respondí / mordiéndome / daré / mía / sí / sí / mírala / vendrá / él / sólo / permitirían / creía / días / más / él / qué / más / después / travesía / cómodos / días / instalación / así / había / creído / éramos / podrían / cómodamente / íntimas / sí / más.

**7.** encasquetó / señaló / bastón / dirán / quitó / apretó / recorrió / círculo / qué / mí / quién / tenéis / quién / quién / quién / dirá / tendrán / quién / habrá / quién / parecía / corazón / replegó / cerró / tomaré / arsénico / quedó / inmóvil / abrió / adelantó / último / República / recitó / metálica / sólo / movía / bastón / rió / rincón / también / voló / cojín / caían / Él (o El) / seguía.

**8.** 1. las / el; 2. una; 3. el; 4. esa; 5. un; 6. toda el; 7. el; 8. la; 9. la estupenda; 10. el / el; 11. esa oxidada; 12. aquella; 13. la; 14. toda el; 15. la.

**9.** 1. un; 2. aquella / estupenda; 3. la; 4. el; 5. esta; 6. un; 7. un; 8. el; 9. el; 10. un; 11. esa; 12. la continua; 13. el; 14. esta; 15. esa.

**10.** 1. sino; 2. sino; 3. si no; 4. si no; 5. sino; 6. sino; 7. si no; 8. sino; 9. si no; 10. sino; 11. sino; 12. sino; 13. sino; 14. sino; 15. si no; 16. si no; 17. sino; 18. si no; 19. sino; 20. sino.

**11.** Consúltese el diccionario.

**12.** Consúltese el diccionario.

**13.** Consúltese el diccionario.

**14.** Consúltese el diccionario.

**15.** Consúltese el diccionario.

**16.** Consúltese el diccionario.

**17.** Consúltese el diccionario.

**18.** Consúltese el diccionario.

**19.** 1. traje; 2. elija; 3. sugerí / corregía; 4. dijeron; 5. condujese; 6. trajiste; 7. corrijan; 8. redujimos; 9. carruajes / lujosos; 10. cabotaje; 11. mensaje / jefe; 12. viajé / reportaje; 13. elegido; 14. colige / jaleo; 15. alijos; 16. aconsejé; 17. rodaje / Jerusalén; 18. objetos / ajenos; 19. generales / jerarquías; 20. garaje / dejo / pasaje; 21. bajo / chantaje; 22. régimen.

**20.** 1. ligera; 2. recoge; 3. congelados; 4. mejicanos / trajes; 5. equipaje / viaje / Jorge; 6. tarjeta / cajero / canjeará; 7. tejía; 8. ojival; 9. sugirió / gerente / quejarme; 10. Ángel / juerguista / inteligente; 11. vieja / crujía; 12. ingente; 13. origen / linaje; 14. corrígeme; 15. sujetaron / gente; 16. peaje; 17. vieja / vigente; 18. deje / conserje; 19. ujier / alejó; 20. embalaje.

# CAPÍTULO SEGUNDO [1]

**21.** 1. advirtiendo; 2. concluyendo / destruyendo; 3. disminuyendo; 4. eligiendo; 5. haciendo / asintiendo; 6. mintiendo; 7. hiriendo; 8. haciendo / friendo; 9. atrayendo; 10. decayendo; 11. desoyendo; 12. sabiendo; 13. cayendo; 14. gimiendo; 15. ciñéndose / discutiendo; 16. diciendo / enemistando; 17. contradiciendo; 18. yendo; 19. comiendo / engordando; 20. poniendo; 21. leyendo; 22. oliendo; 23. metiendo; 24. pudiendo / durmiendo; 25. pidiendo; 26. sintiéndolo / conduciendo.

**22.** 1. fregando; 2. saliendo; 3. mirándose; 4. —; 5. abandonando; 6. —; 7. siendo; 8. quedando; 9. entrando; 10. —; 11. presentándome; 12. retirándose; 13. llegando; 14. dando; 15. viendo; 16. comiendo; 17. levantándose; 18. leyendo; 19. —; 20. pasando; 21. llegando; 22. comiendo; 23. —; 24. marchándose.

**23.** 1. dándole; 2. llorando; 3. escuchando; 4. yendo; 5. aplaudiendo (o gritando); 6. yendo; 7. comprando; 8. analizando; 9. guardando; 10. yendo; 11. asomándote; 12. cojeando.

**24.** 1. permitiéndolo; 2. aun siendo; 3. haciéndome; 4. aun siendo; 5. ganando; 6. aun actuando; 7. siendo; 8. estando; 9. no cabiendo; 10. aun teniendo; 11. cuidándote; 12. haciendo; 13. aun estudiando; 14. no teniendo; 15. aun siendo; 16. aun siendo; 17. teniendo; 18. aun gozando.

**25.** 1. yendo; 2. —; 3. —; 4. dando; 5. —; 6. —; 7. buscando; 8. viviendo; 9. —; 10. luchando; 11. haciéndose; 12. —; 13. devorando; 14. apagando; 15. —; 16. mirándome; 17. —; 18. jugando; 19. picando; 20. —.

**26.** 1. —; 2. ocultándose; 3. escribiendo; 4. cantando; 5. corriendo; 6. —; 7. —; 8. arando; 9. tomando / bebiendo / nadando; 10. abandonando; 11. tendiendo; 12. —; 13. entrenándose; 14. hundiéndose; 15. trabajando; 16. —; 17. tocando; 18. lavando; 19. —; 20. cantando.

**27.** 1. el haber vivido con mucho dinero, le ha acostumbrado a despilfarrar; 2. el haber llovido mucho, ha inundado los campos; 3. el haber sido siempre un campeón, no le permite admitir el menor fracaso; 4. el haber tenido siempre un montón de amigos, no le deja vivir solo; 5. el estar de vacaciones, me ha acostumbrado a no trabajar; 6. el tener una buena cocinera, ha hecho que mi mamá no sepa guisar; 7. el no poder decir nunca la verdad, le ha acostumbrado a disimular siempre; 8. el haberse levantado siempre temprano, no le permite dormir hasta tarde por la mañana; 9. el haber vivido siempre en el campo, le ha dado un perfecto estado de salud; 10. el haber regresado a su pueblo, le ha vuelto más alegre.

**28.** 1. al estar; 2. de llorar (o por haber llorado); 3. de haber sabido; 4. por ser; 5. sin saludar; 6. de trabajar (o por haber trabajado); 7. al subir; 8. de habernos hecho caso; 9. por ser; 10. sin mirar; 11. con refunfuñar; 12. al llegar; 13. de no encontrar; 14. al pasar; 15. al salir; 16. sin notar; 17. por no haberla reparado; 18. de haberme molestado; 19. de andar (o por haber andado); 20. sin meditar; 21. con lavar; 22. de tener; 23. por haber robado; 24. al verle; 25. de decidir; 26. sin saber; 27. al llegar; 28. de necesitar; 29. con repetir; 30. por haber salido; 31. sin pensar; 32. por ser; 33. de gritar (o por haber gritado); 34. de no venir.

**29.** 1. haber salido (o salir); 2. que hayamos recibido (o recibir); 3. que hayan facturado (o facturar); 4. que no haya; 5. entender; 6. mirar (o haber mirado o que yo mire); 7. darse; 8. tener; 9. que tuvieron (o tener); 10. ser (o que es); 11. dejar (o haber dejado); 12. llamarnos; 13. que los ladrones pudieran; 14. morderle (o haberle mordido); 15. terminar (o que hubo terminado o que terminó); 16. quedar (o que quedó).

---

1. Recuérdese que es indistinto usar las formas *cantara* / *cantase* y también *hubiera cantado* / *hubiese cantado*.

**30.** 1. que yo haya dicho; 2. cruzar; 3. marcharse; 4. dedicar; 5. que tu padre te comprará; 6. comprender; 7. haber estado (*o* que estuvo *o* que ha estado); 8. ir; 9. serte; 10. que el niño se cayera; 11. no verle (*o* haberle visto *o* que no le haya visto); 12. que se queden; 13. que la pareja llegara; 14. comprar (*o* que compraría); 15. obrar (*o* que obro); 16. ser; 17. no ponerte; 18. que los medicamentos hicieran; 19. que su hijo estudiara; 20. que paséis; 21. que hayas resbalado; 22. que los ciudadanos paguen; 23. que irán; 24. que fuésemos; 25. nombrar (*o* que nombrarían); 26. no trabajar (*o* que no trabajo).

**31.** 1. estudiar; 2. acostarse (*o* que se acostara); 3. que contribuya (*o* contribuyera); 4. cantar (*o* que cantaban); 5. no gastar; 6. entrar (*o* que entren); 7. planchar; 8. salir (*o* que saliéramos); 9. que vayáis; 10. hablar; 11. cruzar (*o* que cruzaba) / ir a parar (*o* que iba a parar); 12. emigrar; 13. arreglar; 14. entrar (*o* que entráramos); 15. hacer / ganar; 16. que haga; 17. gozar; 18. que salgáis; 19. dirigirse (*o* que se dirijan); 20. comprar; 21. fregar; 22. que tú pagues; 23. que le den; 24. que nos sintamos; 25. no tener (*o* que no tenemos); 26. que los delincuentes mejoren.

**32.** 1. casarse (*o* que se casarían); 2. llegar (*o* que llega *o* que va a llegar); 3. ser (*o* que era); 4. que mi novio pueda; 5. internar (*o* que internaría); 6. que los Ministros se reunieran; 7. que sea; 8. llegar; 9. que siga; 10. que el señor Pérez estaba; 11. que el niño se resfríe; 12. poder (*o* que podía *o* que podría); 13. que aquello era (*o* fuese); 14. que les vi (*o* que les había visto *o* que les viera *o* que les hubiese visto); 15. que mis hijos me respeten; 16. que os quedéis; 17. ser; 18. que los demás no me tomen; 19. recordar; 20. salir; 21. comprarme; 22. que no hayas aprobado; 23. explicarte; 24. que el niño jugara; 25. que la policía no les viera; 26. conocer (*o* que conocía).

**33.** 1. que los pasajeros muestren; 2. que probaran (*o* probar); 3. enfrentarme; 4. enviarme (*o* que me envíen); 5. que pasáramos; 6. cambiar (*o* que cambiara); 7. te pongas; 8. que gastes; 9. hacerlo (*o* que lo hiciéramos); 10. callarse (*o* que se callaran); 11. observar; 12. estudiarse (*o* que se estudie); 13. pasar (*o* que pasaban); 14. entrar; 15. ir; 16. comer; 17. aprender / sacar; 18. acercarse (*o* que se acercara); 19. dimitir; 20. ver; 21. coleccionar; 22. que el terreno sea; 23. que vosotros toméis; 24. terminar (*o* que terminaremos); 25. lavar; 26. cruzar.

**34.** 1. subirse (*o* que se subían); 2. andar (*o* que ande); 3. que ibais; 4. trabajar; 5. que comas; 6. hablar / escribir; 7. que leas; 8. hacer; 9. expresar (*o* que exprese); 10. no fumar (*o* que no fumara); 11. traer (*o* que trajera); 12. hacer obras / pedir (*o* que pidiera); 13. comprender (*o* que comprendan); 14. trabajar; 15. oír; 16. cuidar (*o* que cuidara); 17. concentrarme (*o* que me concentrara); 18. pasar (*o* que pasara); 19. repasar (*o* que repasara); 20. divisar.

**35.** 1. llegar; 2. sudar; 3. que tus amigos te humillen; 4. que seáis; 5. que los alumnos aprendan; 6. casarnos (*o* que nos casaremos); 7. que todo el mundo viva; 8. trabajar; 9. que el paciente comiera; 10. que va (*o* vaya) a llover; 11. hacer; 12. acompañarme (*o* que me acompañaría); 13. estar; 14. expirar (*o* que expiraba); 15. decírselo; 16. dormir; 17. hacer ganchillo; 18. que ellos no vinieran; 19. no salir (*o* que no salieran); 20. tomar.

**36.** 1. detenerse; 2. ver; 3. seros; 4. ser (*o* que sea); 5. hacerlo; 6. entrar (*o* que entrara); 7. salir; 8. nombrar (*o* que nombraría); 9. adaptarme; 10. que la criada espiaba; 11. que el muchacho responda; 12. rectificar (*o* que rectifique); 13. llegar; 14. que tu padre haya fallecido; 15. que los ciudadanos no ensucien; 16. ganar; 17. remitirme; 18. entrar (*o* que entráramos); 19. respetar (*o* que respeten); 20. charlar (*o* que charlaban).

**37.** 1. llegados a la cumbre; 2. leído el periódico; 3. lavado el pelo; 4. limpiados los cristales; 5. selladas las cartas; 6. clavados los clavos; 7. rellenado el impreso; 8. terminado el espectáculo; 9. tomados los aperitivos; 10. llegado a la estación; 11. dicha su opinión; 12. que, leídos.

**38.** 1. tengo planchada; 2. le dejo escrito aquí; 3. lleva inyectadas; 4. me ha dejado limpiados; 5. te llevo recomendado; 6. tengo terminadas; 7. tiene despachada; 8. tengo sacadas; 9. le dejamos prestadas; 10. lleva repetido.

**39.** 1. visto / sido / quitado; 2. celebrado / dedicado; 3. podados; 4. abiertas; 5. aficionado; 6. vistas; 7. reproducidos; 8. despejados; 9. visto; 10. decididos; 11. avalada / encontrados / considerados; 12. elegido.

**40.** 1. incorporado; 2. guardados; 3. dejado / hecha; 4. cansada; 5. herido; 6. bordados; 7. convertido / adquirido; 8. establecida; 9. sometidos; 10. debido / trasladadas / desarrollado / cerrado; 11. asegurada; 12. publicada / estimada.

**41.** 1. han sido denunciadas; 2. ha subido; 3. ha sido; 4. han sido detenidos; 5. ha intervenido; 6. ha sido colocado; 7. ha superado; 8. ha aterrizado; 9. ha corrido; 10. han recibido; 11. ha entrado; 12. ha resultado.

**42.** 1. abierto; 2. hecho / dicho; 3. resuelto; 4. roto; 5. elegido / renunciado; 6. reclusos; 7. distinguido; 8. despertado / despierto; 9. puesto / fritas; 10. recluido. 11. revuelto; 12. satisfecho; 13. impuesto; 14. reconocido / entrevisto; 15. robado / repuesto; 16. leído / incluidas; 17. atendido; 18. descendido; 19. dormido; 20. puesto.

**43.** 1. entrad; 2. lavaos; 3. levantaos; 4. escribid; 5. no ensuciéis; 6. poned; 7. no os comáis; 8. no dobléis; 9. no cerréis; 10. no os rasquéis; 11. limpiaos; 12. no digáis; 13. no subáis; 14. no habléis; 15. id; 16. no salgáis.

**44.** 1. soldados, pónganse en marcha; 2. niños, acostaos; 3. criada, quite el polvo y friegue el suelo; 4. alumno, cállate; 5. exploradores, plantad la tienda; 6. cliente, cierre despacio, no fume; 7. taxista, váyase a freír espárragos; 8. gitanos, abandonad la ciudad; 9. Ministros, dimitan; 10. jardinero, riegue el césped; 11. clientes, apaguen, mantengan, empleen, acuérdense, mantengan.

**45.** *a)* parta / corte / meche / cueza / ponga / añada / rehóguelas / cúbralas / sazónelas / déjelas / ponga / coloque / añada / rocíela / cuézala / lave / córtelos / cuézalos / añada / agregue / mezcle / deje / bata / añádalas / sírvalo.

   *b)* pártase / córtese / méchense / cuézanse / póngase / añádanse / rehóguense / cúbranse / sazónense / déjense / póngase / colóquense / añádase / rocíese / cuézase / lávense / córtense / cuézanse / añádase / agréguese / mézclense / déjese / bátanse / añádanse / sírvase.

**46.** 1. sí, cómela / no, no la comas; 2. sí, llevémonoslo / no, no nos lo llevemos; 3. sí, salga / no, no salga; 4. sí, suéltalo / no, no lo sueltes; 5. sí, llévenlas / no, no las lleven; 6. sí, lávela / no, no la lave; 7. sí, ayúdeme / no, no me ayude; 8. sí, suba / no, no suba; 9. sí, usadlo / no, no lo uséis; 10. sí, plánchela / no, no la planche.

**47.** 1. déle; 2. transpórtenlo; 3. —; 4. páguela; 5. délas; 6. comuníquelo; 7. —; 8. siéntela; 9. pónganlas; 10. dígalo; 11. —; 12. estúdienlo; 13. páguenle; 14. dígalo; 15. díganosla; 16. —; 17. siéntese; 18. dénmelo.

**48.** decidme / no lo dudéis / hablaréis / hablad / salid / bajad / encontraréis / llamad / os abrirá / le diréis (o decidle) / os hará entrar / no os preguntará / dad / rogadle / exigidle / le confiaréis / os servirá / veréis / hacedle / no olvidéis / amenazadla / no hagáis / le dejéis / procurad / hará / os costará / no me preguntéis / juradme / seguiré.

**\*49.** 1. por si llueve; 2. por si alguien le llama por teléfono; 3. por si el profesor te pregunta; 4. por si tenemos que marcharnos; 5. por si la criada intenta robarles; 6. por si necesito dinero.

**50.** ........

**51.** 1. quepo; 2. ve; 3. traéis; 4. concibe; 5. venís; 6. va / voy; 7. reís / oímos / dicen; 8. juega; 9. concierne; 10. tengo; 11. bendigo; 12. ves / me caigo; 13. os acordáis; 14. conoces / conozco; 15. rige; 16. riega; 17. frío / cierro; 18. huye / ve; 19. me doy cuenta / envejezco; 20. prevé / van.

**52.** 1. se desenvuelve; 2. depende; 3. se aprieta / se cae; 4. hierve; 5. presencio / me enfurezco; 6. pensamos; 7. descolgamos / ponemos; 8. descuella; 9. sierro; 10. os divertís / podéis; 11. se yergue; 12. yerran / piensan / veo / copian; 13. os desviáis; 14. confluyen; 15. conduzco; 16. defiende; 17. muerde; 18. condesciende; 19. elijo / creo / es; 20. rinde.

**53.** sigue / se sienta / fuma / descansa / se ven / levanta / pasan / aparecen / camina / se oye / se ven / está / huele / miran / mueven / huyen / vuela / se cruza / saluda / sonríe / mira / contesta / se vuelve / va.

**54.** .......

**55.** .......

**56.** 1. os caísteis; 2. se ciñó; 3. cupieron; 4. les insulté / sonrieron; 5. adhirieron; 6. se pusieron / anduvieron; 7. se contradijeron; 8. maldijeron / se cerró; 9. se atuvo; 10. se entretuvieron; 11. condujeron; 12. elejisteis; 13. trajeron; 14. tradujo; 15. fueron / dijeron; 16. destruyeron / produjeron; 17. previno / prohibió; 18. preví; 19. pregunté / hicieron / no supieron; 20. se vistió; 21. antepuso; 22. predijo.

**57.** 1. no lo he encontrado nunca; 2. no lo ha estudiado nunca antes; 3. nunca los he probado; 4. han entrado; 5. se ha agotado; 6. no lo he leído nunca; 7. no lo he resuelto nunca; 8. lo he olvidado; 9. las he encontrado; 10. ha muerto.

**58.** 1. distinguido; 2. abstracto; 3. corregido; 4. nato / provisto; 5. maldecido; 6. teñido; 7. recluido / reclusos; 8. nacido; 9. reunido / juntos; 10. confusas; 11. fijado; 12. proveído; 13. despertado / despierto; 14. difundido; 15. distinguido; 16. bendecido; 17. difuso; 18. bendito; 19. confundido; 20. fijo.

**59** 1. recién llegado; 2. recién pintado; 3. recién hecho; 4. recién inaugurado; 5. recién comprado; 6. recién nacido; 7. recién casados; 8. recién despiertos.

**60.** 1. —; 2. hemos estado / hemos acabado; 3. hemos ido; 4. fui; 5. charlamos / hizo; 6. —; 7. — / leí; 8. — / comimos; 9. he ido; 10. estuvimos; 11. he cobrado; 12. ha salido; 13. fui / bañé; 14. —; 15. se conocieron; 16. fui.

**61.** despertó / servía / explicó / dijo / se despidió / tenía / hizo / trasladó / cosían / hablaban / jugaban / preguntó / llevaba / dejó / condujo / agradeció / saltó / se tropezó / hizo / veía / pasó / llevaba / debía / pasó / se tumbó / se demoró / bajó / hizo / preguntó / ha venido (o vino).

**62.** se resolvió / pensó / fue / había / se convirtió / sentía / le parecía / quiso / compró / disparó / no le dio / quedó / se horrorizó / le aterrorizaban / habló / dijo / era / comprendía / tenía / había / era / aceptó / sentía / tuvo.

**63.** .......

**64.** 1. cuando salí de casa / ya me había puesto; 2. cuando se marchó / ya había avisado; 3. cuando cerraron / ya habían vaciado; 4. cuando arreglaron / ya habían quitado; 5. cuando se puso / ya se había lavado; 6. cuando entrasteis / ya habíais dejado; 7. cuando subiste / ya habías comprado; 8. cuando se fue / ya había sacado; 9. cuando pasó / ya había barrido; 10. cuando se marcharon / ya habían abonado; 11. cuando se compró / ya había aprendido; 12. cuando encendió / ya había ido a buscar.

**65.** 1. murió / había reinado; 2. llegó / vio / le habían robado; 3. se explicó / habían suspendido; 4. comprendió / le había ocupado; 5. confirmaron / habían previsto; 6. sucedió / había temido; 7. vieron / habían llegado; 8. se dio cuenta / se había equivocado; 9. empezaron / había hecho; 10. se vio obligado / había rechazado.

**66.** 1. vivió (o había vivido); 2. había encontrado; 3. habían construido; 4. le entregaban (o le habían entregado); 5. se había muerto; 6. se tomaba (o se había tomado); 7. recibieron (o hubieron recibido o habían recibido); 8. habías dejado; 9. terminaba (o había terminado); 10. le habían insultado (o le insultaron).

**67** 1. *hubo terminado (o terminó o había terminado); 2. hasta que no le examinó; (o hubo examinado); 3. *hubo pasado (o había pasado o pasó); 4. *hubo talado (o taló o había talado); 5. *hubo dicho (o dijo o había dicho); 6. hasta que no hubo arreglado (o arregló); 7. hasta que no hubo estudiado (o estudió); 8. *hubo visto (o vio o había visto); 9. hasta que no hubo llegado (o llegó o había llegado); 10. *se hubo puesto (o se puso o se había puesto); 11. hasta que no hubo terminado (o terminó); 12. *hubo hablado (o habló o había hablado).
Los verbos precedidos por * admiten cualquier forma, menos *hasta que*.

**68.** 1. cuando acabó (o hubo acabado); 2. cuando dijo (o hubo dicho); 3. cuando anotó (o hubo anotado); 4. cuando descolgamos (o hubimos descolgado); 5. cuando echaron (o hubieron echado); 6. cuando apagaron (o hubieron apagado); 7. cuando desinfectó (o hubo desinfectado); 8. cuando acabaron (o hubieron acabado); 9. cuando lavó (o hubo lavado); 10. cuando llegó (o hubo llegado).

**\*69.** 1. iba; 2. había cantado (o cantó) / expulsaron; 3. vimos / gustó; 4. hubo oído (u oyó o había oído) / se puso; 5. he lavado; 6. era; 7. hicimos / hacía; 8. iba / daba; 9. andaba / se puso; 10. hubo dicho (o dijo) / tenía / se sintió; 11. me equivoqué / volví; 12. salió (o hubo salido) / se dio cuenta / hacía; 13. iba / llamaron; 14. acabábamos / era; 15. ha inventado; 16. comí (o había comido) / encontré (o había encontrado) / llegué; 17. hubo cenado (o había cenado o cenó) / se fue; 18. nació / trajeron / era; 19. tuvo / hubo comido (o había comido o comió) / se duchó; 20. los jóvenes han adquirido; 21. ha reservado; 22. partieron / dejó (o hubo dejado); 23. volvía / anochecía; 24. se hubo puesto (o se había puesto o se puso) / alzaron; 25. vio / reconoció; 26. había llorado / se quedaba; 27. seguías (o seguiste) / habían amonestado; 28. hubo pasado (o pasó) / se encontró; 29. hubo llegado (o había llegado o llegó) / se dio cuenta / se había marchado; 30. estuvo (o había estado) / cortaron.

**70** 1. impedirá; 2. satisfarán; 3. te contradirás; 4. se desteñirán; 5. cabrán; 6. prevalecerá; 7. bendeciré; 8. dirán / podrán; 9. medirá / construirán; 10. retendrán / concederán; 11. dispondrá; 12. desavendrá; 13. equivaldrá; 14. traducirá; 15. prevendrás; 16. querrán; 17. valdrá; 18. sobresaldrá; 19. sabrán; 20. desharé.

**71.** 1. tendrá; 2. será; 3. debe de; 4. tienen que; 5. estará; 6. debe de; 7. se verá; 8. será; 9. llegará; 10. será; 11. estarán; 12. tiene que; 13. se tratará; 14. debe de.

**\*72.** 1. te daré un bombón; 2. os lavaréis el pelo; 3. harán un safari; 4. me levantaré un rato; 5. iré al bautismo de tu sobrino; 6. podrán hacerlo cuando quieran; 7. tendrá que enviarme el recibo; 8. podréis leer; 9. acabaré enseguida; 10. tendrá que hablar inglés; 11. te mataré; 12. nos quedaremos en casa; 13. armaré un jaleo; 14. estaremos apañados; 15. me quedaré sola con los niños pequeños; 16. no os dejarán entrar; 17. te quedarás dormido; 18. la descubriré igualmente; 19. sabré contestarte más detalladamente; 20. no conocerán a mi amigo.

**73.** .......

**74.** .......

**75.** 1. ya se habrá levantado; 2. todavía no habrá llegado; 3. ya habré almorzado; 4. ya la habré limpiado; 5. ya los habrán echado; 6. ya habrán ido; 7. todavía no se habrá casado; 8. ya habrá salido; 9. ya los habrán talado; 10. todavía no se lo habrá dicho; 11. ya me habrán pagado; 12. todavía no me lo habrán traído.

**76.** 1. ya habrá terminado; 2. ya los habrás lavado; 3. ya me habrán llamado; 4. ya habrán pintado; 5. ya habrán acabado; 6. ya lo habré leído; 7. ya habrás tomado; 8. ya habrán presentado; 9. ya habrás puesto; 10. ya habrán sembrado; 11. ya habrás puesto; 12. ya habrás hecho.

**\*77.** 1. ¡la de veces que habré tomado!; 2. ¡las veces que habré recitado!; 3. ¡cuántas veces habremos ido!; 4. ¡la de veces que se la habré puesto!; 5. ¡las veces que habré hablado!; 6. ¡cuántas veces la habré llevado!; 7. ¡la de veces que los habremos comido!; 8. ¡las veces que le habré pegado!; 9. ¡cuántas veces la habré enjuagado!; 10. ¡la de veces que habré ido!; 11. ¡las veces que la habré tenido!; 12. ¡cuántas veces los habré arreglado!; 13. ¡la de veces que la habré repasado!; 14. ¡las veces que los habré limpiado!

**78.** 1. te habrás dado cuenta; 2. desconocerá; 3. me habrán enviado; 4. sabrá; 5. te imaginarás; 6. habrá resbalado / se habrá roto; 7. habrá presidido; 8. se habrá conmemorado; 9. le habrán empujado; 10. habrá vendido; 11. estará echando; 12. habrá salido; 13. habrá roto; 14. se habrá quedado.

**79.** .......

**\*80.** 1. seguirías viviendo en aquel piso?; 2. irías a visitar el Prado?; 3. te gustaría tener un corral?; 4. te irías a un parador?; 5. os apetecería echar una siesta?; 6. harían estas diapositivas?; 7. estaría siempre en casa?; 8. te pondrías las gafas?; 9. estarías tan en forma?; 10. no te pondrías el chubasquero?

**\*81.** 1. ya sabía yo que hablarían; 2. ya me imaginaba yo que le gustaría; 3. ya me temía yo que dirían; 4. ya suponía yo que harían; 5. ya estaba segura yo que engordaría; 6. ya sospechaba yo que moriría; 7. ya decía yo que se asustarían; 8. ya afirmaba yo que se escandalizaría; 9. ya sabía yo que irían; 10. ya pensaba yo que harían; 11. ya preveía yo que no me llamaría; 12. ya me temía yo que no me avisaría; 13. ya me suponía yo que no me toparía; 14. ya me figuraba yo que me ocultarían; 15. ya me imaginaba yo que no querría; 16. ya sabía yo que no llovería; 17. ya suponía yo que no vendrían; 18. ya sentía yo que no se mencionaría; 19. ya decía yo que perderían; 20. ya sospechaba yo que me pedirían.

**82.** 1. ¿me devolverías (o podrías devolverme)?; 2. ¿podrían no fumar?; 3. ¿me prestarías (o podrías prestarme)?; 4. ¿os iríais (o podríais iros)?; 5. ¿podrían ustedes no hablar?; 6. ¿me diría (o podría usted decirme)?; 7. ¿llevarías tú (o podrías llevar tú)?; 8. ¿podrían ustedes no molestarme?; 9. ¿me acompañarías (o podrías acompañarme)?; 10. ¿me lavarías (o podríais lavarme)?

**83.** 1. tendría; 2. se acostaría; 3. se derrumbaría; 4. se moriría; 5. habría; 6. no se presentaría / tendría; 7. se largaría / pelearía; 8. se vertería / dejaría; 9. llegaría / no conocería; 10. serían.

**84.** 1. vendría; 2. haría; 3. se disculparía; 4. sonaría; 5. rescatarían; 6. te toparías; 7. te conformarías; 8. saldría; 9. te asustarías; 10. os marearían; 11. comerían; 12. me compraría; 13. te llamaría; 14. sufrirían; 15. visitaría.

**85.** 1. me habría (o hubiera) gustado; 2. aseguró / habría dado; 3. habría (o hubiera) ido; 4. habría acudido / hubiesen entrado; 5. prometió / habría vuelto; 6. no habría (o hubiera) querido; 7. te habrías comido / supiera (o hubiese sabido); 8. habría entrado / hubiera (o hubiese habido); 9. no habría temido / hubiera tenido; 10. no habrías llevado / hubieras tenido; 11. no me habría sacado / no me hubiera dolido; 12. habría pasado / hubiera tenido.

**86.** 1. sentiría; 2. metería / tendría; 3. tendría; 4. me habría gustado; 5. ocurriría; 6. dejarían; 7. llovería; 8. sentiría; 9. caería; 10. me habría encantado; 11. habría; 12. te enfrentarías; 13. se sentirían; 14. notarías; 15. sería; 16. se rompería.

**87.** 1. vendrían; 2. ya le habría entregado (o entregaría); 3. adoptarían; 4. me habría gustado; 5. habrían acabado; 6. habría usted discutido; 7. yo habría (o hubiese) deseado; 8. se levantaría / tendría; 9. te importaría; 10. se libraría; 11. le gustaría; 12. volvería.

**88.** 1. permitieran; 2. ganara; 3. vengan (*o* hayan venido); 4. hubiese llovido; 5. os marcharais; 6. perdiera; 7. sepa; 8. viera / no se pusiera; 9. hubiera; 10. bordaran; 11. vivieran; 12. consiguieran; 13. se esfuercen; 14. construyéramos / obtuviéramos (*o* hubiésemos obtenido); 15. comiera; 16. hubiese salido.

**89.** 1. revelara / cerrara; 2. hubieses estado; 3. se cortara; 4. hablara; 5. estuviera; 6. se armara (*o* hubiese armado); 7. hubiesen encontrado; 8. siguiera / viera (*o* hubiese visto); 9. hicieran; 10. diese (*o* hubiese dado); 11. consigan (*o* hayan conseguido); 12. notara (*o* hubiese notado); 13. fuéramos; 14. asistan; 15. leyera; 16. tuvieran (*o* hubieran tenido).

**90** 1. se previó que habría; 2. dijo que iría; 3. dijeron que pasaríamos; 4. nos prometió que comeríamos; 5. aseguró que ganaríamos; 6. advirtió que sería; 7. aseguró que pasaría al cabo de; 8. advirtió que cortarían; 9. dijo que estarían listos para el lunes siguiente; 10. comunicó que tendría los billetes al día siguiente.

**91.** 1. que usted espere; 2. que consultéis; 3. que hagamos; 4. que los coches giren; 5. que abones; 6. que los ciudadanos pisen; 7. que entréis; 8. que yo deje; 9. que no entres; 10. que los extraños intervengan; 11. que los turistas entren; 12. que los espectadores fumen.

**92.** 1. le permitió que esperara; 2. os dejó que consultaseis; 3. nos impidieron que hiciéramos; 4. prohibió que giraran; 5. te pidió que abonaras; 6. no permitían que pisaran; 7. os sugirió que entrarais; 8. me aconsejó que dejara; 9. te ordenó que no entraras; 10. no permitían que intervinieran; 11. no dejaron que entraran; 12. prohibían que fumaran.

**93.** 1. he metido; 2. esté; 3. traiga / pueda; 4. ha llamado (*o* llama); 5. tenga; 6. vaya; 7. tenga; 8. sea; 9. es; 10. está / está; 11. te dé; 12. trabajes; 13. nos quedemos; 14. hace; 15. me hagas; 16. vivan; 17. son; 18. te diviertas / trabajes; 19. pase; 20. hagas; 21. te pida; 22. tenga / hay; 23. estén; 24. me burlo; 25. esté; 26. ha mejorado.

**94.** 1. pude (*o* podía) / había metido; 2. alegré / estuviera; 3. hacía (*o* hizo) falta / trajera / pudiera; 4. se preguntó (*o* preguntaba) / llamó (*o* había llamado *o* llamaba); 5. pareció / tuviera; 6. pareció / fuera; 7. pensaba (*o* pensó) / tuviera; 8. dijo (*o* había dicho) / fuera; 9. decía (*o* dije) / era; 10. ignoraba / estaba / suponía / estaba; 11. pareció (*o* parecía) / diera; 12. era necesario / trabajaras / querías; 13. obligó / nos quedáramos; 14. sabían / hacía; 15. prefería / me hicieras; 16. resultaba (*o* resultó) / viviesen; 17. creía (*o* creí) / eran; 18. gustaba / te divirtieras / quería / trabajaras / era; 19. dolió / pasara; 20. querías / hacía falta / hicieras / decía (*o* dijo); 21. extrañó / te pidiera; 22. decía (*o* dije) / tuviera / decía (*o* dije) / había; 23. estábamos / estuvieran; 24. pensaba / me burlaba; 25. se veía / estuviera; 26. noté / había mejorado.

**95.** 1. que organicemos; 2. que lo haces (*o* harás); 3. que pasaran; 4. que no te suceda; 5. que soy; 6. que lleva; 7. que tuviera; 8. que venga; 9. que mañana nieve; 10. que enseñáramos; 11. que eres; 12. que devolvieras; 13. que corrieran; 14. que el fotógrafo revelase; 15. que mis vecinos me dejaran; 16. que hablase; 17. que estás haciendo; 18. que el avión aterrizase (*o* haya aterrizado); 19. que lleva; 20. que me atreva (*o* haya atrevido); 21. que la mecanógrafa vaya; 22. que me entiendas (*o* hayas entendido); 23. que le dé; 24. que me traiga; 25. que haya necesidad; 26. que el delantero centro marca.

**\*96.** 1. no saldré antes de que venga el cartero; 2. se largarán antes de que los detengan; 3. llamaré a mis amigos antes de que me escriban; 4. si no voy, os advertiré antes de que compréis las entradas; 5. sacaré los cubitos de la nevera antes de que la criada prepare los aperitivos; 6. llamarán a los pasajeros antes de que el médico los vacune; 7. adviérteme antes de que me vaya de vacaciones; 8. pediré los penales antes de que hables con el gestor; 9. se quedará dormido antes de que apagues la luz; 10. no me dejan entrar antes de que me quite los zapatos.

**97.** 1. todavía falta / para que termine; 2. todavía faltan / para que salga; 3. todavía faltan / para que entre; 4. todavía faltan unas horas / para que vengan; 5. todavía faltan dos días / para que corte; 6. todavía falta una semana / para que llevemos; 7. todavía faltan / para que me entreguen; 8. todavía faltan / para que se oigan; 9. todavía faltan / para que me dé; 10. todavía faltan unos meses / para que florezcan.

**98.** 1. todavía faltaba / para que terminara; 2. todavía faltaban / para que saliera; 3. todavía faltaban / para que entrara; 4. todavía faltaban unas horas para que viniveran; 5. todavía faltaban dos días / para que cortara; 6. todavía faltaba / para que lleváramos; 7. todavía faltaban / para que me entregaran; 8. todavía faltaban / para que se oyeran; 9. todavía faltaban / para que me diera; 10. todavía faltaban unos meses / para que florecieran.

**\*99.** 1. me compraría un abrigo de pieles; 2. llegaríamos antes; 3. cabrían todos en el coche; 4. ganaría el primer premio; 5. haríais mejor las cosas; 6. lo invitaría a un cóctel; 7. no bebería tanto; 8. no os mojaríais; 9. podría echarse un rato a la piscina; 10. comprendería esa situación; 11. daríamos una vueltecita; 12. no pasarías tantos apuros.

**100.** 1. si hubiera sido / me habría comprado; 2. si hubiéramos ido / habríamos llegado; 3. si hubieran estado / habrían cabido; 4. si hubiera corrido más / habría ganado; 5. si hubierais sido / habríais hecho; 6. si hubiera sido / lo habría invitado; 7. si hubiera tenido / no habría bebido; 8. si hubierais llevado / no os habríais mojado; 9. si hubiera tenido / habría podido echarse; 10. si hubiera sido / habría comprendido; 11. si hubiéramos sabido / habríamos dado; 12. si hubieras sido / no habrías pasado.

**101.** 1. me río; 2. les guardo; 3. volvía; 4. llegue; 5. haya; 6. le aplauden (o aplaudan); 7. suponía; 8. iba; 9. le tenían; 10. lo soy; 11. era; 12. tuviera.

**102.** 1. le llamen; 2. se puede (o podía); 3. intentaba; 4. solía; 5. era; 6. se presentaran; 7. se veía; 8. es; 9. sea; 10. tengo; 11. soy; 12. cambien.

**\*103.** 1. me parece extraño que vendan; 2. nos parece poco probable que lean; 3. me parece malo que se emborrache; 4. le parece ridículo que vean; 5. me parece imposible que ustedes desconfíen; 6. al jardinero le parece poco probable que se aclimate; 7. a sus amigos no les parece verdad que fume; 8. me parece imposible que decida; 9. a los periodistas les parece sorprendente que dé; 10. ¿no te parece extraño que Amador tenga? 11. parece increíble que pinte; 12. al portero le parece imposible que se estropee; 13. parece poco probable que vaya; 14. parece raro que traduzca.

**104.** 1. me pareció (o parecía) / que vendieran; 2. nos pareció / que leyeran; 3. me pareció / que se emborrachara; 4. le pareció / que vieran; 5. me pareció / que ustedes desconfiaran; 6. le pareció / que se aclimatara; 7. no les pareció / que fumara; 8. me pareció / que decidiera; 9. les pareció / que diera; 10. no te pareció / que tuviera; 11. parecía / que pintara; 12. le parecía / que se estropeara; 13. parecía / que fuera; 14. parecía / que tradujera.

**105.** 1. ojalá le detengan (o detuviesen); 2. ojalá venga (o viniese); 3. ojalá lleguemos (o llegáramos); 4. ojalá la confiese (o confesase); 5. ojalá las encuentren (o encontraran); 6. ojalá gane (o ganase); 7. ojalá llegue (o llegase); 8. ojalá lo encuentren (o encontrasen); 9. ojalá se pongan (o pusiesen); 10. ojalá lo solucionen (o solucionasen); 11. ojalá lo gane (o ganase); 12. ojalá consienta (o consintiese); 13. ojalá lo encuentren (o encontrasen); 14. ojalá salga (o saliese).

**106** 1. habrán detenido / ojalá le hayan (o hubiesen) detenido; 2. habrá venido / ojalá haya (o hubiese) venido; 3. habremos llegado / ojalá hayamos (o hubiésemos) llegado; 4. habrá confesado / ojalá haya (o hubiese) confesado; 5. habrán encontrado / ojalá las hayan (o hubiesen) encontrado; 6. habrá ganado / ojalá haya (o hubiese) ganado; 7. habrá llegado / ojalá haya (o hubiese) llegado; 8.

habrán encontrado / ojalá lo hayan (o hubiesen) encontrado; 9. se habrán puesto / ojalá se hayan (o hubiesen) puesto; 10. habrán solucionado / ojalá lo hayan (o hubiesen) solucionado; 11. habrá ganado / ojalá lo haya (o hubiese) ganado; 12. habrá consentido / ojalá lo haya (o hubiese) consentido; 13. habrán encontrado / ojalá lo hayan (o hubiesen) encontrado; 14. habrá salido / ojalá haya (o hubiese) salido.

**107.** 1. mientras dicto; 2. mientras no os calléis; 3. mientras está dando; 4. mientras tú reincidas; 5. mientras no cesen; 6. mientras haga; 7. mientras no tomes; 8. mientras no acabes; 9. mientras lee; 10. mientras llueva; 11. mientras sigas comiendo; 12. mientras no llegue.

**108.** 1. hasta que me canso; 2. hasta que no tenga; 3. hasta que no gane; 4. hasta que le entró; 5. hasta que no te restablezcas; 6. hasta que se le irritaron; 7. hasta que no acabó (o hubo acabado); 8. hasta que no le des; 9. hasta que no nos pinten (o hayan pintado); 10. hasta que no resuelvas (o hayas resuelto); 11. hasta que no le des; 12. hasta que perdió.

**109.** 1. hacía gimnasia hasta cuando me cansaba; 2. dijo que no haría funcionar / hasta que no tuviera; 3. afirmó que no estaría / hasta que no ganara; 4. — ; 5. te aseguré que me quedaría / hasta que no te restablecieras; 6. — ; 7. — ; 8. te advertí que el nene no dejaría de llorar hasta que no le dieras; 9. decidimos que no pondríamos / hasta que no nos pintaran (o hubieran pintado); 10. te advertí que no podrías (o podías) conducir hasta que no resolvieras (o hubieras resuelto); 11. ya te dije que hasta que no le dieras (o hubieras dado) / seguiría dándote; 12. — .

**110.** 1. aunque hace sol; 2. aunque fuera millonario; 3. aunque no lo creas; 4. aunque sólo sea; 5. aunque me molesta; 6. aunque sólo sea; 7. aunque den; 8. aunque viene; 9. aunque da; 10. aunque sólo sean; 11. aunque tiene; 12. aunque es; 13. aunque te levantes; 14. aunque sólo sean.

**111.** 1. hará / le dé; 2. se comerá / le den; 3. compraré / me gusten; 4. veré / echen; 5. controlarán / lleven; 6. bendecirá / estén; 7. se comprará / hablen; 8. robará / estén; 9. arreglará / estén; 10. lavaré / estén; 11. iré / quiera; 12. se emocionará / oiga.

**112.** 1. dijo que haría / le diese; 2. ya os dije que se comería / le dieran; 3. te advertí que me compraría / me gustaran; 4. ya os anticipé que vería / echasen; 5. advirtieron que controlarían / llevaran; 6. ya sabía yo que bendeciría / estuvieran; 7. dijo que se compraría / hablaran; 8. se había previsto que robaría / estuvieran; 9. nos avisaron que arreglaría / estuvieran; 10. ya dije que lavaría / estuvieran; 11. te repetí que iría / quisiera; 12. estaba segura de que se emocionaría / oyera.

**113.** 1. he conocido; 2. des vueltas; 3. te suceda; 4. me es (o sea); 5. encontrasen (o hubiesen encontrado); 6. ustedes salgan (o hayan salido); 7. usted supere (o superase); 8. se piensa; 9. toma; 10. haya (o ha) despegado; 11. tengas; 12. ustedes lo aprendan (o hayan aprendido); 13. trabajo; 14. está (o esté); 15. estaba (o estuviera); 16. ha metido.

**114.** 1. supiera / lo hizo (o lo hacía); 2. entienden (o entendieran); 3. me pongo; 4. haga; 5. sepáis; 6. desconfíe; 7. llegasen (o llegarían ); 8. cambiéis; 9. quieren / sea; 10. es; 11. haya que (o hubiese que); 12. llegue; 13. he visto; 14. pasen; 15. nos aturde; 16. bebiera.

**115.** 1. esté; 2. es; 3. es; 4. salgan; 5. posea; 6. hubiera; 7. preste; 8. rejuvenece; 9. hayan; 10. salga; 11. resuelva; 12. tenga; 13. haya pasado; 14. sea; 15. esté / dé; 16. me dé / sea.

**116.** 1. se levantara / desapareciera (o hubiese desaparecido); 2. sea; 3. quiera; 4. las gane (o ganase); 5. llama (o llamase); 6. te lleves / tienes que (o tuvieras que); 7. lo diga; 8. broten; 9. son / tienen; 10. lo confiese; 11. me digan; 12. veamos; 13. la tenga; 14. le condenen (o condenasen); 15. le escuchan; 16. queda.

**117.** 1. se le infectara; 2. dicen (o dijeran); 3. haga; 4. le duelen (o duelan); 5. usted fume; 6. sea; 7. se esfuerce; 8. resulte; 9. nos llamen / lleguen; 10. diga / diga; 11. se puso (o se hubo puesto); 12. se verifique; 13. me tengan; 14. lo consigan (*o* consiguiesen); 15. hable; 16. pudo ser (*o* podía ser *o* podía haber sido *o* podría haber sido *o* habría podido ser *o* hubiera podido ser).

**118** 1. vengan; 2. ande; 3. puedan; 4. declaren; 5. entre; 6. se evapore; 7. dijera; 8. tuvieran; 9. está enemistándose; 10. les vaya / desean; 11. estén; 12. le pruebe; 13. entran (*o* entraran); 14. hubiéramos tenido; 15. sea / la encuentre; 16. ha llegado.

**119.** 1. salgas; 2. terminó (*o* hubo terminado); 3. fueran; 4. pongas / se destiña; 5. nos veamos (*o* vemos); 6. me dijo; 7. te cases; 8. llegue (*o* haya llegado); 9. le diga; 10. encuentres (*o* hayas encontrado); 11. hables; 12. podas; 13. lo hayamos pasado; 14. lleva (*o* lleve); 15. pida (*o* haya pedido); 16. dicen.

**120.** 1. salga; 2. se pone (*o* ponga); 3. salga (*o* haya salido); 4. duermas; 5. se entere; 6. trataba de (*o* tratara de); 7. les ordene; 8. se terminen (*o* hayan terminado) / se instalarán; 9. sepáis; 10. se ambiente (*o* ambientara); 11. termines (*o* hayas terminado); 12. aumentes; 13. nos arreglen; 14. fuera; 15. le han aprobado / le hayan (*o* hubiesen) aprobado; 16. se pensaba.

**121.** 1. me levanto; 2. he hecho; 3. sabía (*o* supiese); 4. me cure; 5. veáis; 6. digan; 7. llevaba (*o* llevara); 8. salgan (*o* hayan salido); 9. se haya (*o* hubiese) muerto; 10. lleguen; 11. esté agotado; 12. me llames; 13. supo (*o* hubo sabido); 14. vengas; 15. podamos ; 16. tocaran / llegase (*o* hubiera llegado); 17. anunciar (*o* que anuncien) / poner (*o* que pongan).

**122** se haya (*o* ha) decretado / existan (*o* existen) / entrevistar / han sido / nos trasladamos / habitan / nos fuera difícil / viene hablándose / que mencionáramos / pulula / se desvivieran / nos escoltaran / encontraríamos (*o* encontramos) / nos esperaban.

**123.** estaba / llevasen / hacía falta / bajasen / tenía / viera / iba / gustaba / pensaba / me marche / sepas / haces / te convertirás / te vayas / necesitas / vengas / uses / salió / coarte.

**124.** 1. empezó a atormentarme una idea fija; 2. (los leñadores talaron numerosos árboles); 3. (por qué a Manuel le detuvo la policía); 4. el ama de casa servía la sopa; 5. fui yo quien distribuyó los programas del concierto; 6. me atropelló un coche; 7. se ruega a la amable clientela no tocar la mercancía; 8. los soldados levantaron las tiendas del campamento; 9. (todo el mundo recordará sus palabras); 10. se apoderó de mí un presentimiento atroz; 11. que se cierren las puertas a doble llave; 12. se nos dio la posibilidad de visitar el museo; 13. le llamaron a la mesa; 14. (los vecinos nos advirtieron que).

**125.** 1. (los carabineros decomisaron un kilo de heroína); 2. (regaban el campo todos los días); 3. la secretaria vaciaba todas las mañanas la papelera; 4. (durante el registro encontraron algunas armas); 5. os pusieron en una situación comprometedora; 6. (un cura amigo de la familia casó a los novios); 7. (transmitieron el partido de fútbol por radio); 8. metieron al huérfano en un orfelinato; 9. cubrieron la cama con una colcha de encaje; 10. la hija mayor fregó los platos; 11. el antiguo propietario ha dejado y vendido; 12. nunca se tomaba en cuenta; 13. (lanzaron el balón); 14. (se instauró la República).

**126** 1. acabó (*o* terminó) estallando; 2. va agravándose; 3. lleva mucho tiempo acompañándome; 4. anda (*o* va) diciendo; 5. acaban repugnándome; 6. venía solicitando; 7. van divulgando; 8. vayan tomando nota; 9. sigo (*o* continúo) leyéndola; 10. acabarás (*o* terminarás) emborrachándote; 11. vienen siendo; 12. llevo mucho tiempo advirtiéndoles; 13. viene (*o* lleva muchos años) sosteniendo; 14. va decayendo; 15. lleva muchos años (*o* viene) trabajando; 16. acabó (*o* terminó) disculpándose; 17. irá secándose; 18. lleva muchos días (*o* viene) lloviendo; 19. llevo una semana (*o* vengo) saliendo; 20. siguió sosteniendo.

**127.** 1. han vuelto a hacerla; 2. vino a decirme; 3. va a salir; 4. no llego a comprender; 5. van a pasar; 6. vamos a vender; 7. he vuelto a soñar; 8. vamos a salir; 9. volver a ver; 10. va a serlo; 11. va a resolver; 12. llegaban a entender; 13. vinimos a decirle; 14. vino a quedar; 15. iba a salir; 16. llegó a creer.

**128.** 1. vino a decir; 2. va a serlo; 3. va a llegar; 4. vinieron a costar; 5. llegó a pensar; 6. iban a expulsarle; 7. iban a comprar; 8. iban a darle; 9. se lo ha vuelto a romper; 10. volvió a aparecer; 11. no llegó a enriquecerse; 12. iba a llegar; 13. llegó a decirme; 14. voy a ponérmelos; 15. va a serlo; 16. vino a costar.

**129** 1. debían de ser; 2. acaba de colgar; 3. le ha dado por; 4. han dejado de usarse; 5. acabará (*o* terminará) por volverse; 6. ha dejado de ir; 7. acaba de hacer; 8. debe de ser; 9. le ha dado por ordenar; 10. acabo de verla; 11. he acabado (*o* terminado) por aborrecerlo; 12. debía de haber; 13. le dio por; 14. debe de ser; 15. acabó (*o* terminó) por ponerse; 16. no me da por salir; 17. acabarás (*o* terminarás) por no poder dormir; 18. han dejado de interesarme; 19. le da por no abrir; 20. ha dejado de escucharla; 21. llevo varios días sin salir.

**130.** 1. llevamos dos años yendo; 2. hemos vuelto a leer; 3. deben de ser; 4. le dio por ir; 5. lleva muchas horas (*o* viene) repitiéndome; 6. acababan de darme; 7. iba a caerme; 8. has llegado a pensar; 9. vino a decirme; 10. llevaba muchos años sin esquiar; 11. iban a venir; 12. ha dejado de visitarlos; 13. acaba de encontrar; 14. va hundiéndose; 15. llevo mucho tiempo (*o* vengo) observándole; 16. me ha dado por comer; 17. sigue (*o* continúa) contándome; 18. acabó (*o* terminó) cogiendo (*o* acabó *o* terminó por coger); 19. debe de tener; 20. debe de ser.

**131.** 1. llevo largo tiempo viviendo; 2. irá (*o* acabará) extendiéndose; 3. no llego a comprender; 4. acababa de llamar; 5. vino a sugerirme; 6. van a subirte; 7. sigue (*o* continúa) ocupándose; 8. llevo cinco años sin ver; 9. debían de ser; 10. volverán (*o* van) a hacer; 11. iba a prestarme; 12. acabó (*o* terminó) por no comprender (*o* acabó *o* terminó no comprendiendo); 13. voy a salir; 14. sigue (*o* continúa) criticándolos; 15. he dejado de considerarla; 16. os ha dado por fumar; 17. no he llegado a conocer; 18. no vas a vivir; 19. le ha dado por dejarse; 20. iba engordando.

# CAPÍTULO TERCERO

**132.** 1. a; 2. al; 3. en / al; 4. en ; 5. en; 6. a; 7. en ∕ ; 8. a / en; 9. en; 10. en; 11. en (*o* por); 12. a; 13. al / a; 14. en / a; 15. en; 16. en; 17. en; 18. en; 19. en; 20. a; 21. a; 22. al / al; 23. en / al; 24. a; 25. al; 26. en.

**133.** 1. al / al; 2. al; 3. en; 4. a; 5. en / al; 6. en; 7. en / a; 8. a / a; 9. en / en; 10. al; 11. al / al / en; 12. al / a; 13. a ; 14. en; 15. en (*o* por); 16. en / en; 17. a; 18. en; 19. a; 20. en / a; 21. al; 22. en; 23. en / a; 24. a / a; 25. en; 26. en / en;

**134.** 1. a; 2. al; 3. —; 4. al; 5. a (*o* —); 6. al; 7. —; 8. a; 9. a (*o* —); 10. a / a (*o* —); 11. —; 12. a; 13. —; 14. —; 15. a (*o* —); 16. —; 17. —; 18. a; 19. —; 20. —; 21. a (*o* —); 22. a (*o* —); 23. a; 24. a (*o* —); 25. —; 26. — / a;

**135.** 1. de; 2. desde; 3. de (*o* desde); 4. desde; 5. de; 6. desde; 7. desde; 8. de (*o* desde); 9. desde; 10. desde; 11. de; 12. desde; 13. de (*o* desde); 14. desde; 15. desde; 16. de (*o* desde); 17. desde; 18. de; 19. desde; 20. de (*o* desde); 21. desde; 22. de (*o* desde); 23. desde; 24. desde; 25. desde; 26. del; 27. desde; 28. desde.

**136.** 1. por; 2. por; 3. por; 4. por; 5. para; 6. para; 7. por; 8. por; 9. para; 10. por; 11. por; 12. por; 13. por; 14. por; 15. por; 16. por; 17. por; 18. para; 19. por; 20. por; 21. por; 22. para; 23. por; 24. por; 25. para; 26. para.

**137.** 1. por / para; 2. por; 3. para; 4. por; 5. por; 6. por; 7. para; 8. por; 9. por; 10. para; 11. por; 12. por; 13. para / para; 14. por; 15. por; 16. para / por; 17. por; 18. por / por; 19. por; 20. para; 21. para; 22. por; 23. por; 24. por; 25. para; 26. por.

**138.** 1. por; 2. por; 3. para; 4. por; 5. por; 6. por; 7. para / por; 8. por; 9. por; 10. para; 11. por; 12. para; 13. para; 14. por; 15. para / para; 16. para; 17. por; 18. por; 19. para; 20. por / por; 21. por; 22. por / para / para; 23. por; 24. por / para; 25. para; 26. por.

**139.** 1. de / a; 2. a; 3. en (o por) / de; 4. de / por; 5. a / de / por; 6. a / del; 7. a (o en); 8. a / por; 9. a; 10. en / por; 11. de / a; 12. de / a / sin; 13. de / por; 14. a; 15. al; 16. en / del; 17. a (o de); 18. a; 19. en / en; 20. a / a; 21. a; 22. de (o para) / a; 23. del / de / a (o por); 24. en / a / de; 25. para / de; 26. a.

**140.** 1. a / por; 2. por / del; 3. de; 4. a / por / del / de; 5. a; 6. por / del; 7. del; 8. para; 9. en / de; 10. al / por / de; 11. a / por (o de) / con; 12. a; 13. de / en; 14. para / por; 15. a / por; 16. al / para; 17. de / por; 18. del / en; 19. a / de; 20. a; 21. en; 22. a / en; 23. al; 24. a / del / a; 25. al; 26. de.

**141.** 1. a / de / de; 2. en / de / a; 3. a / por / al; 4. por / con; 5. con / al / al / a / de / para; 6. a; 7. de / de / con; 8. de / en / de / del / de; 9. a (o ante) / de; 10. por / en; 11. de / de; 12. a; 13. en / para; 14. a / a; 15. para / de; 16. a / en; 17. en / para; 18. de; 19. en (o de); 20. con / en; 21. con / para; 22. por / al / en; 23. por; 24. de / a / de / en / de; 25. de / de; 26. con / a.

**142.** 1. con; 2. con / entre; 3. de / de; 4. con; 5. a / de / del; 6. de; 7. de; 8. en / con; 9. a / de / con / en / de; 10. de; 11. con; 12. al / por; 13. en; 14. del / a; 15. en / a / de; 16. al / con (o por); 17. en / de / de; 18. hasta; 19. en; 20. del; 21. de / en; 22. en; 23. de; 24. en / al / con; 25. a / por / en; 26. con / de.

**143.** 1. a / del; 2. a / en / a; 3. en / a / en; 4. de / de; 5. al / a / a / para / con; 6. en / sobre; 7. en / en; 8. de / al / a; 9. para / con / a / de; 10. de; 11. en; 12. de; 13. en (o de) / de; 14. de / de; 15. en; 16. de / por; 17. a; 18. del; 19. al / con / de / de; 20. a; 21. a (o con) / de; 22. en / de / de / en; 23. en / de; 24. con; 25. desde / al; 26. por.

**144.** 1. con; 2. con; 3. a; 4. a / con; 5. por (o con) / en; 6. en / por (o en); 7. en; 8. en / en; 9. en / de / por / de; 10. en; 11. con; 12. con; 13. del / con / en; 14. con; 15. en / a; 16. por / en / de; 17. en; 18. en / de / con; 19. con (o de); 20. al / de; 21. a / de; 22. de / contigo / en; 23. de / de; 24. de / de; 25. de / con / del; 26. entre / de.

**145.** 1. al / en / de; 2. por (o de); 3. de / con / a / del; 4. a / de / del; 5. de / del; 6. de / de / para (o a); 7. de / con; 8. de; 9. de / para; 10. a / con (o en) / de; 11. del / a / a / entre / de; 12. en / a / con; 13. en / de; 14. sobre / de; 15. de; 16. a / de / de; 17. de / a / a; 18. de / por; 19. de / a / ante; 20. sin; 21. con; 22. en / de; 23. de / por; 24. a / por; 25. en; 26. para / en.

**146.** 1. de / de; 2. en; 3. de; 4. a; 5. del / en; 6. en; 7. en / a; 8. de / de; 9. de / de / al; 10. del (o desde) / al (o hasta); 11. en / con; 12. de; 13. en / en / de; 14. en (o por o a) / del / en; 15. al / del / de; 16. de; 17. a / a / para; 18. en; 19. en / por / a / con / de; 20. por / en / de / de / de; 21. a / de / en; 22. en; 23. de; 24. con / al (o —) / en; 25. en; 26. con / de.

**147.** 1. al / en / a / de / del; 2. al / de; 3. de / en / de; 4. con / en / a; 5. en / al / del / a (o —) / del; 6. con / de / en; 7. en / de; 8. en / de / por / de; 9. en; 10. de; 11. en; 12. de / con / a / a / en; 13. de / de; 14. en / de / de; 15. de / de; 16. de / de (o en); 17. por / en; 18. de; 19. a / de / al; 20. en / de / a / del; 21. al / a; 22. a / del; 23. de / a; 24. por; 25. de; 26. para / en.

**148.** 1. en / de; 2. a (*o* hacia) / de; 3. por (*o* en); 4. desde; 5. tras; 6. en / de; 7. en; 8. a; 9. de; 10. a; 11. por / a; 12. a; 13. a; 14. en; 15. en; 16. — (*o* en 15) / de; 17. a; 18. — / de; 19. al; 20. en / al / de; 21. en; 22. por / en; 23. de / en; 24. por / de; 25. al / de; 26. para; 27. para; 28. en / de.

**149.** 1. —; 2. a / de; 3. a la (*o* por semana); 4. de / de; 5. en; 6. en; 7. para / de; 8. al; 9. —; 10. en; 11. —; 12. —; 13. de / al; 14. al (*o* por año); 15. —; 16. al; 17. en; 18. a / de; 19. para; 20. para (*o* por); 21. en / de; 22. al; 23. en; 24. al; 25. — (*o* por *o* para); 26. en; 27. a; 28. en.

**150.** 1. es; 2. es; 3. estoy; 4. está; 5. es; 6. está; 7. fue; 8. está; 9. están; 10. está; 11. es; 12. estaba; 13. es; 14. es; 15. estás / es.

**151.** 1. está; 2. es; 3. es; 4. estoy; 5. es / soy; 6. es; 7. está; 8. está; 9. sean; 10. estuvo; 11. está; 12. soy; 13. están; 14. es; 15. es.

**152.** 1. es; 2. es; 3. estaba; 4. estoy; 5. es; 6. es; 7. fue; 8. está; 9. es; 10. es; 11. está; 12. es (*o* está); 13. estoy; 14. es; 15. es.

**153.** 1. era; 2. están; 3. está; 4. están; 5. está; 6. son; 7. son; 8. está; 9. está; 10. es; 11. estoy; 12. está; 13. está; 14. son; 15. fue.

**154.** 1. es / sea; 2. está; 3. está; 4. fue; 5. está; 6. será; 7. son; 8. está; 9. estoy; 10. están; 11. fue; 12. está; 13. están; 14. está; 15. será.

**155.** 1. están; 2. está; 3. está; 4. es / estaba; 5. está; 6. está; 7. está; 8. fue; 9. fue / fue; 10. está; 11. es / sea; 12. es; 13. está; 14. está (*o* ha sido); 15. están.

**156.** 1. sido; 2. está; 3. es; 4. estamos; 5. es; 6. está; 7. es / sea; 8. es / soy; 9. es. 10. están; 11. está / son; 12. es; 13. ser; 14. están; 15. era.

**157.** 1. es; 2. es; 3. son; 4. es / está; 5. estaban; 6. está; 7. es / es / estaba; 8. está / está; 9. es; 10. están; 11. es; 12. es; 13. es; 14. está; 15. es.

**158.** 1. está / es; 2. están; 3. es; 4. está; 5. estáis; 6. es; 7. ha sido; 8. es; 9. estoy; 10. es; 11. éramos; 12. es; 13. están; 14. es; 15. es.

**159** 1. es; 2. están; 3. es; 4. es; 5. es; 6. son; 7. están / es; 8. es; 9. está; 10. será; 11. es; 12. está; 13. fue; 14. es; 15. somos.

**160.** 1. es; 2. estoy; 3. son; 4. es; 5. está; 6. es; 7. son (*o* están); 8. está; 9. está; 10. es; 11. éramos / éramos; 12. estuvieron; 13. es; 14. estás; 15. está.

**161.** 1. alguien; 2. ninguna; 3. algunos; 4. algún; 5. alguien / nada; 6. alguna / algunas (*o* alguna); 7. algún / ninguno; 8. algo; 9. nada; 10. ninguno; 11. alguna / algunas; 12. ningún; 13. alguien / nada; 14. algunos; 15. alguna; 16. alguna.

**162.** 1. ninguna; 2. algo / nada; 3. algunos / nadie; 4. nadie / alguna; 5. algún / ninguno; 6. alguna; 7. nadie; 8. algo; 9. algo / algo; 10. nadie; 11. nada; 12. alguna; 13. nadie; 14. alguna / alguna (*o* algunas); 15. alguien.

**163.** 1. nadie; 2. ninguna; 3. algún; 4. nadie; 5. algún / alguno (*o* algunos); 6. algún; 7. ninguna; 8. alguna; 9. nada; 10. alguna; 11. nada / algo; 12. algo; 13. algo / nada; 14. nadie; 15. algún; 16. alguien.

**164.** 1. algo; 2. ninguna; 3. algo; 4. algo; 5. alguien; 6. alguno; 7. algunas; 8. algo; 9. algo / nada; 10. ningún; 11. alguna; 12. algún; 13. algunos; 14. nadie; 15. ningún.

**165.** 1. ninguno; 2. alguno (*o* algunos); 3. ninguna; 4. alguna; 5. ninguna; 6. algunos; 7. algún / ninguno; 8. algo / nada; 9. nadie; 10. algún; 11. algunos; 12. ninguno; 13. nada; 14. algo; 15. alguno (*o* ninguno); 16. algún / alguno; 17. ninguna; 18. algunos; 19. alguna / ninguna; 20. algunos.

**166.** 1. cualquier; 2. quienquiera; 3. cualquier; 4. cualquiera; 5. quienquiera; 6. cualquiera; 7. cualquiera; 8. cualesquiera; 9. quienquiera; 10. quienquiera; 11. cualquiera; 12. cualquier.

**167.** 1. cualquiera; 2. cualquier; 3. cualquiera; 4. quienquiera; 5. cualquiera; 6. cualquier; 7. quienquiera (*o* quienesquiera); 8. cualquiera; 9. cualquier; 10. cualquier; 11. cualquier; 12. cualquiera.

**168.** 1. toda; 2. cada; 3. todas; 4. cada; 5. todo; 6. toda; 7. cada / cada; 8. cada; 9. cada; 10. toda; 11. todo; 12. cada; 13. toda; 14. todo; 15. cada; 16. todos; 17. toda; 18. cada; 19. toda; 20. cada.

**\*169.** 1. ya ha llegado; 2. ya la trae; 3. ya me lo dirá; 4. ya no lo verás nunca más; 5. ya no volveremos a comerlo; 6. este año ya no voy; 7. sí, ya no trabajo allí; 8. ya no juega con ellos; 9. ya no estabas; 10. ya no habrá tiendas abiertas; 11. ya no la veré más (*o* nunca más); 12. ya no tendré nunca más; 13. ya no la encontraré más (*o* nunca más); 14. ya no volverás a verlo (más *o* nunca más); 15. ya no aparecerá (*o* vendrá); 16. ya no se casará [nunca] más; 17. ya no vendrán; 18. no las comeré nunca más; 19. ya habían comido; 20. ya no estaban; 21. ya está casada; 22. ya ha empezado.

**\*170.** 1. no cabe nadie más; 2. no quiero más; 3. no le hablo más; 4. no tengo más; 5. no quedan más; huevos (*o* no nos quedan más); 6. no encuentra a ninguno más; 7. no hablo más; 8. no voy a ir más; 9. no lo leeré más; 10. no hay más; 11. no los quiero ver más; 12. no volvió más.

**171.** 1. hace dos meses que va; 2. hace diez años; 3. desde entonces; 4. hace un par de horas; 5. hace varias horas que están tratando de; 6. desde los tiempos de; 7. hace unos días; 8. hace dos horas que habla; 9. desde los cuatro años; 10. hace unos minutos; 11. hace quince días que no se lava; 12. desde cuando; 13. hace seis meses; 14. hace tres horas que; 15. hace un día que.

**172.** 1. hace muchos años que luchan; 2. desde el despegue; 3. hace una semana; 4. hace varias horas que trata; 5. hace un año; 6. hace mucho tiempo que; 7. hace más de un siglo; 8. desde primero de; 9. hasta hace unos años; 10. desde 1980; 11. hace mucho tiempo que no entra; 12. desde los ocho años; 13. hace pocos minutos; 14. hace muchos años que esquía; 15. desde cuando cambiaron.

**173.** que (*o* las cuales) / que (*o* las cuales) / de que (*o* de los cuales *o* de los que) / que / que (*o* el cual) / cuyo / que / que / que / que (*o* el cual) / que (*o* el cual) / con que (*o* con el cual) / que / que / que / lo que / lo que / que / que / a que (*o* a la cual) / que (*o* la cual *o* quien) / que (*o* las cuales) / que (*o* el cual) / que (*o* el cual) / que (*o* la cual).

**174.** que / que / que / sobre el cual (*o* sobre el que) / que (*o* el cual) / que / que / que / en que (*o* en el cual *o* donde) / que / el cual (*o* que) / que / que / a que / que / que / que / que / donde (*o* en la cual *o* en [la] que) / donde (*o* en el cual *o* en el que *o* en que) / que / por donde (*o* por la cual *o* por [la] que) / donde (*o* en que *o* en el cual) / que / que/ en que (*o* donde) / que / que (*o* el cual) / que (*o* la cual) / de que (*o* del que *o* del cual) / que / que / de que (*o* de las que *o* de las cuales) / que (*o* las cuales) / que.

**175.** que (*o* quien *o* el cual) / que / que / lo que (*o* cosa que) / que (*o* la cual).

**176.** cuáles / cuáles / cuál / cuál / quién / qué / cuál / qué / cuál / cuáles / cuáles.

**177.** 1. cuanto más (*o* menos) / [tanto] mayores (*o* menores); 2. cuanto más (*o* menos) / [tanto] más (*o* menos); 3. cuanto mejor (*o* peor) / [tanto] más (*o* menos); 4. cuanto más / [tanto] menos; 5. cuanto más (*o* menos) / [tanto] mayor (*o* menor); 6. cuanto más (*o* menos) / [tanto] mayor (*o* menor); 7. cuanto mejor (*o* peor) / [tanto] más (*o* menos); 8. cuanto más / [tanto] menos; 9. cuanto más (*o* menos) / [tanto] más (*o* menos); 10. cuanto más (*o* menos) / [tanto] mayor (*o* menor); 11. cuanto más (*o* menos) / [tanto] mayor (*o* menor); 12. cuanto mejor / [tanto] más; 13. cuanto menos/ [tanto] menos; 14. cuanto más (*o* menos) / [tanto] mayor (*o* menor); 15. cuanto más / [tanto] menos; 16. cuanto más / [tanto] menos; 17. cuanto mejor (*o* peor) / [tanto] más (*o* menos); 18. cuanto mejor / [tanto] más; 19. cuanto mejor / [tanto] más; 20. cuanto más / [tanta] más; 21. cuanto más (*o* menos) / [tanto] mejor (*o* peor); 22. cuanto más / [tantas] más; 23. cuantos más/ [tanto] más.

**178.** 1. antes que (*o* a); 2. al; 3. antes que (*o* a); 4. antes que (*o* a); 5. antes que (*o* a); 6. antes que (*o* a); 7. al; 8. antes que (*o* a); 9. antes que (*o* a); 10. al.

**179.** 1. mejor me echo; 2. mejor nos largamos; 3. mejor la apago; 4. mejor lo tiro y compro; 5. mejor las comemos; 6. mejor llamamos; 7. mejor como; 8. mejor la desenchufamos y la deshelamos; 9. mejor lo cambio; 10. mejor nos vamos.

**180.** 1. quien (*o* la que) prestaba mayor atención era Marisa; 2. es lo que más me gusta; 3. lo que más movía sus acciones era el odio; 4. es lo menos divertido; 5. el aspecto que más me interesó de la pieza fue éste; 6. es lo más peligroso; 7. quienes (*o* los que) más alborotaban eran los niños Gómez; 8. es lo que más miedo me da; 9. la que (*o* quien) leía más libros era Luisa; 10. es lo que más me gusta; 11. lo que más detesto es el ruido de los camiones; 12. es lo que menos me apetece; 13. la que (*o* quien) canta más divinamente es la Caballé; 14. es lo menos agradable; 15. quien (*o* el que) más me irrita es mi marido; 16. es lo que más nos fastidia; 17. lo que más le encanta es vivir en absoluto retiro; 18. es lo que menos me molesta; 19. el que más me gusta es el Omega; 20. es lo que más detestan.

**181.** 1. no llega a colocar más que; 2. no llevo menos de; 3. no puede durar más que; 4. no había más que; 5. no había más de; 6. no presta más que; 7. era más de lo que; 8. tiene menos de (*o* no tiene más de); 9. tiene menos de (*o* no tiene más de); 10. no tiene menos de; 11. no le quedan más de; 12. son más de las que; 13. no caben más de; 14. no contiene menos de; 15. no caben más que.

**182.** 1. no más (*o* menos) de; 2. no más que; 3. menos de; 4. más de; 5. más de; 6. menos de (*o* no más de); 7. no más que (*o* menos de); 8. menos de; 9. más de; 10. a más de; 11. no más que (*o* no va a más de); 12. no más que; 13. más de.

**\*183.** 1. lo mismo si friegas / que si friegas; 2. igual si decides / que si no; 3. tanto si vas / como si vas; 4. lo mismo si les dan / que si no; 5. igual si vamos a la playa que al campo; 6. igual si dices / que si no; 7. lo mismo si hacen / que si no; 8. igual si plantas / que si plantas; 9. tanto si le dan / como si no; 10. lo mismo si alquilas una casa que un chalet; 11. lo mismo si les condenan que si no; 12. igual si hacen / que si no; 13. tanto si llueve como si no.

**\*184.** 1. no iría / en otra cosa que; 2. nada más necesitas; 3. no tengo / más que; 4. no puedo decir otra cosa sino; 5. nada más ahora; 6. no le interesa más que; 7. no tengo sino; 8. no es más que; 9. no tenía / otra cosa que; 10. no quedaban más que; 11. no / más que; 12. nada más; 13. no expresa sino; 14. nada más dije; 15. no tengo tiempo más que; 16. no quedan sino; 17. no me gustaría otra cosa que; 18. no tengo más que; 19. no puedes contar sino; 20. nada más matan.

**185.** 1. puedo tomar cualquier cosa excepto (*o* salvo *o* menos) café; 2. estaré en el despacho siempre excepto (*o* salvo *o* menos) de siete a ocho; 3. iré a tu casa excepto (*o* salvo *o* menos) el lunes; 4. asistieron todos los parientes al entierro excepto (*o* salvo *o* menos) los que vivían en el extranjero; 5. lo aguanto todo excepto (*o* salvo *o* menos) que la gente me regatee; 6. todos los jabones me irritan la piel excepto (*o* salvo *o* menos) el jabón para bebés; 7. trato con todas las personas excepto (*o* salvo *o* menos) con las que mienten; 8. llueve siempre excepto (*o* salvo *o* menos) en agosto.

**186.** 1. no tuvimos otro (*o* más) remedio que; 2. sin otra (*o* más) limitación que; 3. sin otro (*o* más) requisito que; 4. no tuvieron otro (*o* más) remedio que; 5. sin más (*u* otra) objeción que; 6. sin otras (*o* más) limitaciones que; 7. no tuvo otro (o más) remedio que; 8. no había otra (o más) solución que; 9. sin darle más (u otras) explicaciones que; 10. no vio otra (o más) alternativa que; 11. sin hacer más (u otros) cumplidos que; 12. no tuvo otro (o más) remedio que; 13. sin más (u otra) limitación que; 14. no tuvieron otro (o más) remedio que; 15. sin otro (o más) límite que.

# CAPÍTULO CUARTO

**187.** 1. el granizo, en efecto, produjo...; 2. Manuel, acércame, por favor, aquella taza; 3. ... la Olimpiada de Moscú, pero muchos otros...; 4. si quieres ser feliz, tienes que...; 5. los niños, los que viste mientras jugaban en el parque, son...; 6. ... en la máquina, arregla...; 7. ... iba acortando el paso, dejando...; 8. niños, esperadme...; 9. —; 10. mis vecinos me vigilan, pero...; 11. este caso, por ejemplo, lo...; 12. ... me llamarían, no creo que lo hagan; 13. su mirada, sin embargo, tenía...; 14. su hermano, a Australia; 15. pronunciadas esas palabras, bebió...; 16. has ido hoy de compras, mamá; 17. en cuanto llegué al colegio, me di cuenta...; 18. para encontrar setas, hay que...

**188.** 1. para mí, en cambio, es...; 2. el perro ladra, la oveja bala, los pájaros...; 3. —; 4. ... la menor importancia, al fin y al cabo; 5. ... delante del cine Vergara, el que está en la Gran Vía; 6. aquel libro, cuyo autor ha muerto hace muy poco, es un best-seller; 7. ... a la playa, la gente iba a comprar pescado; 8. mi hermano, bastante más joven que yo, ya es piloto; 9. naturalmente, no es necesario...; 10. ... bebidas alcohólicas, que beba...; 11. además, habría que...; 12. —; 13. si has perdido el dinero, peor para ti; 14. seguramente, dijo el enfermo, no sanaré...; 15. durante cuatro largos días, trataron...; 16. ... que no se metiera, que eso no era...; 17. en la ciudad de Pamplona, se celebra...; 18. era un buen militante, pero dejó...

**189.** Harrisburg ha conmovido al mundo. El peligro de una catástrofe nuclear ha sido real. Para la industria de las centrales atómicas, una de las más poderosas, el incidente marca el fin de una era y el comienzo de otra, en la cual gobierno y opinión pública, atemorizados, exigirán mayores controles y más seguridad. El debate, que se había reducido a los grupos antinucleares, es ahora general.
La seguridad nuclear, ¿existe? La población está convencida, en España, de que no es así. Lo mismo ocurre en muchos otros lugares del mundo. El miedo alienta todas las campañas antinucleares, está detrás de las marchas populares, de los artículos de prensa. Una encuesta hecha por encargo del Fórum Atómico Español, durante un año, demuestra que la mayor parte de las informaciones de la prensa hispana es adversa a las centrales, aunque la derecha, las patronales y los diarios no están en manos de empresas izquierdistas.
La izquierda, por lo general, los ecologistas, los regionalistas vascos, los murcianos, los extremeños, los tarraconenses y todos aquellos que tienen cerca uno de esos monstruos silenciosos que son las centrales, están contra ellas. La población tiene miedo. Aunque nunca ha muerto nadie aquí debido a la radiactividad ni se ha producido un accidente importante, todos están signados por el miedo. Algunos, los más lúcidos, los políticos y los intelectuales, tienen planteamientos económicos, políticos, de tipo social y ecológico. Todos ellos quisieran impedir la presencia de las centrales y sustituirlas por centrales solares inofensivas, por molinos que aprovechen el aire, por carbón, etcétera. Pero, sobre todo, por centrales solares.
Los partidarios del átomo apuntan, naturalmente, al enorme número de muertos producidos semanalmente por los automovilistas, los que causan los incendios, las armas de fuego, los accidentes aéreos, los cables de alta tensión, las presas que se rompen, etc. «No quiere decir que una central no pueda producir muertos –dice Gallego–. Pero el accidente más grave, el de Harrisburg, no ha producido uno solo.»

278

En Harrisburg, el mundo estuvo ante la posibilidad de una verdadera catástrofe, de todos modos. La burbuja de gas que se formó amenazó con causar una explosión de gas hidrógeno que hubiera lanzado un chorro de radiactividad a la atmósfera.

Las primeras conclusiones de los investigadores del gobierno indican que el accidente se debió a «errores humanos inexplicables».

**190.** *A)* El Cordobés inició ayer la parte «seria» de la feria. En realidad, es impropio decir «seria» cuando nos referimos a El Cordobés, porque tiene eliminada la palabra de su diccionario, al menos en lo que se refiere a la autoridad taurina. Lo de El Cordobés es lo de los *charlotes,* con cuya afirmación no descubrimos ningún Mediterráneo. Ocurre, sin embargo, que, con su concepto charlotesco del toreo, se ha hecho millonario, por supuesto sin torear jamás, aunque llenaba las plazas. Es decir, que El Cordobés torero no era, pero taquillero sí. En cambio, ahora no tiene ni de lo uno ni de lo otro. Viene a Valencia en plena feria, no acompañado de dos más, los que fueran, como ocurría antes, sino arropado por Palomo, que tiene su público; por Manzanares, figura del toreo que dicen, y además gloria de la región, y resulta que no llena la plaza.

*B)* Las tarifas del servicio de taxis de Madrid no sufrirán ningún aumento, al menos hasta el próximo mes de septiembre, según se estimó en la reunión que ayer mantuvieron representantes de la Asociación de Trabajadores Autónomos del Taxi (AMAT) y técnicos del Ayuntamiento.

En el encuentro, se decidió retirar la propuesta de aumento de un 10 por 100 sobre el precio actual, que estaba ya autorizado en principio por el Ayuntamiento, y se encontraba a la espera de la aprobación definitiva por el pleno municipal. Dicho aumento se consideraba insuficiente por parte de los representantes de AMAT. Asimismo, se acordó la presentación de un estudio unitario de aumento de tarifas, que será entregado en el Ayuntamiento el próximo martes.

El aumento de tarifas no podrá ser efectivo, entonces, hasta el mes de septiembre, pues la aprobación definitiva de éste será tratada en el pleno que el Ayuntamiento de Madrid celebre en el mes de agosto.

**191.** El viajero habla despacio, muy despacio, consigo mismo, en voz baja y casi como si quisiera disimular.

–Sí, la Alcarria. Debe ser un buen sitio para andar, un buen país. Luego, ya veremos; a lo mejor no salgo más; depende.

El viajero enciende otro cigarrillo –a poco más se quema el dedo con el mixto–, se sirve otro whisky.

–La Alcarria de Guadalajara. La de Cuenca, ya no; por Cuenca puede que ande el pinar, o la Mancha, ¡quién sabe!, con sus lentos caminos.

El viajero hace un gesto con la boca.

–Y tampoco importa que me salga un poco, si me salgo. Después de todo, ¿qué más da? Nadie me obliga a nada; nadie me dice: métase por aquí, suba por allí, camine aquel ribazo, esta laderilla, esta otra vaguada tierna y de buen andar.

El viajero revuelve entre los papeles de la mesa buscando un doble decímetro. Lo encuentra, se acerca de nuevo a la pared y, con el pitillo en la boca y el entrecejo arrugado para que no se le llenen los ojos de humo, pasea la regla sobre el mapa.

–Etapas ni cortas ni largas, es el secreto. Una legua y una hora de descanso, otra legua y otra hora, y así hasta el final. Veinte o veinticinco kilómetros al día ya es una buena marcha; es pasarse las mañanas en el camino. Después, sobre el terreno, todos estos proyectos son papel mojado y las cosas salen, como pasa siempre, por donde pueden.

**192.** El viajero va hablando con el del carro, que va sentado y con las piernas fuera. El mulo es un mulo de labranza; se ve que no está acostumbrado al carro, que no le tiene afición, y se mete en la cuneta en cuanto el hombre se descuida y tira coces al aire cuando le arrean con la tralla.

—En Budia encontrará usted de todo; todos estos pueblos son muy pobres; aquí no hay más que para los que estamos, y no crea usted que sobra. Budia es un pueblo muy rico; allí el que más y el que menos maneja sus cuartos.

—¿Y Cereceda?

—Como nosotros; Cereceda es también muy pobre. Queda detrás de esos montes.

El camino va, desde la salida de La Puerta, con el Solana a la izquierda; a la altura de Cereceda, que queda detrás de la Peña del Tornero, se cruza un puentecillo y el río sigue paralelo hasta que cae en el Tajo, dejando a Mantiel al sur, a una legua de Cereceda, otra de Chillarón del Rey y dos de Alique y de Hontanillas, todo por sendas de herradura. El viajero, que va caminando por el hocino del Solana, no ve ninguno de estos pueblos. Mientras echa un pitillo con el del carro, se entera de que a los de Cereceda les llaman pantorrilludos, igual que a los de La Puerta; a los de Mantiel, miserables y rascapieles; a los de Chillarón, tiñosos; a los de Alique, tramposos, y a los de Hontanillas, gamellones, porque, para no ensuciar el plato, comen en el gamellón del puerco.

**193.** En su carta a «El País» del 16 de julio, el señor Sierra muestra su preocupación ante lo que para él es un grave peligro para el futuro del idioma: la *incorrecta* pronunciación castellana de una locutora de Televisión.

Habría que preguntar al señor Sierra qué entiende por pronunciación incorrecta. Nada nos aclara al respecto. Quizá, para él, la pronunciación más correcta sea la generalizada en Castilla. ¿Debemos considerar incorrecta la de andaluces, extremeños, etc.? Tal parece ser el caso, ya que su crítica va dirigida a una locutora canaria. No se trata de una incorrección, sino de un uso distinto de un mismo sistema de lengua.

De seguir su razonamiento, ningún español de usos distintos de los de la «fonética correcta castellana», la gran mayoría de los españoles, podría tener acceso a los medios de comunicación social. Sin extremar mucho, su acceso sería denegado a los centros de enseñanza: el efecto sobre los niños —principal preocupación del señor Sierra— sería tanto o más pernicioso que el de la televisión. Nos encontraríamos así con una buena parte de la población sin posibilidad de acceder a determinados puestos de trabajo, al igual que los extranjeros hispanohablantes.

**194.** La sed insaciable de poder que el hombre y las instituciones por él creadas manifiestan frente a otros hombres y otras instituciones, se hace especialmente ostensible en la Naturaleza.

En la actualidad, la abundancia de medios técnicos permite la transformación del mundo a nuestro gusto, posibilidad que ha despertado en el hombre una vehemente pasión dominadora. El hombre de hoy usa y abusa de la Naturaleza como si hubiera de ser el último inquilino de este desgraciado planeta, como si detrás de él no se anunciara un futuro.

La Naturaleza se convierte así en el chivo expiatorio del progreso. El biólogo australiano Macfarlane Burnet, que con tanta atención observa y analiza la marcha del mundo, hace notar en uno de sus libros fundamentales que «siempre que utilicemos nuestros conocimientos para la satisfacción a corto plazo de nuestros deseos de confort, seguridad o poder, encontraremos, a plazo algo más largo, que estamos creando una nueva trampa de la que tendremos que librarnos antes o después».

He aquí, sabiamente sintetizado, el gran error de nuestro tiempo. El hombre se complace en montar su propia carrera de obstáculos. Encandilado por la idea de progreso técnico indefinido, no ha querido advertir que éste no puede lograrse sino a costa de algo. De ese modo hemos caído en la primera trampa: la inmolación de la Naturaleza a la Tecnología. Esto es de una obviedad concluyente. Un principio biológico elemental dice que la demanda interminable y progresiva de la industria no puede ser atendida sin detrimento por la Naturaleza, cuyos recursos son finitos.

Toda idea de futuro basada en el crecimiento ilimitado conduce, pues, al desastre. Paralelamente. otro principio básico incuestionable es que todo complejo industrial de tipo capitalista sin expansión ininterrumpida termina por morir. Consecuentemente con este segundo postulado, observamos que todo país industrializado tiende a crecer, cifrando su desarrollo en un aumento anual que oscila entre el 2 y el 4 por 100 de su producto nacional bruto. Entonces, si la industria, que se nutre de la Naturaleza, no cesa de expansionarse, día llegará en que ésta no pueda atender las exigencias de aquélla ni asumir sus desechos; ese día quedará agotada.

La novelista americana Mary McCarthy hace decir a Kant redivivo, en una de sus últimas novelas, que «la Naturaleza ha muerto». Evidentemente la novelista anticipa la defunción, pero, a juicio de notables naturalistas, no en mucho tiempo, ya que para los redactores del Manifiesto para la Supervivencia, de no alterarse las tendencias del progreso, «la destrucción de los sistemas de mantenimiento de la vida en este planeta será inevitable, posiblemente a finales de este siglo, y con toda seguridad, antes de que desaparezca la generación de nuestros hijos».

Para Commoner, la década que estamos viviendo, la década de los 70, «es un plazo de gracia para corregir las incompatibilidades fundamentales», ya que, de no hacerlo así, en los tres lustros siguientes la Humanidad sucumbirá. A mi juicio, no importa tanto la inminencia del drama como la certidumbre, que casi nadie cuestiona, de que caminamos hacia él. Michel Bosquet dice, en *Le Nouvel Observateur,* que «a la Humanidad, que ha necesitado treinta siglos para tomar impulso, apenas le quedan treinta años para frenar ante el precipicio».

Como se ve, el problema no es baladí. Lo expuesto no es un relato de ciencia-ficción, sino el punto de vista de unos científicos que han dedicado todo su esfuerzo al estudio de esta cuestión, la más compleja e importante, sin duda, que hoy aqueja a la Humanidad.

La Naturaleza ya está hecha, es así. Esto, en una era de constantes mutaciones, puede parecer una afirmación retrógrada. Mas, si bien se mira, únicamente es retrógrada en la apariencia. En mi obra *El libro de la caza menor,* hago notar que toda pretensión de mudar la Naturaleza es asentar en ella el artificio, y por tanto, desnaturalizarla, hacerla regresar. En la Naturaleza apenas cabe el progreso. Todo cuanto sea conservar el medio es progresar; todo lo que signifique alterarlo esencialmente es retroceder.

Empero, el hombre se obstina en mejorarla y se inmiscuye en el equilibrio ecológico, eliminando mosquitos, desecando lagunas o talando el revestimiento vegetal. En puridad, las relaciones del hombre con la Naturaleza, como las relaciones con otros hombres, siempre se han establecido a palos. La Historia de la Humanidad no ha sido otra cosa hasta hoy en día más que una sucesión incesante de guerras y talas de bosques.

Y ya que, inexcusablemente, los hombres tenemos que servirnos de la Naturaleza, a lo que debemos aspirar es a no dejar huella, a que se «nos note» lo menos posible. Tal aspiración, por el momento, se aproxima a la pura quimera. El hombre contemporáneo está ensoberbecido; obstinado en demostrarse a sí mismo su superioridad, ni aun en el aspecto demoledor renuncia a su papel de protagonista.

En esta cuestión, el hombre-supertécnico, armado de todas las armas, espoleado por un afán creciente de dominación, irrumpe en la Naturaleza, y actúa sobre ella en los dos sentidos citados, a cual más deplorable y desolador: desvalijándola y envileciéndola.

# CAPÍTULO QUINTO

**195.** 1. la subida / la causa / del cierre; 2. el seguro; 3. ampliación; 4. un crecimiento; 5. el nacimiento; 6. un avance; 7. enseñanza; 8. rotura / pérdida; 9. el fallo; 10. un anticipo; 11. las quemaduras; 12. un acontecimiento.

**196.** 1. el consumidor; 2. la necesidad / la contaminación / depuradores; 3. anticipación; 4. las pérdidas / las ganancias; 5. la pintura; 6. estreno / la duración; 7. cruce; 8. falta; 9. las elecciones / pintadas; 10. el encuentro / una decepción; 11. la elección / colaboradores; 12. conocimiento.

**197.** 1. del desempleo (o del paro) / un alcance; 2. un mordisco; 3. la instalación; 4. la cuenta / la recepción; 5. una suscripción; 6. el envío; 7. la toma; 8. la puesta; 9. subidas / bajadas; 10. el descenso / el ascenso; 11. los desperdicios; 12. las llegadas / las salidas.

**198.** 1. nevadas; 2. subidas / bajadas; 3. confianza; 4. la presencia / la ausencia; 5. la recogida; 6. los daños / la pérdida; 7. la redacción; 8. la ventaja; 9. los beneficios; 10. una caída; 11. el enfado / la ruptura; 12. un agotamiento.

**199.** 1. la fractura; 2. la adaptación; 3. el aprovechamiento; 4. una queja; 5. la avanzada; 6. propuesta / rechazo; 7. los adelantos (o los avances); 8. un retroceso / la competición; 9. opinión; 10. un escape; 11. la huida (o la fuga) / una desatención; 12. la detención.

**200.** 1. el cumplimiento; 2. descanso / estacionamientos / duración; 3. el lanzamiento; 4. apretón; 5. un corte; 6. un arranque; 7. el derrumbamiento; 8. un destrozo; 9. un lavado; 10. una audición; 11. una charla; 12. un cambio.

**201.** 1. el intento (o la tentativa); 2. un lavado; 3. ayudas; 4. un arrebato; 5. el estallido; 6. dudas; 7. desarrollo; 8. el sometimiento / empresa; 9. el desencadenamiento; 10. el enfrentamiento / una duración; 11. una condena; 12. comidas / bebidas.

**202.** 1. la limpieza; 2. retraso (o atraso); 3. obediencia; 4. un informe / decisiones; 5. el arreglo; 6. el diagnóstico; 7. acusaciones; 8. pronóstico; 9. aguante; 10. un recuerdo; 11. comienzos (o inicios); 12. las advertencias / el uso.

**203.** 1. la cita; 2. actitud; 3. la actuación / elogios; 4. un empujón; 5. el asentamiento; 6. un desliz; 7. un deslizamiento; 8. al entrenamiento; 9. el habla; 10. ahorros; 11. detención; 12. el abandono; el empobrecimiento.

**204.** 1. la carencia (o la falta) / un tratamiento; 2. paso; 3. vinculación; 4. el fallecimiento; 5. el pago; 6. la quema; 7. compra / venta; 8. el bombardeo; 9. sufrimientos; 10. un pinchazo / repuesto; 11. la lucha / los logros; 12. la comprensión.

**205.** 1. la acumulación / circulación / la devaluación; 2. colocación; 3. la consecución; 4. la obtención; 5. la inversión; 6. adelantamiento; 7. conocidos; 8. la sospecha / el convencimiento / recibo; 9. una sacudida / el desplome; 10. la terminación; 11. mejoras; 12. una mejoría / medicamento.

**206.** 1. riesgo; 2. las sobras; 3. añadiduras; 4. la devolución / impresos / ausencia / del interesado; 5. la permanencia; 6. derribos; 7. el hallazgo (o el encuentro); 8. el descubrimiento / un hallazgo / repercusiones; 9. auxilio; 10. el llamamiento / el socorro / la inundación; 11. llamadas; 12. el entretenimiento.

**207.** 1. una infusión; 2. despegue / aterrizaje; 3. el visado; 4. los manifestantes / el atropello / los trabajadores; 5. la grabación; 6. un registro / interés; 7. matanza; 8. el florecimiento; 9. el nombramiento; 10. el planteamiento; 11. la renovación; 12. del atentado / un despliegue.

**208.** 1. acidez; 2. juventud; 3. la suciedad; 4. la luminosidad; 5. la sordera; 6. bondad; 7. una tristeza; 8. la seriedad; 9. locura; 10. la claridad; 11. elasticidad / robustez; 12. la negrura.

**209.** 1. una inteligencia; 2. oscuridad; 3. caballerosidad / cordialidad; 4. la unidad; 5. la espesura; 6. la sinceridad / la lealtad / amistad; 7. fidelidad; 8. brillantez; 9. una altura; 10. estupidez; 11. altivez; 12. ancho (o anchura).

**210.** 1. una sordidez; 2. una sumisión; 3. gordura; 4. la blancura; 5. la avidez; 6. la estrechez / la abundancia; 7. la soledad; 8. la delgadez; 9. la sabiduría / la humildad; 10. ceguera; 11. testarudez; 12. la humedad; 13. una cursilería.

**211.** 1. dureza; 2. una fluidez; 3. finura; 4. la tosquedad; 5. ternura; 6. la mediocridad; 7. la sequedad; 8. la rigidez / la blandura; 9. escrupolosidad; 10. cojera; 11. el nerviosismo (o la nerviosidad) / tartamudez; 12. la niñez / la vejez; 13. una amargura.

**212.** *A)* tejado / barandilla / solana / cimientos / alero;
chubasco / escarcha / granizo / copo / rocío;
tarima / tiza / hora de recreo / pupitre / pizarra.

*B)* tobillo / sobaco / uña / sien / codo;
manzana / empedrado / farol / acera / alumbrado;
enchufe / empalme / interruptor / bombilla / corriente.

*C)* giro postal / póliza / certificado / estafeta / matasellos;
decorados / candilejas / acomodador / bastidores / telón;
cuenta corriente / divisa / talón / depósito / letra de cambio;

*D)* papelería / cel·lo / bolígrafo / cuartillas / holandesas;
dedal / imperdible / cremallera / alfiler / aguja;
gasa / tiritas / alcohol / esparadrapo / algodón.

**213.** *A)* cazo / fogón / molde / puchero / mortero;
travesía / cinturón de ronda / porche / calzada / escaléxtric;
barbecho / cría / establo / pajar / siembra.

*B)* quirófano / pabellón / cirujano / dispensario / camilla;
minutero / manecilla / esfera / péndulo / cuerda;
ficha / auricular / listín / disco / telefónica.

*C)* casa de comidas / tasca / bodegón / mesón / merendero;
matrícula / bujía / bocina / escape / embrague;
vía / raíl / tope / departamento / apeadero.

*D)* grabación / disco / aguja / plato / cara;
guantera / salpicadero / marcador / baca / reposacabezas;
muelle / atracadero / rompeolas / tinglado / escollera.

**214.** *A)* carta del día / cuenta / sopas / postre / entremés;
mechero / estanco / cerillas / tabaco rubio / puro;
tenazas / alicates / herramientas / clavo / destornillador.

*B)* remiendo / bordado / zurcido / dobladillo / pespunte;
fallo / veredicto / abogado / fiscal / banquillo de los acusados;
abrevadero / ganado / trilladora / cosecha / rebaño.

*C)* suela / cordones / calzador / tacones / remendón;
cuchillería / hoja de afeitar / tijeras / navaja / hoja;
probador / dependiente / cajero / mostrador / escaparate.

*D)* carril / cabina de peaje / arcén / adelantamiento / zona de descanso;
lomo / portada / margen / grabado / encuadernación;
aperos de labranza / hoz / guadaña / rastrillo / azada.

**215** *A)* partida / abastecimiento / pedido / plazo / comisión;
vagón / andén / rejilla / consigna / coche-cama;
tripulación / despegue / fuselaje / azafata / aterrizaje;

*B)* azotea / trastero / rellano / sótano / buhardilla;
pico / otero / puerto / encañada / cordillera;
bocacalle / alcantarilla / zona azul / suburbio / ciudad satélite.

*C)* camiseta / bata / camisón / delantal / medias;
arroyo / caudal / manantial / recodo / remolino;
decano / matrícula / matrícula de honor / expediente / rector.

*D)* cortado / zumo / horchata / granizado / carajillo;
jardín de infancia / guardería / parvulario / colegio / casa-cuna;
rebeca / sostenes / calcetines / cazadora / calzoncillos.

**216.** 1. pardo; 2. bermejo; 3. cenicientas; 4. blanquecino; 5. negruzcas; 6. rosado; 7. amarillento; 8. oliváceo; 9. anaranjadas; 10. plomizo; 11. grisáceos / verdosas; 12. azulado.

**\*217.** 1. sosa; 2. guapo; 3. marchitas; 4. sucia; 5. introvertido; 6. espesa; 7. grueso; 8. dejada; 9. listo: 10. astuta; 11. turbias; 12. grosera; 13. somero (o superficial); 14. fríbola; 15. oscura; 16. particular; 17. mugrientas; 18. peligroso; 19. arrugada (o ajada o rugosa); 20. desparpajada.

**\*218.** 1. formal (o seria); 2. pedante (o altanera o arrogante); 3. pesadas; 4. aburridos (o pesados); 5. perezosa; 6. discrecionales; 7. monótona; 8. sosegada (o calmada); 9. calmoso (o lento o cachazudo); 10. rebuscado (o complicado); 11. ronca (o áspera); 12. holgado; 13. estupenda; 14. ancha; 15. rugosa (o áspera); 16. tacaño (o avaro o agarrado); 17. chata (o achatada); 18. tosco; 19. blando; 20. tiernas.

**219.** 1. vivaracho; 2. quisquilloso; 3. salado (o gracioso); 4. chismosa; 5. arisco; 6. bonachón; 7. orgulloso; 8. travieso; 9. gracioso; 10. testarudo; 11. puntilloso; 12. bondadosa.

**220.** 1. buenazo; 2. brusca; 3. cursi; 4. desaprensivo; 5. lozana; 6. tozudo; 7. mona; 8. formal; 9. sosegada; 10. ocurrente; 11. entretenido; 12. lisonjeros.

**221.** 1. indefendible; 2. abominable; 3. maternal; 4. inagotable; 5. admirable; 6. plausible; 7. comestibles; 8. entrañable; 9. bursátiles; 10. apacible; 11. inapagable (o inextinguible); 12. irreprochable; 13. plegables; 14. sediento / hambriento; 15. agradable; 16. imperdonable; 17. irrespirable; 18. invulnerable; 19. incomprensible; 20. execrables; 21. estudiantiles; 22. desechables; 23. pagable (o pagadero); 24. irrealizable (o inviable); 25. comprometidos.

**222.** 1. imberbe; 2. impávida; 3. inactivo; 4. inútil; 5. implacable; 6. irresolvible; 7. inaccesible; 8. inaguantable; 9. inaudito; 10. incalificable; 11. incomible; 12. incurable; 13. inédito; 14. ineducado; 15. inexactas; 16. inodoro; 17. innavegables; 18. razonable; 19. irreflexiva; 20. irremediable; 21. irrespetuoso; 22. irrompibles (o infrangibles); 23. inexperto; 24. insatisfactorio; 25. comprometedoras.

**223.** 1. disminuyen (o decrecen); 2. carece de; 3. rehusó (o rechazó); 4. menguar; 5. restar (o quitar o descontar); 6. interrumpió; 7. prohibió (o impidió); 8. alisar; 9. arruinado; 10. fracasado; 11. destituyeron (o depusieron o removieron) de; 12. aceptar; 13. rebajado; 14. adelgazado; 15. envejece; 16. restringe (o limita o coarta); 17. enflaquecido; 18. abrogado (o revocado o abolido); 19. se aplacaron (o calmaron); 20. aclarado (o esclarecido); 21. quitado; 22. metido en; 23. se me ha encogido; 24. contraerse; 25. dado de baja; 26. derretirse; 27. elogiaron (o alabaron); 28. ensalzaron; 29. anocheció; 30. espesar; 31. nos alejamos de; 32. estrechar (o acercar); 33. reducir; 34. acortar; 35. disuadimos a; 36. acercad (o arrimad); 37. disgustó (o apenó o supo mal); 38. estrechar; 39. dificultado; 40. aclarado.

**224.** 1. hay que; 2. tiene que (o debe o ha de); 3. hay que (o todas las formas impersonales); 4. hay que; 5. hay que (o es menester o es preciso o es necesario o hace falta); 6. necesitan (o todas las formas personales); 7. tengo necesidad de (o todas las formas personales); 8. tenga que (o todas las formas personales); 9. tenía que (o debía o había de); 10. tiene que (o todas las formas personales); 11. hay que (o es menester o es preciso o es necesario); 12. hay que (o es menester o es preciso o es necesario); 13. he de (o todas las formas personales); 14. necesita (o todas las formas personales); 15. hay que; 16. debe (o tiene que o ha de o necesita o tiene necesidad de); 17. he de (o todas las formas personales) / he de (o todas las formas personales); 18. he de (o tengo que o debo); 19. hay que (o todas las formas impersonales); 20. hace falta (o todas las formas impersonales); 21. es preciso (o todas las formas impersonales).

**225.** 1. se vuelve (*o* convierte en *o* se hace); 2. convertirse en (*o* volverse); 3. se hacían; 4. se puso; 5. se ha vuelto (*o* se ha hecho); 6. se ha vuelto; 7. se ha convertido en (*o* se ha vuelto); 8. se ha puesto (*o* se ha vuelto); 9. se ha puesto (*o* se ha vuelto); 10. se ha puesto; 11. se ha puesto (*o* se ha vuelto); 12. se ha vuelto (*o* se ha puesto); 13. se ha convertido en (*o* se ha vuelto); 14. se hiciera; 15. se hace; 16. se ha vuelto (*o* se ha hecho *o* se ha puesto); 17. se ha convertido en (*o* se ha vuelto); 18. se ha hecho (*o* se ha vuelto *o* se ha puesto); 19. se ha convertido en (*o* se ha vuelto); 20. se han hecho; 21. te has vuelto; 22. se convirtieron en (*o* se trocaron en *o* se volvieron); 23. me vuelvo; 24. se está volviendo; 25. se trocó en (*o* se convirtió en); 26. se puso; 27. se ha vuelto (*o* se ha hecho); 28. se hizo; 29. se vuelven (*o* se hacen); 30. se ha convertido en (*o* se ha vuelto); 31. se hizo; 32. se puso; 33. se hizo.

**226.** 1. colocaron (*o* pusieron); 2. te has metido; 3. se puso; 4. introduce; 5. ponerme; 6. metió; 7. pongamos; 8. introdujo; 9. pusieron; 10. has metido; 11. metieron; 12. introdujeron (*o* metieron); 13. puso (*o* colocó); 14. puestas (*o* colocadas); 15. se le metió (*o* se le introdujo); 16. te metas; 17. ponte; 18. se introdujo; 19. meter (*o* poner *o* colocar); 20. se mete; 21. meterse; 22. introducir (*o* meter); 23. ponerse; 24. se le ha metido; 25. metido.

**227.** 1. apareció; 2. se parece; 3. parece; 4. apareció; 5. parecía; 6. aparecer; 7. apareció; 8. se parecen; 9. apareció; 10. apareció; 11. parece; 12. aparece; 13. apareció; 14. aparece; 15. pareces.

**228.** 1. quedamos; 2. permanecieron (*o* se quedaron); 3. dejó; 4. me quedo; 5. quedan; 6. me quedo; 7. deje; 8. permanecieron (*o* se quedaron); 9. quedarse (*o* permanecer); 10. hemos quedado; 11. quedaba; 12. quedan; 13. queda; 14. te quedarás; 15. me quedaría (*o* permanecería); 16. se me quedó; 17. permanecieron (*o* se quedaron); 18. quedar; 19. me quedé; 20. te quedarás (*o* permanecerás).

**229.** 1. cogió; 2. hemos tomado; 3. cogimos / tomar; 4. se lo tomó; 5. (se) tomó / coger; 6. tomaba / (se) tomó; 7. cogió; 8. coge; 9. tomaron; 10. cogemos; 11. coger; 12. tomaron; 13. cogieron; 14. le cogió; 15. toma.

**230.** 1. presenta; 2. ganó; 3. surgen; 4. desempeña; 5. disfrutaron; 6. aprovechamos; 7. jugó; 8. estalló (*o* se desencadenó); 9. expresan; 10. desarrollarla; 11. desencadenó; 12. abonar; 13. cobraron; 14. expresan; 15. estalló (*o* explotó); 16. disfruta; 17. exprimir; 18. había cobrado; 19. aprovecha; 20. jugó; 21. se desencadenó; 22. explotó; 23. cobré; 24. explotaron; 25. estalló / se desencadenó.

**231.** 1. cabe; 2. aguantarme; 3. sufrieron; 4. se aguanta; 5. se oía; 6. padece (*o* sufre); 7. guarden; 8. oír; 9. contener; 10. escucharme; 11. cabe; 12. guarda; 13. conserva; 14. contiene; 15. mantuvo; 16. he depositado; 17. guarda; 18. escuchar; 19. siento; 20. aguantar; 21. siento; 22. contener; 23. me alegra; 24. ilusiona; 25. cabía.

**232.** 1. remediar; 2. ha ensayado; 3. ha apurado; 4. ofrece; 5. contrajo; 6. despide; 7. favorece; 8. se granjeó; 9. conlleva; 10. median; 11. contrajeron; 12. concibió; 13. producen; 14. has probado; 15. apurando; 16. te has enterado / me he enterado; 17. media; 18. favoreció; 19. ha comunicado; 20. pruebas; 21. probarlos; 22. están ensayando.

**233.** 1. patalear; 2. se desliza; 3. se marchó; 4. cojeaba; 5. se arrastra; 6. trepa; 7. anduvieron; 8. arrastraba; 9. tambalear; 10. temblaban; 11. flota; 12. mezclar; 13. tambalear; 14. arrastrarlo; 15. se mecía; 16. trepan; 17. tropezó; 18. arrancaba; 19. mecía; 20. se deslizaban; 21. resbaló; 22. marchaban; 23. se deslizaban.

**234.** 1. atravesando; 2. cuelgan; 3. tirando; 4. arrojen (*o* echen *o* tiren); 5. se pose; 6. se posan; 7. ocupa; 8. arrojan; 9. ocupa; 10. expulsaron (*o* echaron); 11. se volvió; 12. ocupa; 13. se asentaron; 14. cruzar; 15. echa; 16. girar; 17. se levanta; 18. cuelga; 19. echan; 20. tiran; 21. colgaban; 22. tire; 23. se asienta.

**235.** 1. activa; 2. regresasteis; 3. ha adelantado; 4. aplazar (*o* retrasar); 5. se ha atrasado; 6. apretar; 7. aligerarle; 8. adelantó; 9. retrasa (*o* adelanta); 10. se retrasó; 11. regresé; 12. adelantar / retrasa; 13. retardar; 14. aceleraron (*o* apretaron); 15. apretar; 16. aligerarla; 17. apresurarnos; 18. aceleró; 19. adelanta (*o* retrasa); 20. aplazó; 21. aprietan; 22. activar; 23. apresurarte.

**236.** ......

**237.** 1. del mismo (*o* igual) modo; 2. qué modo; 3. a modo de; 4. del mismo modo; 5. de cualquier modo; 6. de un modo; 7. de otro modo; 8. en cierto modo; 9. de todos modos; 10. a modo de; 11. de todos modos; 12. de ningún modo; 13. de cualquier modo; 14. del mismo modo; 15. de un modo; 16. de (tal) modo que; 17. de modo que; 18. del mismo modo.

**238** 1. una vez que; 2. a la vez; 3. de una vez; 4. a su vez; 5. cada vez que; 6. tal vez; 7. una vez por todas; 8. cada vez que; 9. las veces; 10. a la vez; 11. en vez de; 12. de vez en cuando (*o* alguna que otra vez); 13. de una vez; 14. en vez de; 15. a veces; 16. una vez más; 17. una vez que; 18. de una vez; 19. a mi vez; 20. a la vez; 21. en vez de; 22. de una vez; 23. una vez que; 24. a la vez; 25. cada vez más; 26. a veces (*o* las más veces); 27. una vez; 28. cada vez más; 29. una vez más; 30. de una vez; 31. de una vez.

**239.** 1. a (*o* con el) fin de; 2. en fin; 3. por fin (*o* finalmente); 4. a (*o* con el) fin de; 5. por fin (*o* finalmente); 6. al final (*o* al fin); 7. al fin y al cabo (*o* a fin de cuentas); 8. al final; 9. en fin; 10. a (*o* con el) fin de; 11. al final; 12. al final del; 13. el fin; 14. sinfín; 15. al fin y al cabo; 16. al fin y al cabo (*o* a fin de cuentas); 17. el final; 18. el fin; 19. fines; 20. al final; 21. al final.

**240.** 1. como si nada; 2. nada de nada; 3. de nada; 4. para nada; 5. la nada; 6. para nada; 7. por nada; 8. nada más; 9. de nada; 10. nada más; 11. por nada; 12. nada; 13. ni nada; 14. nada como; 15. nada más; 16. como si nada; 17. nada; 18. de nada.

**241.** 1. rato; 2. ahora mismo; 3. de tarde en tarde / a menudo; 4. un momento; 5. al mismo tiempo; 6. ahora mismo; 7. de la noche a la mañana; 8. a cada momento; 9. en el momento; 10. un instante (*o* un momento) / en este momento; 11. al mismo tiempo (*o* a un tiempo); 12. de momento (*o* por el momento); 13. ahora mismo; 14. de un momento a otro; 15. un rato (*o* ratito); 16. un momento; 17. momentos (*o* un momento); 18. a un tiempo; 19. un momento; 20. al mismo tiempo; 21. de momento (*o* por el momento); 22. en el momento; 23. en este momento; 24. en el momento (*o* en cualquier momento); 25. en un primer momento; 26. de un momento a otro (*o* ahora mismo); 27. a cada momento; 28. de vez en cuando (*o* de tarde en tarde); 29. un rato (*o* ratito); 30. por el momento (*o* de momento); 31. de la noche a la mañana (*o* un momento); 32. por momentos.

**242.** 1. le hagas caso; 2. viene al caso; 3. por casualidad; 4. la casualidad; 5. en caso de que; 6. en otro caso; 7. en cualquier caso (*o* en todo caso); 8. en todo caso; 9. en caso de; 10. en todo caso; 11. vayamos al caso; 12. pongamos por caso; 13. una casualidad (*o* por casualidad); 14. hace caso; 15. en otro caso; 16. el caso; 17. la casualidad; 18. en cualquier caso.

**243.** 1. mientras; 2. conforme; 3. en vez de; 4. dentro de; 5. al cabo de; 6. en cambio; 7. pues; 8. al contrario; 9. conforme a; 10. conforme; 11. al cabo de; 12. mientras que; 13. dentro de; 14. luego (*o* después); 15. de lo contrario; 16. al contrario de; 17. de lo contrario; 18. al revés; 19. luego (*o* después); 20. mientras que; 21. del revés; 22. mientras que; 23. mientras (*o* mientras tanto); 24. conforme; 25. al revés de (*o* al contrario de); 26. en cambio; 27. el revés; 28. conforme a; 29. mientras que; 30. en cambio; 31. mientras que; 32. mientras; 33. en vez de; 34. de lo contrario; 35. al cabo de.

**244.** 1. de parte del; 2. en principio; 3. de pronto; 4. aparte (*o* aparte de); 5. por principio; 6. aparte de que; 7. de paso; 8. de golpe; 9. por de pronto; 10. al principio; 11. pronto; 12. de pronto; 13. de golpe; 14. al paso de; 15. por de pronto; 16. de golpe; 17. de paso; 18. aparte de que; 19. por de pronto; 20. por principio.

**245.** 1. al pie de; 2. de cara al; 3. de pie (*o* en pie); 4. en vista del; 5. de oídas; 6. a la vista; 7. de cara; 8. a pie; 9. a la cabeza de; 10. de pie (*o* en pie); 11. con vistas a; 12. en vista de que; 13. boca arriba (*o* abajo); 14. de oído; 15. en vista del; 16. en pie; 17. al pie de; 18. a ojo; 19. cara a cara; 20. en vista de que; 21. de vista; 22. de cara.

**246.** 1. a tiempo; 2. a un tiempo; 3. de tiempo; 4. con tiempo; 5. a tiempo / con tiempo; 6. a su tiempo; 7. un tiempo; 8. a un tiempo; 9. con tiempo; 10. de tiempo; 11. a tiempo.

**247.** 1. de hora en hora; 2. ¡(la) enhorabuena!; 3. a estas horas; 4. a la hora de; 5. a buena hora; 6. a la hora de; 7. a estas horas; 8. la enhorabuena; 9. de hora en hora; 10. a todas horas; 11. a la hora en que.

**248.** 1. frente a; 2. bajo; 3. debajo de; 4. frente al (*o* enfrente del); 5. sobre (*o* encima de); 6. de enfrente; 7. enfrente; 8. de arriba; 9. bajo; 10. de frente; 11. de frente; 12. abajo; 13. encima; 14. al frente de; 15. frente a frente; 16. de frente; 17. debajo de (*o* encima de); 18. sobre; 19. abajo / arriba; 20. debajo; 21. frente a; 22. encima; 23. de abajo; 24. bajo; 25. arriba; 26. arriba (*o* abajo); 27. encima de (*o* sobre); 28. al frente de.

**249.** 1. fuera (*o* afuera); 2. antes que; 3. después de; 4. fuera (*o* afuera); 5. fuera de; 6. antes de (*o* después de); 7. dentro / fuera; 8. después; 9. antes de; 10. antes (*o* después); 11. antes que; 12. de dentro / de fuera (*o* de afuera); 13. antes de que; 14. fuera de; 15. fuera de; 16. de antes; 17. antes / después; 18. antes que; 19. afuera (*o* fuera); 20. después.

**250.** 1. ante; 2. detrás de; 3. adelante; 4. delante / detrás; 5. de detrás / de delante; 6. delante de; 7. ante; 8. adelante; 9. tras; 10. ante / atrás; 11. adelante; 12. adelante; 13. tras; 14. en adelante; 15. tras; 16. delante / detrás; 17. detrás de (*o* tras); 18. atrás; 19. en adelante; 20. tras; 21. atrás (*o* adelante); 22. atrás; 23. atrás; 24. detrás; 25. atrás; 26. atrás; 27. atrás; 28. atrás; 29. atrás; 30. de detrás / de delante.

# INDICE

Págs.

*Nota preliminar* . . . . . . . . . . . . . . . . . . . . . . . . . . . . . . . . . . . . . . . . 5


CAPÍTULO PRIMERO: **ORTOGRAFÍA**

**Acentuación** . . . . . . . . . . . . . . . . . . . . . . . . . . . . . . . . . . . . . . . . . 9
Ejercicios: **1-2** . . . . . . . . . . . . . . . . . . . . . . . . . . . . . . . . . . . . . . . . 11
*donde, a donde, adonde, dónde, adónde* . . . . . . . . . . . . . . . . . . . . . . . . 13
*pórque, porque, por qué, por que* . . . . . . . . . . . . . . . . . . . . . . . . . . . . 13
Ejercicios: **3-7** . . . . . . . . . . . . . . . . . . . . . . . . . . . . . . . . . . . . . . . . 14
*el / un + a tónica* . . . . . . . . . . . . . . . . . . . . . . . . . . . . . . . . . . . . . . 19
Ejercicios: **8-9** . . . . . . . . . . . . . . . . . . . . . . . . . . . . . . . . . . . . . . . 19
*sino / si no* . . . . . . . . . . . . . . . . . . . . . . . . . . . . . . . . . . . . . . . . . . 20
Ejercicio: **10** . . . . . . . . . . . . . . . . . . . . . . . . . . . . . . . . . . . . . . . . . 21
*b / v* . . . . . . . . . . . . . . . . . . . . . . . . . . . . . . . . . . . . . . . . . . . . . . . 21
Ejercicios: **11-12** . . . . . . . . . . . . . . . . . . . . . . . . . . . . . . . . . . . . . . 21
*h* . . . . . . . . . . . . . . . . . . . . . . . . . . . . . . . . . . . . . . . . . . . . . . . . . 23
Ejercicios: **13-14** . . . . . . . . . . . . . . . . . . . . . . . . . . . . . . . . . . . . . . 23
*c / cc* . . . . . . . . . . . . . . . . . . . . . . . . . . . . . . . . . . . . . . . . . . . . . . 24
Ejercicios: **15-16** . . . . . . . . . . . . . . . . . . . . . . . . . . . . . . . . . . . . . . 24
*s / x / sc / xc* . . . . . . . . . . . . . . . . . . . . . . . . . . . . . . . . . . . . . . . . 26
Ejercicios: **17-18** . . . . . . . . . . . . . . . . . . . . . . . . . . . . . . . . . . . . . . 26
*j / g* . . . . . . . . . . . . . . . . . . . . . . . . . . . . . . . . . . . . . . . . . . . . . . . 28
Ejercicios: **19-20** . . . . . . . . . . . . . . . . . . . . . . . . . . . . . . . . . . . . . . 28

# CAPÍTULO SEGUNDO: **MODOS, TIEMPOS Y FORMAS VERBALES**

**Formas impersonales del verbo** . . . . . . . . . . . . . . . . . . . . . . . . . . . . . . . . . . . 33
GERUNDIO . . . . . . . . . . . . . . . . . . . . . . . . . . . . . . . . . . . . . . . . . . . . . . . . . . . 33
Ejercicios: **21-26** . . . . . . . . . . . . . . . . . . . . . . . . . . . . . . . . . . . . . . . . . . . . . 35
INFINITIVO . . . . . . . . . . . . . . . . . . . . . . . . . . . . . . . . . . . . . . . . . . . . . . . . . . . 39
Ejercicios: **27-36** . . . . . . . . . . . . . . . . . . . . . . . . . . . . . . . . . . . . . . . . . . . . . 42
PARTICIPIO . . . . . . . . . . . . . . . . . . . . . . . . . . . . . . . . . . . . . . . . . . . . . . . . . . 50
Ejercicios: **37-42** . . . . . . . . . . . . . . . . . . . . . . . . . . . . . . . . . . . . . . . . . . . . . 51

**Formas personales del verbo** . . . . . . . . . . . . . . . . . . . . . . . . . . . . . . . . . . . . 55
IMPERATIVO . . . . . . . . . . . . . . . . . . . . . . . . . . . . . . . . . . . . . . . . . . . . . . . . . 55
Ejercicios: **43-48** . . . . . . . . . . . . . . . . . . . . . . . . . . . . . . . . . . . . . . . . . . . . . 55
INDICATIVO, PRESENTE . . . . . . . . . . . . . . . . . . . . . . . . . . . . . . . . . . . . . . . . 59
Ejercicios: **49-54** . . . . . . . . . . . . . . . . . . . . . . . . . . . . . . . . . . . . . . . . . . . . . 60
INDICATIVO, PASADO . . . . . . . . . . . . . . . . . . . . . . . . . . . . . . . . . . . . . . . . . 63
Ejercicios: **55-63** . . . . . . . . . . . . . . . . . . . . . . . . . . . . . . . . . . . . . . . . . . . . . 64
INDICATIVO, PLUSCUAMPERFECTO . . . . . . . . . . . . . . . . . . . . . . . . . . . . . . . 69
Ejercicios: **64-66** . . . . . . . . . . . . . . . . . . . . . . . . . . . . . . . . . . . . . . . . . . . . . 70
INDICATIVO, INDEFINIDO COMPUESTO . . . . . . . . . . . . . . . . . . . . . . . . . . . 72
Ejercicios: **67-69** . . . . . . . . . . . . . . . . . . . . . . . . . . . . . . . . . . . . . . . . . . . . . 72
INDICATIVO, FUTURO SIMPLE . . . . . . . . . . . . . . . . . . . . . . . . . . . . . . . . . . 74
Ejercicios: **70-74** . . . . . . . . . . . . . . . . . . . . . . . . . . . . . . . . . . . . . . . . . . . . . 75
INDICATIVO, FUTURO PERFECTO O ANTEFUTURO . . . . . . . . . . . . . . . . . . . . 78
Ejercicios: **75-79** . . . . . . . . . . . . . . . . . . . . . . . . . . . . . . . . . . . . . . . . . . . . . 79
POTENCIAL SIMPLE . . . . . . . . . . . . . . . . . . . . . . . . . . . . . . . . . . . . . . . . . . . 81
Ejercicios: **80-84** . . . . . . . . . . . . . . . . . . . . . . . . . . . . . . . . . . . . . . . . . . . . . 83
POTENCIAL COMPUESTO . . . . . . . . . . . . . . . . . . . . . . . . . . . . . . . . . . . . . . 86
Ejercicios: **85-87** . . . . . . . . . . . . . . . . . . . . . . . . . . . . . . . . . . . . . . . . . . . . . 86

**Uso del indicativo y del subjuntivo** . . . . . . . . . . . . . . . . . . . . . . . . . . . . . . . 89
VERBOS QUE RIGEN EL MODO INDICATIVO / SUBJUNTIVO . . . . . . . . . . . . 89
ORACIONES SIMPLES: INDICATIVO / SUBJUNTIVO . . . . . . . . . . . . . . . . . . . 93
ORACIONES SUBORDINADAS / INDICATIVO / SUBJUNTIVO . . . . . . . . . . . 93
SUBJUNTIVO . . . . . . . . . . . . . . . . . . . . . . . . . . . . . . . . . . . . . . . . . . . . . . . . 99

**Concordancia temporal** . . . . . . . . . . . . . . . . . . . . . . . . . . . . . . . . . . . . . . . 101
Ejercicios de subjuntivo: **88-89** . . . . . . . . . . . . . . . . . . . . . . . . . . . . . . . . . 104
Ejercicios de concordancia temporal: **90** . . . . . . . . . . . . . . . . . . . . . . . . . . . 105
Ejercicios de verbos de mandato + subjuntivo: **91-92** . . . . . . . . . . . . . . . . . 106
Ejercicios de verbos + indicativo / subjuntivo: **93-95** . . . . . . . . . . . . . . . . . 106
Ejercicios de *antes de que* + subjuntivo: **96** . . . . . . . . . . . . . . . . . . . . . . . . 108

Ejercicios de *todavía falta..., para que* + subjuntivo: **97-98** .................. 108
Ejercicios de *si* + subjuntivo: **99-100** ................................ 109
Ejercicios de *aunque* + indicativo / subjuntivo: **101-102** .................. 109
Ejercicios de *parecer* + adjetivo + subjuntivo: **103-104** ............. 111
Ejercicios de *ojalá* + subjuntivo: **105-106** ......................... 111
Ejercicios de *mientras* + indicativo / subjuntivo: **107** ............ 112
Ejercicios de *hasta que* + indicativo / subjuntivo: **108-109** ......... 112
Ejercicios de *aunque* + indicativo / subjuntivo: **110** ............. 113
Ejercicios de futuro + subjuntivo: **111-112** ....................... 113
Ejercicios de recapitulación: **113-123** ........................... 114

**Voz pasiva** ............................................. 121
Ejercicios: **124-125** .................................... 122

**Perífrasis o frases verbales** ........................... 125
Ejercicios: **126-131** .................................... 127

## CAPÍTULO TERCERO: **OTRAS CUESTIONES GRAMATICALES BÁSICAS**

**Preposiciones** ............................................ 133
Ejercicios de *a o en:* **132-133** ............................ 138
Ejercicios de *a* + complemento directo: **134** .................. 140
Ejercicios de *de o desde:* **135** ............................. 141
Ejercicios de *por, para:* **136-138** .......................... 141
Ejercicios de recapitulación: **139-147** ....................... 144
Ejercicios de preposiciones en expresiones de tiempo: **148-149** .......... 151
**Ser / estar** ............................................. 155
Ejercicios: **150-160** .................................... 156
**Nadie / nada / alguien / algo / alguno / ninguno** ............. 163
Ejercicios: **161-165** .................................... 164
**Cualquier / cualquiera / quienquiera** ....................... 167
Ejercicios: **166-167** .................................... 168
**Todo / cada** ............................................. 169
Ejercicio: **168** ......................................... 170
**Ya / ya no / más** ........................................ 170
Ejercicios: **169-170** .................................... 173
**Hace / hace... que / desde** .............................. 174
Ejercicios: **171-172** .................................... 174

**Oraciones de relativo** . . . . . . . . . . . . . . . . . . . . . . . . . . . . . . . . . . . . . . . . . 177
Ejercicios: **173-175** . . . . . . . . . . . . . . . . . . . . . . . . . . . . . . . . . . . . . . . . . . 181
*¿qué? / ¿cuál?* . . . . . . . . . . . . . . . . . . . . . . . . . . . . . . . . . . . . . . . . . . . . . . . . 185
Ejercicio: **176** . . . . . . . . . . . . . . . . . . . . . . . . . . . . . . . . . . . . . . . . . . . . . . . . 185
**Secuencias comparativas** . . . . . . . . . . . . . . . . . . . . . . . . . . . . . . . . . . . . . 187
*cuanto más / mejor... tanto más / mayor* . . . . . . . . . . . . . . . . . . . . . . . . . . 187
Ejercicio: **177** . . . . . . . . . . . . . . . . . . . . . . . . . . . . . . . . . . . . . . . . . . . . . . . . 187
*preferir... antes que / a* . . . . . . . . . . . . . . . . . . . . . . . . . . . . . . . . . . . . . . . . 188
Ejercicio: **178** . . . . . . . . . . . . . . . . . . . . . . . . . . . . . . . . . . . . . . . . . . . . . . . . 188
*preferir* + infinitivo / *mejor* + verbo conjugando . . . . . . . . . . . . . . . . . . 188
Ejercicio: **129** . . . . . . . . . . . . . . . . . . . . . . . . . . . . . . . . . . . . . . . . . . . . . . . . 188
*el que / quien / lo que más* . . . . . . . . . . . . . . . . . . . . . . . . . . . . . . . . . . . . . 189
Ejercicio: **180** . . . . . . . . . . . . . . . . . . . . . . . . . . . . . . . . . . . . . . . . . . . . . . . . 189
*no... más que / más de / menos de, más de / menos de* . . . . . . . . . . . . . . 190
Ejercicios: **181-182** . . . . . . . . . . . . . . . . . . . . . . . . . . . . . . . . . . . . . . . . . . 190
*sea que... sea que, lo mismo si / igual si... que si, tanto si... como si* . . . . . . . . . 191
Ejercicio: **183** . . . . . . . . . . . . . . . . . . . . . . . . . . . . . . . . . . . . . . . . . . . . . . . . 192

**Oraciones restrictivas** . . . . . . . . . . . . . . . . . . . . . . . . . . . . . . . . . . . . . . . 193
*no otra cosa que / más que / sino, excepto / salvo* . . . . . . . . . . . . . . . . . . 193
Ejercicios: **184-185** . . . . . . . . . . . . . . . . . . . . . . . . . . . . . . . . . . . . . . . . . . 194
*no... otro / más... que* . . . . . . . . . . . . . . . . . . . . . . . . . . . . . . . . . . . . . . . . . . 195
Ejercicio: **186** . . . . . . . . . . . . . . . . . . . . . . . . . . . . . . . . . . . . . . . . . . . . . . . . 195


CAPÍTULO CUARTO: **PUNTUACIÓN**

**Coma** . . . . . . . . . . . . . . . . . . . . . . . . . . . . . . . . . . . . . . . . . . . . . . . . . . . . . . . 199
Ejercicios: **187-190** . . . . . . . . . . . . . . . . . . . . . . . . . . . . . . . . . . . . . . . . . . 201

**Punto y coma** . . . . . . . . . . . . . . . . . . . . . . . . . . . . . . . . . . . . . . . . . . . . . . . 205
Ejercicios: **191-192** . . . . . . . . . . . . . . . . . . . . . . . . . . . . . . . . . . . . . . . . . . 205

**Dos puntos** . . . . . . . . . . . . . . . . . . . . . . . . . . . . . . . . . . . . . . . . . . . . . . . . . 207
Ejercicios: **193-194** . . . . . . . . . . . . . . . . . . . . . . . . . . . . . . . . . . . . . . . . . . 208


CAPÍTULO QUINTO: **LÉXICO**

**Sustantivos** . . . . . . . . . . . . . . . . . . . . . . . . . . . . . . . . . . . . . . . . . . . . . . . . . 213
Abstractos verbales . . . . . . . . . . . . . . . . . . . . . . . . . . . . . . . . . . . . . . . . . . . . 213
Ejercicios: **195-207** . . . . . . . . . . . . . . . . . . . . . . . . . . . . . . . . . . . . . . . . . . 213

Abstractos adjetivales..................................................... 219
Ejercicios: **208-211**.................................................. 219
Nombres relacionados entre sí.............................. 221
Ejercicios: **212-215**.................................................. 221

**Adjetivos**............................................................ 225
Derivados de colores................................................... 225
Ejercicio: **216**........................................................ 225
Contrarios................................................................. 225
Ejercicios: **217-218**.................................................. 225
Varios..................................................................... 227
Ejercicios: **219-220**.................................................. 227
Adjetivos con afijos .................................................... 228
Ejercicios: **221-222**.................................................. 228

**Verbos**............................................................... 231
Contrarios................................................................. 231
Ejercicio: **223**........................................................ 231
*tener que, deber, hay que, etc.* + infinitivo ........................... 232
Ejercicios: **224**....................................................... 232
*hacerse, ponerse, etc.*................................................. 233
Ejercicio: **225**........................................................ 233
*poner / se, meter / se, etc.*.......................................... 234
Ejercicio: **226**........................................................ 234
*parecer / se, aparecer*................................................. 235
Ejercicio: **227**........................................................ 235
*dejar, quedar/se, etc.*................................................. 235
Ejercicio: **228**........................................................ 235
*tomar/se, coger/se*.................................................... 236
Ejercicio: **229**........................................................ 236
Varios..................................................................... 236
Ejercicios: **230-235**.................................................. 236

**Locuciones, adverbios, frases prepositivas. Voces que suelen confundirse**.. 243
Incisos frecuentes en redacción....................................... 243
Ejercicio: **236**........................................................ 245
Varios..................................................................... 246
Ejercicios: **237-250**.................................................. 246

# CLAVE DE SOLUCIONES DE LOS EJERCICIOS

**Capítulo primero** . . . . . . . . . . . . . . . . . . . . . . . . . . . . . . . . . . . . . . . . . 261

**Capítulo segundo** . . . . . . . . . . . . . . . . . . . . . . . . . . . . . . . . . . . . . . . . 263

**Capítulo tercero** . . . . . . . . . . . . . . . . . . . . . . . . . . . . . . . . . . . . . . . . . 273

**Capítulo cuarto** . . . . . . . . . . . . . . . . . . . . . . . . . . . . . . . . . . . . . . . . . 278

**Capítulo quinto** . . . . . . . . . . . . . . . . . . . . . . . . . . . . . . . . . . . . . . . . . . 281